KB141325

현대어본 명주보월빙

현대어본

명주보월빙

7

역주

최길용

이 저서는 2010년도 정부재원(교육부 인문사회연구역량강화사업비)
으로 한국연구재단의 지원을 받아 연구되었음(NRF-2010-327-A00283)

This work was supported by the National Research Foundation of
Korea Grant funded by the Korean Government(NRF-2010-327-A00283)

서문 ● ●

텔레비전이나 라디오가 없던 시절, 소설은 우리 선인들에게 무료한 일상을 달래며 인간사의 다양한 문제들에 대한 여러 생각들을 공유하게 해주던 매우 유용한 미디어였다. 아낙네들의 길쌈하던 일자리나 밤 마실 자리에도, 고관대가 귀부인들의 침실이나 근엄한 사대부들의 책상위에서도, 길가는 사람들로 붐비던 남대문이나 종로거리에서도, 소설은 오늘의 TV나 라디오처럼 사람들의 눈과 귀를 사로잡았다. 그리하여 아낙네들은 소설 없는 밤을 견디지 못하여 금반지나 쌀자루를 들고 세책가를 뻔질나게 들락거렸고, 먹고살 길이 막막했던 어느 곱상한 총각은 여자 강독사로 변장을 하고 판서대감댁 마님 방을 드나들며 소설을 읽어주다 불륜사실이 들통 나 죽음을 당하기도 했다. 그런가하면 공청에서 소설 삼매경에 빠져있던 어느 대감님은 갑작스러운 방문객에 화들짝 놀라 공문서로 소설책을 덮어놓고 시치미를 떼기가 다반사였는가 하면, 종로의 한 담뱃가게 점원 녀석은 전기수가 들려주던 삼국지에 팔려 있다가, 악한 조조가 착한 유비를 몰아붙이는 대목에서 화가나, 담배 썰던 칼을 들고 나와 애꿎은 전기수를 찔러 죽이는 살인사건이 일어나기도 했다.

이렇듯 18-19세기 조선사회는 온통 소설열독에 빠져 있었다. 글을 아는 사람이든 모르는 사람이든, 양반이든 평민이든, 남자든 여자든, 노인이든 젊은이든 할 것 없이 삼천리 방방곡곡이 소설열풍에 휩싸여 있었다. 그렇게 될 수 있었던 것은 무엇보다도 소설이란 장르의 문학적 특성 곧 이야기 문학이 갖는 접근의 무제한성에 있다. 우리 모두가 알고 있는 바와 같이, 이야기는 사건의 흐름을 통해서 이해되는 것이지, 꼭 글자를 통해서만 이해되는 것이 아니다. 비록 글자로 쓰인 이야기라 하더라도, 그것을 누군가가 대신 읽어주거나, 먼저 읽은 사람이 읽은 내용을 말해주는 것을 듣고도, 얼마든지 그 이야기의 내용을 이해할 수가 있고 공감을 가질 수가 있다. 이러한 특성 때문에, 당시에는 글자를 모르는 사람이나 책읽기를 고역스럽게 여기는 사람을 위해, 책을 대신 읽어주는 강독사나, 책을 먼저 읽고 그 내용을 구수한 입담으로 풀어 이야기해주는 전기수와 같은 새로운 직업인이 나타나기도 하였다.

그러나 이 시대를 한국문학사에서 소설의 시대로 꽃피우게 한 것은 뭐니 뭐니 해도 한글필사본소설들의 범람이다. 한글필사본소설들은 한글의 쓰기 쉽고 빨리 쓸 수 있다는 장점과, 필사본의 간편하면서도 저렴한 제책 방식이 갖는 장점을 최대한 활용한 것으로서, 가정이나 궁중 세책가 등에서 다투어 소설들을 베껴 돌려가며 읽었다. 특히 세책가에서는 여러 종의 한글필사본들을 다량으로 확보해 놓고 본격적으로 소설 대여업에 나섬으로써, 이 시대 소설열풍에 더 큰 불을 지폈다.

이 작품 〈명주보월빙〉 연작 235권(〈명주보월빙〉100권, 〈윤하정삼문취록〉105권, 〈엄씨효문청행록〉30권)은 위에서 말한 바의 18세기 말 한국고소설의 전성시대에 나왔다. 그 작품분량은 원문 글자 수가 도합 332만3천여 자(〈보월빙〉1,475,000, 〈삼문취록〉1,455,000, 〈청행록〉393,000)에 이를 만큼 방대하여, 당대 조선조 소설문단의 창작적 역량을 한눈에 보여주는 대작이다. 이 연작은 한국고소설사상 최장편소설로 꼽히는 작품일 뿐 아니라, 동시대 세계문학사에서도 그 유례를 찾아볼 수 없는 대장편서사체이다. 그 분량이 하루에 3-4시간을 들여 하루 한권씩을 꼬박꼬박 읽어낼 수 있는 아주 성실한 독자라고 할 때, 무려 235일간을 읽어야 다 읽어낼 수 있는 분량이니, 이 작품이 당시 궁중에서도(낙선재본), 일반대중들 사이에서도(박순호본: 이것은 세책본이다) 널리 읽혀졌던 사실을 염두에 둔다면, 당대 우리사회의 소설열독 풍조와 세책가의 활황이 어느 정도였을 지를 가히 짐작하고도 남게 한다.

양식 면에서, 《명주보월빙 연작》은 중국 송나라를 무대로 하여 윤·하·정 3가문의 인물들이 대를 이어 펼쳐가는 삶을 다룬 〈보월빙〉·〈삼문취록〉과, 윤문과 연혼가인 엄문의 인물들이 펼쳐가는 삶을 다룬 〈청행록〉으로 이루어져, 그 외적양식 면에서는 〈보월빙〉-〈삼문취록〉-〈청행록〉으로 이어지는 3부 연작소설이며, 내적양식 면에서는 윤·하·정·엄문이라는 네 가문의 가문사가 축이 되어 전개되는 가문소설이다.

내용면에서 보면, 이 연작에는 모두 787명(〈보월빙〉275, 〈삼문취록〉399, 〈청행록〉113)에 이르는 수많은 인물군상이 등장하여, 군신·부자·부부·처첩·형제·친구 등 다양한 인간관계에서 벌어지는 숱한 사건들을 펼쳐가면서, 충·효·열·화목·우애·신의 등의 주제를 내세워, 인륜의 수호와 이상적인 인간 공동체의 유지, 발전을 위한 선적가치(善的價値)들을 권장하고 있다. 아울러 주동인물군의 삶을 통해 고귀한 혈통·입신양명·전지전능한 인간·일부다처·오복향수·이상향의 건설 등과 같은 사대부귀족계급의 현세적 이상을 시현해놓고 있다.

필자는 이 책 『현대어본 명주보월빙』의 편찬에 앞서 『교감본 명주보월빙』(全5권, 학고방, 2014.2)을 편찬 간행한 바 있다. 이 교감본 명주보월빙』은 〈명주보월빙〉의 두 이본, 곧 100권100책으로 필사된

'낙선재본'과 36권36책으로 필사된 '박순호본'을 원문내교(原文內校)와 이본대교(異本對校)의 2단계 원문교정 과정을 거쳐 각 텍스트의 필사과 정에서 생긴 원문의 오자·탈자·오기·연문·결락들을 교정하고, 여 기에 띄어쓰기와 한자병기 및 광범한 주석을 가해 편찬한 것으로써, 컴 퓨터 문서통계 프로그램이 계산해준 이 책의 파라텍스트(para-text)를 제외한 본문 총글자수는 539만자(낙본 2,778,000자, 박본2,612,000 자)에 이른다.

이 책은 위 두 이본 중 선본인 낙선재본 교감본(2,778,000자)을 대본 으로 하여 이를 현대어로 옮긴 것으로, 그 총분량은 282만자에 달한다. 앞의 교감본이 연구자를 위한 전문학술도서 국배판 전5권으로 편찬된데 비해, 이 현대어본은 중·고·대학생과 일반대중을 위한 교양도서(소 설)로 성격을 전환하고, 그 규격을 경량화 하여 신국판 전10권으로 편 찬함으로써, 책의 부피가 주는 중압감과 지나치게 작고 빽빽한 글자가 주는 눈의 피로를 해소하기 위해 노력했다.

이 현대어본의 편찬 목적은 고어표기법과 한자어·한자성어·한문문 장체 표현 위주의 문어체 문장으로 되어 있는 원문을, 현대철자법과 현 대어법에 맞게 번역하거나, 한자병기, 주석, 띄어쓰기를 가해 가독성(可 讀性)이 높은 텍스트로 재생산하여, 일반 독자들에게 '읽기 쉬운 책'을 제공하는데 있다. 그리고 이렇게 함으로써 독자들이 누구나 쉽게 우리 의 고전문학에 접근할 수 있게 하고, 일찍이 세계 최고수준의 소설문학 을 창작하고 향유했던 민족문학에 대한 이해와 자긍심을 높이 갖도록 하는 데 있다.

아무쪼록 이 책의 출판을 계기로 이 작품이 더 많은 독자들과 연구자,

문화계 인사들의 사랑과 관심을 받게 되고, 영화나 TV드라마 등으로 제작되어 민족의 삶과 문화가 더 널리 전파되어 갈 수 있기를 기대한다. 이 작품들 속에 등장하는 앵혈·개용단·도봉잠·회면단·도술·부적·신몽·천경 등의 다양한 상상력을 장착한 소설적 도구들은 민족을 넘어 세계인들의 사랑과 흥미를 이끌어내기에 충분할 것으로 믿어 의심치 않는다.

끝으로 어려운 출판 여건 속에서도 『교감본 명주보월빙』(全5권)에 이어, 전10권이나 되는 이 책의 출판을 흔쾌히 맡아주신 도서출판 학고방의 하운근 대표님과, 편집과 출판을 맡아 애써주신 직원 여러분께 깊은 감사를 드린다.

2014년 4월 20일

최길용

(전북대학교겸임교수)

●● 일러두기

　이 책『현대어본 명주보월빙』은 필자가 〈명주보월빙〉의 두 이본, 곧 100권100책으로 필사된 '낙선재본'과 36권36책으로 필사된 '박순호본'을, 원문내교(原文內校)와 이본대교(異本對校)의 2단계 원문교정 과정을 거쳐, 각 텍스트의 필사과정에서 생긴 원문의 오자・탈자・오기・연문・결락들을 교정하고, 여기에 띄어쓰기와 한자병기 및 광범한 주석을 가해 편찬한『교감본 명주보월빙』(全5권, 학고방, 2014.2.)의, '낙선재본 교감본'을 대본(臺本)으로 하여, 이를 현대어로 옮긴 것이다.

　그 방법은 원문 가운데 들어 있는 ①난해한 한자어나, ②한문문장투의 표현들, ③사어(死語)가 되어버려 현대어에 쓰이지 않는 고유어들을, 1.현대어로 번역하거나, 2.한자병기(漢字倂記)를 하거나, 3.주석을 붙여, 독자가 그 뜻을 쉽게 이해할 수 있도록 하되, 그 이외의 모든 고어(古語)들은 4.표기(表記)만 현대 현대철자법에 맞게 고쳐 표기하는 방식으로 이 책『현대어본 명주보월빙』을 편찬하였다.

　여기서는 위 1.-4.의 방법에 대해 한 두 개씩의 예를 들어 두는 것으로, 본 연구의 현대어본 편찬방식을 간단하게 밝혀두기로 한다.

1. 번역
　한문문장투의 표현이나 사어(死語)가 된 고어는 필요한 경우 현대어로 번역하였다.

㉠ '조디장ᄉ(鳥之將死)이 기셩(其聲)이 쳐(悽)ᄒ고, 인지장ᄉ(人之將死)의 기언(其言)이 션(善)ᄒ다.' ᄒ니, 슉뫼 반ᄃ시 별셰(別世)ᄒ시려 이리 니르시미니

⇒ '새가 죽을 때면 그 소리가 슬프고, 사람이 죽을 때면 그 말이 착하다' 하니, 숙모 반드시 별세(別世)하시려 이리 이르심이니,

㉡ 그대 집 변고는 불가사문어타인(不可使聞於他人)이라. 우리 분명이 질녜 무사히 돌아감을 보아시니, 그 사이 변괴 있음이야 어찌 몽리(夢裏)의나 생각하리오마는

⇒ 그대 집 변고는 남이 들을까 두려운지라. 우리 분명히 질녀가 무사히 돌아감을 보았으니, 그 사이 변괴 있음이야 어찌 꿈속에서나 생각하였으리오마는

㉢ 안비(眼鼻)를 막개(莫開)'라

⇒ 눈코 뜰 사이가 없더라.

㉣ 성각이 망지소위중(罔知所爲中) 차언(此言)을 듣고

⇒ 성각이 당황하여 어찌해야 할지를 알지 못하는 가운데 이 말을 듣고

㉤ 기불미새(豈不美之事)리오?

⇒ 어찌 아름다운 일이 아니겠는가?

ⓑ 사어(死語)가 된 고어는 필요에 따라 번역하였다.

예)써지우다/처지게 하다 떨어지게 하다   다린다/당기다

-도곤/-보다   아/아우   아이/아우 동생   남다/넘다

아쳐ᄒ다/흠을 잡다 싫어하다 미워하다   샏다/뽑다

무으다/쌓다 만들다   흉히(胸海)/가슴   나/나이

2. 한자병기(漢字倂記)

어려운 한자어 가운데 한자만 병기하여도 그 뜻을 쉽게 이해할 수 있는 말은 구태여 주석을 붙이지 않고 한자만 병기하였다.

ⓐ 신부의 화용월틱(花容月態) 챤연쇄락(燦然灑落)ᄒ여 챵졸의 형용ᄒ여 니르지 못ᄒᆯ디라.

⇒ 신부의 화용월태(花容月態) 찬연쇄락(燦然灑落)하여 창졸에 형용하여 이르지 못할지라.

3. 주석(註釋)

한자병기만으로 뜻을 이해할 수 없는 한자어나, 사어(死語)가 된 고어는, 주석을 붙여 그 뜻을 밝혀 두어, 독자가 쉽게 이해할 수 있게 하였다.

ⓐ 윤태위 빅의소딕(白衣素帶)로 죄인의 복식을 ᄒ여시나, 화풍경운(和風慶雲)이 늠연쇄락(凜然灑落)ᄒ여 농미봉안(龍眉鳳眼)이며 연함호뒤(燕頷虎頭)오 월면단슌(月面丹脣)이니

⇒ 윤태우 백의소대(白衣素帶)1)로 죄인의 복색을 하였으나, 화풍경운(和風慶雲)이 늠연쇄락(凜然灑落)ᄒ여, 용미봉안(龍眉鳳眼)2)이며 연함호두(燕頷虎頭)3)요 월면단순(月面丹脣)4)

이니

주) 1) 백의소대(白衣素帶) : 흰 옷과 흰 띠를 함께 이르는 말로
벼슬이 없는 사람의 옷차림을 말함.

2) 용미봉안(龍眉鳳眼) : '용의 눈썹'과 '봉황의 눈'이란 뜻으
로, 아름다운 눈 모양을 표현한 말.

3) 연함호두(燕頷虎頭) : 제비 비슷한 턱과 범 비슷한 머리
라는 뜻으로, 먼 나라에서 봉후(封侯)가 될 상(相)을 이
르는 말.

4) 월면단순(月面丹脣) : 달처럼 환하게 잘생긴 얼굴에 붉
고 고운 입술을 가짐.

ⓛ 촌촌(寸寸) 젼진ᄒ여 걸식 샹경ᄒ니, 대국 인물의 셩흠과 번화ᄒ
미 번국과 ᄂᆡ도ᄒᄂ다라.

⇒ 촌촌(寸寸) 전진하여 걸식 상경하니, 대국 인물의 성함과 번
화함이 번국과 내도한지라1).

주) 1)내도하다 : 매우 다르다. 판이(判異)하다.

ⓒ ᄌᆞ녀를 셩취(成娶)ᄒ여 영효(榮孝)를 보미 극히 두긋거오나 내
스스로 ᄆᆞ음이 위황 (危慌)ᄒ니

⇒ 자녀를 성취(成娶)하여 영효(榮孝)를 봄이 극히 두긋거우나1)
내 스스로 마음이 위황(危慌)하니

주) 1) 두긋겁다 : 자랑스럽다. 대견스럽다.

4. 현행 한글맞춤법 준용

고어는 그것을 단순히 현대철자법으로 고쳐 표기하는 것만으로도 그

90% 이상이 현대어로 전환된다. 따라서 현대어본 편찬 작업의 중심은 고어를 현대철자법으로 바꿔 표기하는 작업에 있다 할 것이다. 이 책에서의 현대어 전환표기 작업은, 번역을 해야 할 말을 제외한 모든 고어 원문을, 현행 한글맞춤법을 준용하여, 현대 철자법으로 고쳐 표기하는 방식으로 진행하였다. 그리고 그 작업에는 다음의 몇 가지 원칙이 적용되었다.

① 원문의 아래아 (ㆍ)는 'ㅏ'로 적음을 원칙으로 한다.
(ᄌ녀⇒자녀, 잉ᄐᆡ⇒잉태, 영ᄋᆞ⇒영아, 이 ᄀᆞᆺ흔⇒이 같은, 예외; 업거늘⇒ 없거늘)

② 원문의 연철표기는 현대어법을 따라 분철표기를 원칙으로 한다.
(므어시⇒무엇이, 본바들⇒본받을, 슬프믈⇒슬픔을, 고으믈⇒고움을, 아라⇒알아)

③ 원문의 복자음은 현행 맞춤법 규정을 따라 표기한다.
(ᄲᅣᆼ뇽⇒쌍룡, ᄠᅳᆮ⇒뜻, ᄡᅩ아⇒쏘아, ᄭᅵᆺᄃᆞ디⇒깨닫지, ᄲᆞᆯ니⇒빨리, ᄯᆞᆯ오더니⇒따르더니)

④ 원문의 표기가 두음법칙·구개음화·원순모음화·단모음화 등의 음운변화로 인해 달라진 말들은 현행 맞춤법 규정을 따라 표기 한다.
(뉴시⇒유씨, 녕아⇒영아, 텬죠⇒천조, 뎐샹뎐하⇒전상전하, 믈⇒물, 쥬쥬⇒주주)

5. 종결·연결·존대어미 등의 원문 준용

문어체 위주의 원문 문장은 구어체 위주의 현대문장과 현격한 문체적 차이를 갖고 있다. 특히 문장의 종결어미나 연결어미, 존대어미는 글의 문체적 특성을 드러내는 매우 중요한 요소들이기 때문에 역자가 이를 현대문의 문체로 고쳐 표현하는 것은 한계가 있을 수밖에 없다. 그것은 문어체 문장이 갖고 있는 장중(莊重)하고도 전아(典雅)하면서 미려(美麗)하고 운률적(韻律的)인 여러 미감(美感)들을 깨트려놓음으로써, 원전의 작품성을 크게 훼손할 수가 있기 때문이다. 따라서 이 책에서는 원문의 종결·연결·존대어미들을 원문의 형태를 준용하여 옮기되, 앞의 원칙(4. 현행 한글맞춤법 준용)에 따라 철자법만 현대 철자법으로 고쳐 옮겼다. 다만 연결어미의 반복적 사용으로 문장이 매끄럽지 못하거나 지나치게 길어진 경우에는 이를 적절히 교정하였다.

목차 ● ●

명주보월빙 권지육십일

 차설 윤부인이 남후의 말을 들으매 더욱 심신이 차악(嗟愕)함을 이기지 못하되 십분 강인(强忍)하여 대왈,

 "첩의 불민한 행사는 군자 비록 책(責)하지 않아서도 알거니와, 다만 조정 의논이 숙모를 사지의 몰아넣으려 하니, 성군은 이효(以孝)로 치천하(治天下)[1] 하시나니, 숙모 소소 과실이 있으나 국가의 간섭함이 없고, 조모의 허물을 사숙(舍叔)의 낯을 보아 사(赦)하실진대, 숙모의 허물인들 희제(弟)의 안면(顔面)을 보아 사(赦)치 못하리까? 이는 조정이 사제 등을 또한 죽이려 함이로소이다."

 병부 그 낭음봉성(朗吟鳳聲)[2]을 들으매 희열한 기운이 무궁하되, 위풍을 변치 않아 날호여 왈

 "부인의 뜻은 유씨를 위하여 무사키를 바라나, 사람마다 그 악악(惡惡)함을 아니 꾸짖을 이 없으니, 군상이 부디 유씨를 죽이려 하시면 뉘 구태여 살리고자 할 이 있으리오? 생 같은 결증(潔症) 있는 자는 성상이 유씨를 아니 죽이려 하서도 간하리라."

 윤부인이 다시 말을 아니하더라.

 금계(金鷄)[3] 창효(唱曉)하매, 금평후 거장(車帳)을 차려 윤씨를 데리

---

1) 이효(以孝) 치천하(治天下) : 효(孝)로써 천하를 다스림.
2) 낭음봉성(朗吟鳳聲) : 봉황새의 울음소리처럼 맑은 소리.

고 취운산으로 가려 하니, 윤씨 황공함을 띠여 고 왈,

"첩이 어린 소회를 고하오미 당돌하오나, 첩이 예사 사람과 같지 못하와 상명이 이이절혼(離異絶婚)함을 분명이 하여 계시니, 이제 은사(恩赦)를 얻삽지 못하여 존부로 돌아가옴이 황공하온지라. 천문의 결사(決事)[4]하심을 기다려 취운산으로 가도 늦지 아니 할까 하나이다."

금평후 왈,

"현부의 말이 당당하니 어찌 좇지 않으리오."

인하여 낙양후를 머무르니 윤씨 황공 사사하더라.

금평후 여의(女醫) 등을 분부하여 한가지로 잘 보호하라 하고, 남후 등 삼자를 데리고 돌아갈 새, 낙양후는 여의 등을 다리고 의막(依幕)[5]에서 윤씨 상처의 약을 의논하더라

재설 정·진 이부에서 제부인네 참참한 흉화를 당하여, 각각 존구와 가군이 주륙을 당하면 저마다 목숨을 결하여 뒤를 좇고자 하나, 행여 천도 원억을 신설함이 있을까 죄는[6] 마음이 형상키 어렵고, 초전(焦煎)하는 장위(腸胃) 재 되려 하는지라. 상하노소(上下老少) 물 끓듯 하여, 주야 하늘을 우러러 무사키를 축원하더라. 진부인이 이·양 두 식부로 더불어 간담이 재 되기를 면치 못하나, 태부인께 경악(驚愕)한 소식을 미리 고치 못하여, 서동으로 가 알아오라 하니, 회보 왈,

"진태우 노야와 학사 상공이 천위를 범하와 천노(天怒) 진첩하시니,

---

3) 금계(金鷄) : '닭'의 미칭(美稱). 꿩과에 속한 새.
4) 결사(決事) : 관청에서 범죄나 소송 사건에 대해 판결을 내리는 일. 또는 그 판결
5) 의막(依幕) : 막사로 쓰는 천막이나 장막이라는 뜻으로, 임시로 거처하게 된 곳을 이르는 말.
6) 죄다 : 마음을 졸이다.

모역하는 죄는 자세히 알지 못하시고, 바로 처참(處斬) 효시(梟示)하라 전교 내렸더이다."

진부인이 이·양 양소저(兩小姐)로 더불어 서로 보고 하 어이없으니, 종시(終始)를 보아가며 죽기를 결단하려 하는 고로, 말을 않고 눈물도 나지 않더니, 주부인이 창황이 태우의 양처를 데리고 협문으로 이르러 진부인의 손을 잡고, 실성 유체 왈,

"영수와 세흥을 먼저 참하라 한다 하니, 부인아! 이런 화변과 흉참한 일을 당하여 아등이 능히 목숨을 지탱하여, 남의 없는 지통을 품고 견딤이 옳으냐?"

진부인이 가슴이 막혀 손으로 하늘을 가리켜 왈,

"창천이 정·진 이문의 참화를 내리오시니, 속절없이 손을 묶어 화를 받을 뿐이라. 다만 거거(哥哥)와 제질(諸姪)의 충효와 정군의 충심으로써, 대역의 이름을 실어 참혹히 마침을 생각하니 간장이 촌촌(寸寸)한[7] 지라. 저저와 소제 질부 등과 양소부(兩小婦)로 더불어 먼저 죽음이 옳으이다."

진태우 양처(兩妻) 실성 애읍(哀泣) 왈,

"숙모와 존고는 아직 종시를 보심이 옳고, 첩 등과 양씨는 죽음이 가(可)하니이다."

주부인이 가슴을 어루만져 왈,

"현부 등이 우리는 아직 사는 것이 옳고, 양 질부와 현부 등은 먼저 죽으려 하니, 내 죽지 않은 전은 현부 등도 죽으려 하지 말라."

태우의 양 부인이 존고의 말씀을 들으매 먼저 죽지 못하여, 또 시노(侍奴) 등을 보내어 궐중 소식을 듣보라[8] 하고 망극하여 하더니, 시녀

---

7) 촌촌(寸寸)하다 : 마디마디 끊어지다.

밖으로서 들어와 고하되,

"에워쌌던 군졸이 점점 풀어지며 즐겨 이르대, '어진 이 흥하고 사나운 이 망함을 이로 좇아 알리로다.' 하더이다."

주부인의 고식(姑媳)이 대경 왈,

"그러면 일이 벌써 볼 것 없다 함이로다. 정·진 이문이 어찌 사나운 자가 있으리오. 소인이 오늘날 대화(大禍)를 당함을 즐겨함이로다. 아무려나 너희 나가, '무슨 일로 싼 것을 푸는고?' 물으라."

이리 이르며, 거의 막힐 듯하니, 양소저 외모에 슬픈 빛을 나타내지 않더니, 이 말을 듣고 기뻐 존고께 고하되,

"군졸의 물러감을 놀라지 마르시고 소식을 아는 것이 옳으니이다. 만일 불행한 변괴 있으면 군졸이 무슨 연고로 헤어지리까? 소첩은 실로 천시를 믿고 목금(目今) 화변의 경참함을 생각지 아니 하옵나니, 존고와 숙모는 과도히 심려를 상해오지 마소서."

정언간에 유흥 공자 친국 소식을 알려 성내에 들어갔다가, 문득 희색을 띠어 들어오며 모친께 고 왈,

"이제는 근심이 없게 되었으니 천도(天道) 소연(昭然)함을 아올지라. 우리 대인과 삼형이며 외가 제인이 개세(蓋世)한 충열로 어찌 대역의 흉참한 일이 있으리까? 오늘날 신원함이 명경(明鏡)을 닦은 듯하니, 이 다 윤 수(嫂)의 공이로소이다."

주·진 이 부인이 차언(此言)을 들으매 반신반의(半信半疑)하여 여취여광(如醉如狂)한지라. 양구(良久) 후 문 왈,

"어찌된 연고로 윤수(嫂)의 공이라 하며, 근심이 없다 하느뇨?"

공자 소이대 왈(笑而對曰),

---

8) 듣보다 : 듣기도 하고 보기도 하며 알아보거나 살피다.

"소자 대인의 경계를 심곡에 삭여, 대인이 오래 누옥의 곤하시대, 소자 등이 근심하는 사색을 나토지 못하고, 왕모를 위하여 좋은 다시 지내더니, 작일에 백형이 함거중(檻車中) 죄인이 되어 잡혀오던 경상을 들으니, 심장이 여할(如割)하여 금조(今朝)에 나아가 친국 소식을 듣보더니, 처음은 표형과 삼형이 천노(天怒)를 촉범(觸犯)하여 참효(斬梟)하라 하시매, 망극하오미 천지를 분변치 못하옵더니, 윤수(嫂) 문득 격고등문(擊鼓登聞)하여 천노를 돌이키심을 듣고, 소자는 기쁨이 황홀하여 미리 나왔나이다."

주·진 양부인이 만심 환열하여, 사생존망(死生存亡)을 모르던 며느리 완연이 살아, 격고등문하여 참화 구함을 들으매 즐거움이 하늘로 오를 듯하여, 공자더러 재삼 물으니, 공자 대왈,

"군졸이 서로 전하여 이르는 말을 들으니, 우리 집을 해함이 구몽숙의 작악(作惡)이라 하더이다."

진부인 왈,

"아까 군졸이 여차여차 이르고 싼 것을 해쳐 먼저 가더라 하매, 나는 아주 일이 그릇 되었는 줄로 알아, 놀라움과 슬픔이 형상치 못하되, 양소부 실로 기뻐하는 빛이 있어 우리를 위로하더니, 과연 앎이 밝은지라. 이제는 적이[9] 마음을 놓을러라."

하더라.

진부인이 이·양 이부를 데리고 태원전에 들어가, 남후와 인흥·세흥 등이 쉬이 돌아올 줄을 고하니, 태부인이 참참한 변고를 알지 못하고, 금평후의 돌아올 바를 깃거, 진부인더러 왈,

"현부 금일은 아침에 노모를 잠깐 보고 종일토록 들어오지 아니하니,

---

9) 적이 : 꽤 어지간한 정도로.

노모 울적함을 이기지 못하던 바라. 천흥 부자가 쉬이 돌아오면 가중이 적이 변화할까 하노라.”

진부인이 사죄 왈,

“첩이 불초하와 존고의 울적하심을 생각지 아니하옵고, 이·양 양식부로 더불어 가군의 관복(官服)을 짓더니이다.”

태부인 왈,

“현부 이제조차 침선의 괴로움을 당할 것이 아니니, 며느리와 시녀 등을 시키고 부질없이 바늘을 잡지 말라.”

부인이 사례하고, 이씨를 눈 주어,

“문양궁에 가 공주를 보고 희보를 전하여 초전(焦煎)하는 심사를 눅이게 하라.”

하니, 원래 진부인은 윤씨 소사(疏事)를 알지 못하고, 신묘랑이 잡혀 들어와 공주의 과악을 직초(直招)한 줄은 몽리(夢裏)에도 생각지 못한 고로, 한갓 공주의 초조황황(焦燥惶惶)한 마음을 위로케 하니, 원래 문양 공주가 적인(敵人)[10]으로 위명자(爲名者)[11]는 하류천창(下流賤娼)이라도 다 죽일 마음이 있으나, 남후를 위한 정성은 금석(金石)의 굳음이 있어, 행혀 그 마음이 상하고 병들까 염려 무궁하거늘, 하물며 그 죄명이 참참(慘慘)하여 한 일도 범연(凡然)한 죄명이 아닌 고로, 그 주륙(誅戮)이 벅벅할[12] 바를 헤아리매, 일신을 분쇄함 같아서, 주야로 호읍하고 식음을 물리쳐, 상요[13]에 몸을 버린 지 날이 오래되, 황상이 정가를 흉타하시어 문양궁 소속을 궐중에 들이지 아니하시고, 김귀비는 역적의

---

10) 적인(敵人) : ①원수. ②남편의 자기 이외의 처(妻)나 첩(妾).
11) 위명자(爲名者) : 이름을 붙인 사람. 지목한 사람
12) 벅벅하다 : 틀림없다. 명백하다.
13) 상(牀)요 : 침상(寢牀)에 펴 놓은 요라는 뜻으로 잠자리를 말함.

딸로 액정에 가두었으니, 공주 어데 가서 설운 정원(情願)인들 발뵈리오[14]. 한갓 황야(皇爺)의 자애지정(慈愛之情)이 부족하심과, 충현을 죽이려 하심을 원울(冤鬱)하여 지낼 따름이러니, 문득 이 부인이 이르러 희보를 전하여, 초전하는 심장을 위로하고 화변이 무사함을 이르나, 그 가운데 공주의 가슴이 터질 듯한 바는, 윤씨를 자기 친히 추경지 못에 넣어 죽였거늘 어찌 살아나 구가의 급한 화를 구하여 격고등문(擊鼓登聞)함이 있는고? 천만 가지 투심(妬心)이 새로이 불 일어나 듯하는지라. 스스로 면색(面色)이 푸르며 붉어 오래 말을 못하더니, 날호여 길이 탄 왈,

"윤부인이 격고등문하여 화를 도리어 복을 삼으나, 첩은 놀라온 심장이 진정키 어려우니, 아마도 초사하여 죽을까 하나이다."

이씨 웃고, 짐짓 가로되,

"금번 화란이 망극함은 측량없건마는, 저제 격고등문하고 구몽숙이 화에 나아가니, 이른 바 자작지얼(自作之孼)이라. 본성이 간악한 유는 아무리 굿겨도 자닝한 마음이 없으리로소이다."

공주 윤씨 미운 마음이 금시라도 질러 죽이고 싶은지라. 분분한 투악을 형용치 못하여 머리를 베개에 던지고 다시 말이 없더니, 문득 밖에 드레며 위사 최상궁을 잡아내어 간다 하니, 공주와 최녀 벌써 지은 악사 많으므로, 일신이 떨니며 장부(臟腑) 뛰놀아 아무리 할 줄 모르다가, 궁인 중 최녀를 잡아감을 보고, 경황망극(驚惶罔極)한 심사는 김귀비를 황상이 죽이셔도 이의 더하지 않을지라.

이씨 공주의 초조하는 거동을 보고 심중에 깃거하되 사색치 않고, 돌아와 존고께 가만히 고 왈,

"최녀 여차여차 잡혀가니, 공주의 망극함이 천지 어두운 형상이라. 최

---

14) 발뵈다 : '발보이다'의 준말. 무슨 일을 극히 적은 부분만 잠깐 들어내 보이다.

녀를 국문하는 지경이면 윤·양 등 삼 저저의 애매함과 질아 등의 거처를 알 도리 있을까 하나이다."

부인이 탄 왈,

"사람이 어진 것을 멀리하고 사나운 것을 취하여 현인을 너무 해하매, 도리어 제 몸에 유해한지라. 윤씨의 생존함을 볼진대 양씨도 죽든 않았을 것이니, 천흥이 현처를 보전하려니와, 공주의 악사 발각하여 천문의 결사(決事)하심이 사정을 두신즉, 그 성악이 그치지 않아 불령지사(不逞之事)15) 많을까 근심하노라."

이씨 고 왈,

"존고 말씀이 마땅하시나, 공주 벌써 최녀를 잡아가기에 당하여 형색이 산 사람 같지 않아, 그런 교기(驕氣) 하나도 없더이다."

부인이 다시 말을 못하여서 궐정 소식을 알러 갔던 시노와 금평후 군관의 무리 고하되, 윤부인이 어전에서 자결하시어 세상 버리시기를 초개(草芥)같이 하시다 하니, 부인이 대경(大驚) 참통(慘痛)하여 실성 호읍 왈,

"이 어찌된 말이뇨? 하늘이 나의 현부를 내시매 조요(早夭)치 아니케 제도하실 바거늘, 이십 청춘에 아까이 명을 마치니, 차세 다시 그런 사덕(四德) 성행(性行)을 어디에 가서 얻어 보리오."

말로 좇아 비루천항(悲淚千行)이라. 좌우 시녀와 공자 등의 슬픈 심사 비할 데 없으나, 태부인이 아실까 두려 유흥 공자는 즉시 태원전의 들어가고, 진부인은 참절애상(慘切哀傷)한 심사를 지향치 못하여 하더니, 참정 순공과 태사 정공이 밖에 이르러 화란을 진정함을 치하하고, 윤씨 비록 칼로 찔렀으나 요행 빗 찔려 아주 죽던 않았음을 전하니, 진부인이

---

15) 불령지사(不逞之事) : 원한, 불만, 불평 따위를 품고 어긋나게 저지르는 일.

친히 중헌(中軒)에 나와 순·정 이공을 보고 윤씨의 곡절을 물으니, 순·정 양공이 염슬(斂膝) 대왈,

"소생 등이 윤보 부자의 당형(當刑)함을 차마 보지 못하와 궐문 밖에서 소식을 듣보더니, 윤씨의 소장이 여차여차하여, 정·진 이문 급화를 구하고, 그 조모와 숙모의 과악을 부끄러워 칼로 찔렀으나 빗 찔렀으니, 구호키를 극진히 하면 생도를 얻으리이다."

진부인이 구호할 사람이 없을까 근심하니, 순·정 이공이 태의와 여의 등이 의막에 모였음과, 금평후와 삼 진공이 윤씨 의막으로 감을 전하여, 부인의 염려를 풀고 날이 어두우매 돌아가지 못하여 외헌(外軒)에서 공자를 데리고 자더라.

진부인이 윤씨의 죽지 않았음을 들으나, 혹자 살리지 못할까 초전하여 종야토록 잠을 이루지 못하고, 밝기를 기다려 시녀 등을 도성에 보내어 윤씨의 사생을 알아오라 하고, 정히 기다릴 즈음에 금평후 삼자를 데리고 돌아옴을 고하니, 태부인은 곡절을 모르되, 평후의 돌아옴을 반겨 급히 난함(欄檻)16)에 나와 기다리더니, 금평후 희기를 띠어 제자를 거느려 들어와, 모친께 연망(連忙)히17) 절하고 그 사이 존후를 묻자올 새, 태부인이 금평후의 반갑기는 둘째요, 남후의 만리전진(萬里戰陣)에 승전입공(勝戰立功)하여 돌아옴을 만심 환열하니, 반갑고 두긋거운 의사 무궁하여 손을 잡고 등을 어루만져 왈,

"내 너를 해북(海北)으로 보내고 홀연(欻然)한 심사 일일층가(日日層加)하더니, 그 사이 국가에 무슨 사고 있던지 여부(汝父)와 인·세 양손

---

16) 난함(欄檻) : 난간(欄干). 층계, 다리, 마루 따위의 가장자리에 일정한 높이로 막아 세우는 구조물. 사람이 떨어지는 것을 막거나 장식으로 설치한다.
17) 연망(連忙)히 : 바삐. 급히.

이 다 궐중에 들어가니, 비록 유흥 등이 있으나 노모의 홀연한 회포 지향할 바 없고, 근일 나의 몽조(夢兆) 괴이하여 너의 부자가 죄수의 모양으로 우려하는 거동이 있으니, 행여 신상이 불평한가 근심하고, 돌아오기를 기다리던 바라. 금일 상경하여 절할 줄 어찌 뜻하였으리요."

평남후 노년 조모의 안강하심이 영합소원(迎合所願)이니, 비록 흉참한 화란을 지내었으나, 오늘날 즐거움은 만사 무흠(無欠)하고, 잃었던 자녀의 거처를 들으니 다시 무엇을 한하리오. 진부인이 심려를 허비함이 생세후(生世後) 처음이라. 금평후 모친 손을 받들고, 문득 탄식 고 왈,

"소자 금번 화란을 당하여 만사(萬事)가 천수(天數)임을 헤아려 슬픔을 나토지 않았삽거니와, 다만 자위를 아득히 속이고, 대리시(大理寺) 누옥(陋獄)에 흉역죄수(凶逆罪囚) 되매, 신혼성정(晨昏省定)을 폐하와 자위(慈闈)께 시봉(侍奉)함을 바라지 못하오니, 여러가지 불효를 무궁이 끼쳐 골절(骨節)이 녹는 듯하옵더니, 천도 정·진 양문의 지원극통을 살피사, 윤현부가 기특히 살아나 간인의 흉모를 밝히 알고, 격고등문하여 여차여차 하오니, 구몽숙이 죽을 곳에 나아가니 어찌 윤현부가 정·진 이문의 은인이 않으리까?"

태부인이 청필(聽畢)에 대경하여 왈,

"노모는 세상에 있으나 범사에 알지 못함은 죽으나 다르지 않아, 너의 부자가 그대도록 참화 중에 있음을 알지 못하였도다."

언파에 상연수루(傷然垂淚)하니, 금평후 재삼 위로하고, 비로소 전후수말을 자세히 고하고, 윤씨의 성행을 갖추 일컬으며, 한가지로 데려오려 하더니 그 말이 여차여차 하여, 천문의 결사를 기다려 오고자 하던 바를 고하니, 태부인이 전후 곡절을 들으매 역비역희(亦悲亦喜)하여 왈,

"그런 화란을 현부 노모에게 사색치 않고, 날더러 이를 이 없으니 노모는 아득히 모르는지라. 이제 필경(畢竟)이 무사하여 모자 조손이 웃는

낯으로 대하니, 노모 석사(夕死)라도 무한이로다.”

세흥이 조모께 구몽숙의 초사로부터 신묘랑 최상궁 세월 등의 초사를 외와 들으시게 하고, 잃었던 질아 등이 다 한충의 집에 있음과, 경 수(嫂)의 생존이 분명함을 고하니, 태부인이 진부인으로 더불어 기쁘고 영행함이 형언키 어려우나, 태부인의 지극히 어짊으로써 운영의 잔잉히 죽음을 불상이 여기고, 공주의 유녀(乳女)로써 최형의 첩자(妾子)로 바꾸었던 바를 비로소 알고, 공주를 더욱 요악(妖惡)히 여기며, 공주의 유녀(幼女) 찾을 길이 없어, 태부인과 금후 부부의 차악함이 측량없더라.

남후 공주에 대해 말을 아니 하나, 또한 유녀(幼女)를 찾을 길이 없어 슬퍼하되, 사색치 아니하더라.

금평후 모전(母前)에 고 왈,

“금일 천문의 결사(決事)함을 마지못하여 참예케 되었으니, 석양에 물러오리이다.”

태부인 왈,

“요리의 초사로 좇아 위·유 양인의 간흉이 그렇듯이 들어나니, 황상의 처결이 어떠하실지 알지 못하거니와, 혜주의 환쇄함과 윤낭(郎) 형제에게 은사(恩赦) 내림을 보지않아 알리로다.”

금평후 대왈,

“위·뉴 양인의 죄는 물시(勿施)하실 법 있삽거니와, 여아와 서랑 등에게 사명 내림은 떳떳하리이다.”

언파에 삼자를 데리고 궐정으로 나아가니라.

차일 만세 황야 만조의 조회를 받으시고, 인하여 형위(刑威)를 베풀어 죄인 등을 다시 올리라 하시어, 그 대역 도모하던 바를 세세히 아뢰라 하시니, 김후는 본디 허박(虛薄)하고, 중광은 어린 장기(壯氣)를 자랑턴 바로, 어이 일차 형장인들 견디리오. 겨우 수십 장(杖)에 부자가 모역하던 바를 직초(直招)하고, 신묘랑을 중광이 사귀어 저의 부자를 옥중에서 구하여 선경사로 간 바를 낱낱이 직초하니, 상이 그 간흉함을 더욱 통한하시어 중장을 더하라 하시니, 김후는 반일(半日)이 못하여 죽고, 중광은 전전 저의 행사를 다 고하여, 윤추밀의 딸을 취할까 죄던 바와, 윤씨를 보러 변복하고 들어가 윤소저를 구경하여, 그 백태천광(百態千光)이 황홀하되, 긴 눈이 설빈(雪鬢)18)에 닿아 남자의 기상 같음을 잠깐 나빼여기던 바와, 돌아올 때에 노변에서 짓맞아 하마 죽을 번한 바를 주하니, 승상 조공이 주 왈,

"신이 전일 듣자오니 희천이 제 누의 의상(衣裳)을 입어 김중광을 뵈고, 그 돌아갈 때에 분노를 이기지 못하여 중광을 두드리다 하옵더니, 금일 중광이 윤씨를 들어가 보던 설화를 듣자오매, 눈 없는 중광이 남녀를 분간치 못하여 희천으로써 윤씨로 알아본 일이 우습도소이다."

상이 잠깐 웃으시고, 하공 부자가 전폐(殿陛)에 있다가, 조승상의 말로 좇아 윤씨 얼굴도 중광을 뵈지 않음을 가장 아름다이 여기더라. 작일(昨日) 하공 부자가 충현을 구함을 일컬으시고, 제신을 모으시어 죄인의 죄율(罪律)을 의논하시니, 승상 조석과 영태사(領太史) 정유 등이 김중광 구몽숙이며 요리(妖尼)를 함께 처참하심을 청하니, 상 왈,

"중광은 대역(大逆)이요, 몽숙은 남을 해하는 요악(妖惡)이니 죄상이 다르도다."

조공과 정태사가 주왈,

"몽숙의 죄악을 헤아리매 중광에서 다름이 없음은, 용포와 옥새를 도적하고, 요리로 하여금 칼을 주어 거짓 도사인 체 하고 심야에 궐정을

---

18) 설빈(雪鬢) : 눈처럼 하얀 귀밑털.

돌입하여 천심을 경동하니, 그 죄상이 중광과 다르지 아니하오이다."

상이 또한 그리 여기사 죽이고자 하시는지라. 평남후, 구몽숙의 그릇됨을 실로 참혹히 여기는 바라. 부디 화(禍)에서 건져내고자 의사 일어나니, 어찌 묵묵함인(默默含忍)[19]하리요마는, 몽숙의 죄상인즉 당당이 한 번 베임을 면치 못할지라. 자기 몽숙을 구하는 것이 남이 교정(驕情)으로 알 것이요, 황상이 또한 듣지 않으실지라. 좋은 계교를 생각지 못하여 머리를 숙이고 침음(沈吟)할 즈음에, 상이 제신으로 의논하시어 죄인의 율(律)을 정하실 새, 김후 부자는 이를 것이 없이 죽이고, 후는 장하의 죽었으나 시신을 끌어 내어가 머리를 베고, 중광도 처참하며, 그 처자를 위로정속(爲奴定屬)[20]하고, 몽숙은 죄상이 역적과 한가지로되 오히려 김후 부자와는 다름으로, 비록 머리를 베나 그 처자를 무사히 두며, 형왕은 몽숙의 꾀임을 들어 현인을 해하며, 괴이한 약류로써 천심을 해코자 함이 사죄(死罪)로되, 각별한 은전을 드리워 일생을 본궁에 안치(安置)하여, 황친류(皇親類)에 나다니지 못하게 하시고, 신묘랑은 세상에 두루 다니며 한갓 공주와 위·유 양인의 악사를 도울 뿐 아니라, 사람을 많이 상(傷)하고, 정·진 이문을 무찌르고자 함이 사죄(死罪)요, 김후의 부자를 데려다가 선경사에 두고 대역을 도모한 바, 또한 죄악이 천지에 관영(貫盈)타 하시어, 그 머리를 베고 수족(手足)을 이(離)하여 팔방구주(八方九州)에 돌리라 하시고, 세월 비영 등은 머리를 베라 하시고, 최형은 중형을 가해 원찬(遠竄)하시고, 윤부 위·유 이녀는 현효(賢孝)한 자손을 천만 가지로 해하여 간계 무궁하니, 유녀는 사사(賜死)하고 위씨는 나이 늙음으로 양주에 삼년 정배하고, 김귀비는 역적의 딸일

---

19) 묵묵함인(默默含忍) : 묵묵히 마음속에 넣어 두고 참고 있음.
20) 위로정속(爲奴定屬) : 예전에 중죄인의 처자를 종을 삼아 벌하던 일.

뿐 아니라, 위인모(爲人母)하여 공주를 돋우어 윤·양 등을 참혹히 해함이 통해하되, 은사를 드리워 목숨을 빌려 은신궁에 안치(安置)[21]하여 궐정에 왕래치 못하게 하시며, 윤추밀은 기한(期限)에 돌아오게 하시고, 이미 간정(奸情)을 논정(論定)하고, 다시 유공자(有功者)를 상(賞)할새, 한충과 한책을 부르시어 정병부의 자녀 살린 바와 경씨 구한 바를 물으시니, 한충은 정공자 사남매와 운영을 구하여 제 집의 머무는 일을 일일이 고하고, 한책은 제 어미 강씨와 태섬의 의기 현심을 좇아 경씨를 한 교자 안에 넣어 와 구호하되 낫지 아니하거늘, 경참정을 보고 연유(緣由)를 일러, 즉시 경씨를 그 집 강정(江亭)으로 데려가 살려냄을 주(奏)하니, 상이 탄하시어 왈,

"공주의 작난이 그대도록 심하여, 천흥의 처자식을 해함이 아니 미친 곳이 없으니, 공주에게 독약을 보내어 죽음을 재촉하라."

하시며, 천안(天顏)이 가장 추연(惆然)하시어 팔채용미(八彩龍眉)[22]에 수운(愁雲)이 사집(四集)[23]하시니, 금평후 천의를 짐작하고, 이에 부복 주왈(奏曰),

"폐하의 결사(決事)하심이 지공무사(至公無私)하시니, 어찌 다른 의논이 있으리까마는, 그러나 부자는 천륜(天倫)의 중(重)함이요, 골육상잔(骨肉相殘)은 변괴(變怪)라. 공주 비록 연소한 심정에 최녀의 사나운 지휘로써 투악(妬惡)을 면치 못하고, 전후사(前後事)가 한심하오나, 최녀 아니면 공주 그대도록 하지 않았으리니, 이미 최녀를 베시매 그 죄를 속(贖)하였거늘, 공주를 마저 사사(賜死)하시면, 천륜의 자애를 베시고 골

---

21) 안치(安置) : 조선 시대에, 죄인을 먼 곳에 보내 다른 곳으로 옮기지 못하게 주거를 제한하던 일. 또는 그런 형벌.
22) 팔채용미(八彩龍眉) : 임금의 아름다운 눈썹.
23) 사집(四集) : 사방에서 모여듦.

육을 잔해(殘害)하심이라. 성주(聖主)의 호생지덕(好生之德)으로써 공주의 일명을 용서하시고, 또 윤수의 부자 숙질을 조정에 용납하려 하실진대, 위씨를 정배치 마시고 유씨를 사사치 마시어, 윤광천의 형제로 하여금 성효를 온전케 하심이 마땅하온지라. 성군은 이효(以孝)로 치천하(治天下) 하시고, 예의로 만민을 권장하시나니, 폐하께서 비록 유씨와 희천으로 그 모자지의(母子之義)를 파기(破棄)하라 하시나, 희천의 효행이 증삼(曾參)[24]과 일류(一類)라. 결단하여 그 양모를 사사하고 제 혼자 살아 있지 아니 하오리니, 유녀의 사생은 불관(不關)하옵거니와, 희천 같은 대현을 유녀로써 아깝게 잃음이 되면, 어찌 국가의 불행이 아니리까? 원(願) 폐하는 살피시어, 유녀는 윤수 돌아와 처치케 하소서"

상이 가라사대,

"경의 주사(奏辭) 마땅하나 위·유 이녀와 공주의 과악(過惡)이 물시(勿施)키 어려운지라. 윤수의 낯을 보지 않으면 어찌 위녀를 살려 두리오마는, 윤수와 광천의 마음을 편케 하고자 하는 고로, 사죄(死罪)를 사하여 일명을 빌리고, 유녀는 윤수와 의를 절하면 희천과 남이 되리니, 그 사생을 거리낄 것이 없을 것이거늘, 희천이 유녀를 위하여 죽도록 하리오."

초평후 주왈,

"신의 조강은 윤수의 여식이라. 유씨 본디 신을 깃거 않아, 신의 집에 결혼하기를 싫어하던 바도, 중광 등이 다 아온 바라. 신이 유녀의 사나움을 분완함이 아니라, 신에게 다만 일매(一妹) 있어 명도(命途) 박(薄)

---

24) 증삼(曾參) : 이름은 삼(參), 자는 자여(子輿). 중국 노나라의 유학자. 공자의 덕행과 사상을 조술(祖述)하여 공자의 손자인 자사(子思)에게 전하였다. 후세 사람이 높여 증자(曾子)라고 일컬었으며, 저서에 ≪증자≫, ≪효경≫ 이 있다.

하오미, 십일세에 몽숙의 해를 입사와 금사강에 익수하여 죽음이 쉬운
것을, 정천흥의 구함을 힘입어 겨우 수사함을 면하여, 천흥으로 결약남
매(結約男妹)하고 정연의 양녀가 되어, 십삼세 된 후는 윤희천과 구약
(舊約)을 이루니, 신매(臣妹)의 위인이 설사 불민(不敏)하올지라도, 대
단히 작죄함이 없는 후는 그대도록 못할 것이거든, 하물며 신매의 현철
(賢哲)하옴이 흠할 곳이 없사옵거늘, 유녀 여차여차 두드려 궤중에 넣어
남강에 띄우니, 세월 등의 초사와 같사온지라. 신이 초국을 멸하고 돌아
와 신매의 거동을 보오니, 인비석목(人非石木)이라. 어찌 분함을 참으리
까마는, 오히려 신매 죽지 않았사오니 희천으로 부부지의(夫婦之義)는
끊을 일이 없는 고로, 희천의 안면을 생각하와 유녀에게 분을 풀지 못하
오나, 신매의 일신면모(一身面貌)를 아니 상해온 곳이 없이, 한 조각 핏
덩이를 만들었던 일을 생각하오면, 칼로 흉인을 죽이고자 의사 있삽더
니, 간인이 '고삐 길매 밟히는'25) 환(患)을 만나, 그 전후 악사 신묘랑
세월 비영 등의 초사의 나타났사오니, 그 죄 처참할 죄상이요, 신의 마
음이 쾌활하게 그 죽는 거동을 보고 싶되, 다만 윤희천의 위인을 헤아리
매, 상명(上命)이 비록 모자지의(母子之義)를 그치라 하시나, 희천의 유
녀 향한 정은 그칠 길이 없삽나니, 유씨를 사사하시는 날은 희천을 죽이
시는 잖이니, 성주의 호생지덕으로, 희천의 목숨을 아끼실진대 유씨를
죽이지 마심이 옳을까 하옵나니, 원 폐하는 살피소서."

금평후 하원광의 주사가 마땅함을 주하고, 낙양후 진광의 형제와 승
상 조진의 주사가 다 유녀를 살려주심을 청하니, 상이 또한 그리 여기사
위씨를 정배치 아니하시고, 유녀 사사(賜死)하는 전지를 거두어 양주 정

---

25) 고삐가 길면 밟힌다 : 속담. 나쁜 일을 아무리 남모르게 한다고 해도 오래 두고
   여러 번 계속하면 결국에는 들키고 만다는 것을 비유적으로 이르는 말

배(定配)하라 하시니, 이부 총재 윤환이 주왈,

"유녀의 죄상이 죽으매 아깝지 않고, 그 병이 위악하와도 염려할 것이 없으되, 희천은 유녀를 위하여 성효 동촉(洞屬)하오니, 그 병세 위악한 가운데 저의 찬적한 곳에 정배함을 들으면, 주야로 그 양모로 떠나지 않으려 하오리니, 폐하께서 은전(恩典)을 쓰시어 살리심이 마땅하옵고, 유녀의 병이 차성치 않은 전은 지척도 움직여 갈 길이 없삽나니, 청컨대 유녀 병이 잠깐 나은 후 가게 하소서."

상이 윤허하시어, '비록 여러 날이 될지라도 유녀의 병이 낫거든 가게 하라' 하시고, 금평후가 공주의 죄악이 오히려 유녀만 못함을 일컬어 또 사(赦)하심을 청하니, 상이 탄하시어 왈,

"짐이 천륜자애(天倫慈愛)로써 문양을 죽임이 어찌 마음이 편하리요마는 극악한 행사 한 조각도 사람의 뜻이 아니니, 사정을 돌아보지 못하여 죽이고자 하였더니, 경의 말이 이 같고 짐심이 추연(惆然)하니, 그 목숨을 빌리려니와 아주 제 궁에 안치(安置)하여, 궐정 왕래와 경의 집에 다니는 길을 끊게 하고, 궁인 한씨의 귀향²⁶⁾을 풀어, 문양궁에 보내어 어질게 인도하게 하려니와, 천흥이 본디 문양과 은정이 불합하던데 그 허다 과악을 듣고 짐이 죽이지 않음을 한(恨)하리로다."

금평후 주 왈,

"천흥이 비록 무상하오나, 어찌 폐하의 결사(決事)하심과 공주 살리심을 한하리까?"

병부 주왈,

---

26) 귀향 : 귀양. 고려·조선 시대에, 죄인을 먼 시골이나 섬으로 보내어 일정한 기간 동안 제한된 곳에서만 살게 하던 형벌. 초기에는 방축향리(放逐鄕里)의 뜻으로 쓰다가 후세에 와서는 도배(徒配), 유배(流配), 정배(定配)의 뜻으로 쓰게 되었다.

"유녀와 공주의 죄악이 천지에 관영하오대, 그 죽임이 각각 사세(事勢) 난연(難然)한 고로 별은전(別恩典)을 쓰시니 호생지덕이 흡연하신지라. 신이 어찌 감히 한하리까? 공주의 사생유무(死生有無)가 신에게 간섭치 아니하오니, 이제는 공주에 대한 말씀을 신더러 이르지 마심을 원하옵나니, 다만 참절하온 바는 비록 불관한 여식이나, 신의 골육을 그 모(母)로 인하여 아무 곳으로 간 줄 모르오니, 차라리 목전에서 죽음만 같지 못하와, 차악함을 이기지 못하리로소이다."

상이 남후의 주사를 들으시매, 공주 죽지 않아도 다시 부부의 정을 바랄 것이 없음을 추연하시어, 구태여 옥음을 여지 않으시나, 천안(天顔)이 공주의 일로 우우(憂憂)하심을 알리러라.

이미 죄인 등을 처치할 새, 병부 몽숙을 구할 도리 없어 정히 주저할 즈음에, 형주와 유주 등처(等處)에 괴이한 요정(妖精)이 있어, 사람을 해하매 백성이 이산(離散)하는 유(類) 많으니, 형·유 양처 자사가 발군(發軍)하여 아무리 잡고자 하여도 계교 없어 조정에 주문하니, 상이 가장 우려하시어 왈,

"형·유 양처는 부요지지(富饒之地)러니, 요괴의 작난이 이 같아서 백성을 상해함이 되니, 뉘 능히 안무사(按撫使)를 함직 하뇨?"

평남후 대주 왈,

"구몽숙의 죄악은 관영(貫盈)하오나, 원간 그 문학과 재주는 출어범류(出於凡類) 하온지라. 신이 저로 더불어 적지 않은 혐극이로되, 신의 우충(愚忠)이 본디 국가를 위하오매 사사를 돌아보지 아니 하옵나니, 몽숙이 재주 비상하여, 공중에 왕래하며 요정을 제어(制御)하는 술업(術業)이 있어 요괴를 제어하옵나니, 신의 소견은 몽숙의 죄를 물시(勿視)하시어 안무사를 삼음이 마땅할까 하나이다."

상이 정병부의 위인을 기특히 여기사 웃으며 왈,

"구몽숙이 경의 집을 아주 멸코자 하였거늘, 경이 어찌 살리기를 이같이 하느뇨?"

병부 대주왈(對奏曰),

"신의 사혐(私嫌)을 이를진대 몽숙을 죽여 한을 풀고자 하오되, 국가를 위한즉 몽숙이 아니면 가(可)치 아니할까 하나이다."

상 왈,

"경언이 군자의 대도를 숭상함이라. 몽숙의 죄상이 아무리 생각하여도 사(赦)치 못하리니, 현마[27] 몽숙의 재주만한 유(類)를 못 얻으리오."

평남후 다시 주왈,

"신이 국가를 위한 말씀이러니, 폐하께서 이미 호생지덕을 널리 베푸시어 죽이지 않으시니, 청컨대 몽숙을 살리심을 바라나이다."

만조(滿朝)가 다 몽숙 살리기를 불열(不悅)하되, 홀로 낙양후 진광이 몽숙을 자닝히 여겨 살리고자 하는 의사 정병부와 일반이라.

이에 주왈,

"몽숙은 어려서 부모를 여희고 강근지친(强近之親)도 없는 고로, 신이 그 혈혈무의(孑孑無依)함을 자닝히 여겨 거두어 양휵(養慉)함이 있으되, 신의 가르치는 도리 무상하와, 몽숙으로 하여금 정도에 이르게 하지 못하고 간흉한 곳에 빠지게 함은 신의 탓이라. 몽숙이 신의 부자 형제와 정연의 부자를 해함이, 신의 어질지 못한 연고니, 몽숙을 베시매 신의 가르치지 못한 죄를 다스리시리니, 만일 덕화를 베푸시고 인명이 중대함을 생각하실진대, 천흥의 주사(奏辭)대로 몽숙을 형·유 양처의 안무사를 삼으시어 일명을 빌리시고, 혹자 성공치 못 하옵거든 즉시 역률로써 참하시고, 신과 천흥을 죄 주사 망령되게 천거함을 다스리소서."

---

27) 현마 : 설마. 아무리 하기로, 차마.

상이 진후 숙질의 어진 말씀을 들으시매, 또한 몽숙을 사코자 하시어, 돌아 만조더러 물으시되,

"진경과 천흥의 주사가 여차하니 제경의 뜻이 어떠하뇨?"

태사 정유와 승상 조진 등이 주 왈,

"진광과 정천흥이 몽숙을 구함은, 그 의기현심(義氣賢心)으로 후사가 멸절함을 자닝히 여기고, 또 현심을 발하여 부디 살리고자 함이 아름다우니, 어찌 몽숙의 일명을 빌림직 하지 않으리까?"

상이 웃으시고 쾌히 몽숙을 사(赦)하시어 형·유 안무사를 시키시고, 기여(其餘) 죄인은 다 베고 찬출하라 하시고, 문양궁 노(奴) 여환은 남후의 자녀를 해한 일이 없으되, 본정인즉 극악한지라. 황상이 그 사나움을 알지 못하시고 무사히 놓으시니, 여환이 흔흔자득(欣欣自得)하여, 어린 기운을 내다가 오왕의 하리와 싸워, 그 하리를 반생반사케 짓두드리니, 오왕이 대로하여 여환을 형장 삼차에 절도(絶島)에 내치니라.

상이 죄인을 죽이시고, 공작(功爵)을 상(賞)하실 새, 평남후 북이(北夷)를 평정하고 북방 생녕(生靈)28)을 탕화중(湯火中)에 건지고 대국 위엄을 빛내다 하시어, 벼슬을 도도시고 대연(大宴)을 주어 그 조모 순태부인과 금평후 부부를 진헌(進獻)29)하라 하시고, 윤씨는 성행(性行) 사덕(四德)이 만고에 희한하거늘, 그 조모와 숙모의 불인함으로 심사 편함을 얻지 못하고, 출가하매 공주로 인하여 만상사변(萬狀事變)을 겪었을 뿐 아니라, 간인의 흉모를 알아 구가(舅家)의 급화를 구하기에 미처는, 격고등문(擊鼓登聞)하여 열부(烈婦)의 절개를 다하고, 그 할미 허물을 부끄러워 죽고자 함이 더욱 아름다우니, 각별이 절효의렬현비문(節孝義

---

28) 생녕(生靈) : 생민(生民). 살아 있는 백성.
29) 진헌(進獻) : 헌수(獻壽)를 올림.

烈賢妃門)을 세워 후세의 전하라 하시고, 주영은 주인을 도와 정·진 이
문을 신백게 함을 기특다 하시어 금백(金帛)을 상사하시고, 혜원니고는
'현인을 급화에 건져 신묘랑 요정을 잡다.' 하시어 법호를 고쳐 명성대
사라 하고, 활인사를 크게 수보(修補)하여 혜원에게 광채 있게 하고, 금
은 필백을 활인사에 많이 상사하시고, 남후의 재실 양씨는 공주의 해함
을 받아 윤씨와 한가지로 굿김이 참혹하다 하시어, 정부로 돌아오는 날
각별 위의를 빛내어 상사(賞賜)를 더하라 하시고, 이·경씨 등이 다 공
주로 인하여 굿김을 차석하시며, 이씨의 누명이 윤·양 등과 한가지로
벗었으니 쾌히 정가로 모이라 하시며, 경씨는 비록 허무한 일이라도 요
괴의 해함을 받고, 공주의 투악으로 인하여 자닝히30) 상하였던 바를 슬
피 여기사, 참정 경침을 불러 기녀의 액회(厄會)를 위로하시고, 한충은
정아 등을 구호하며 운영을 살려내고 그 현심이 기특타 하시어, 좌익장
(左翼將)을 하이시고, 궁인 태섬과 기여(其餘)31)를 상사하시고, 다시 외
조사(外朝事)32)를 의논하시어 정·진 등의 금번 화란에 놀람을 위로하
시고, 뉘우치는 뜻을 뵈사, 금평후와 낙양후 삼곤계(三昆季)로부터 소년
의 이르기까지 옥배(玉杯)에 향온(香醞)을 반사(頒賜)하시며, 금평후는
연하여 사오 배를 권하시어 기자(奇子) 낳음을 포장(襃獎)하시고, 윤광
천 형제는 그 흉한 조모와 간악한 유녀의 해함을 만나 남·양 이처의 정
배함이 원억(冤抑)함을 이르시어, 윤희천으로 태자태부 홍문관 태학사
를 삼으시어 역마(驛馬)33)로 부르시고, 윤광천은 이미 장사를 정벌하는

---

30) 자닝히 : 애처롭고 불쌍하게.
31) 기여(其餘) : 그 밖의 사람들.
32) 외조사(外朝事) : 남성 대신(大臣)들의 일.
33) 역마(驛馬) : 조선 시대에, 각 역참에 갖추어 둔 말. 관용(官用)의 교통 및 통신
　　수단이었다.

바에 참모사가 되었으니, 아직 부르지 말고 손확에게 조서(詔書)하시어 좋이 군중에 종사케 하려 하시더니, 문득 장사(長沙)[34]로부터 급한 주문(奏文) 두 장이 궐정에 오르니, 손확의 주문에는 참모사 윤광천이 파적할 의논을 듣지 않고, 장사왕과 동심하여 황성을 범코자 하는 간정을 발각하니, 어떤 요괴로운 도사와 그 부하에 있는 임성각이라 하는 장사가 광천과 한가지로 도망함을 주하였고, 한장은 부원수 장원의 주문이니, 손확이 군정을 다스리지 않고 탐주호색(貪酒好色)하여 성색으로 날을 보내며, 포학(暴虐) 잔인(殘忍)하여 참모사 윤광천이 간하고 파적(破敵)할 모책(謀策)을 드리니 손확이 대로하여 내어 베려 하다가 잃고, 군장사졸(軍將士卒)이 마음이 변하고, 장사국 병세(兵勢) 성(盛)하여 장졸이 무수히 죽고, 손확이 또한 잡힌바 되었음을 주하고, 양장(良將)을 보내심을 청하였더라. 상이 남필(覽畢)에 대경하시어 가라사대,

"짐이 불명하여 손확 같은 신하를 원융(元戎) 중임(重任)을 맡겨 대사를 그릇 만들며, 윤광천 같은 충효영준(忠孝英俊)을 잃게 되니, 어찌 아깝고 차악(嗟愕)치 않으리오. 그러나 광천은 마침내 짐을 속이지 않으리니, 장사 흉역을 뉘 능히 제어하리오."

정병부 천문의 결사를 보매, 마땅하되, 자기 봉공인수(封公印綬)[35]를 밧지 않으려 하나, 상이 불윤하시고 북평공을 시키시고, 이르시되,

"장사왕이 윤광천의 버린 아내를 데리고 흉역을 꾀하여, 병을 몰아 황성을 범코자 할 뿐 아니라, 병세 강장(強壯)하여 대적할 장수 없으니, 경이 아니면 장사를 파키 어려운지라. 전일 수고함이 많으나 또 이번 흉

---

34) 장사(長沙) : 중국 호남성의 동부 곧 동정호(洞庭湖) 남쪽 상강(湘江) 동쪽 하류에 있는 도시. 수륙 교통의 요충지이며 호남성의 성도(省都)이다.
35) 봉공인수(封公印綬) : 공작(公爵)에 봉작된 표시로 차고 다니던 쇠나 옥으로 된 조각물과 그것을 꿴 끈.

역을 멸함이 어떠하뇨?"

북공이 재배 대주 왈,

"폐하께서 신으로써 장사를 파코자 하시면 신이 어찌 사양하리까마는, 신의 소견은 광천이 피하여 달아남이 원려(遠慮) 깊고, 필연 장사를 파할 지략이 가즉하오니36), 아직 수삭(數朔)을 기다려 보시면, 광천이 반드시 장사를 멸하고 대공을 세워 돌아오리이다."

상이 오히려 믿지 않으시어 근심하시는지라, 금평후 주왈,

"윤광천의 용력과 재주는 천흥의 유(類) 아니라. 지모 가즉하니 폐하는 조서를 나리오사, 광천으로써 장사를 파하고 쉬이 돌아오라 하소서."

상이 가라사대,

"광천의 재주는 원융이라도 족히 당할 것이로되, 나이 겨우 이팔(二八)이 넘었고, 제 문중(門中)에 장재(將材) 없으니 무예(武藝) 소여(疎如)할까 하노라."

금평후 주왈,

"재주란 것은 연치(年齒) 다소(多少)에 있지 아니하오니 과념(過念)치 마소서."

상이 금평후 부자를 믿으시는 고로, 즉시 조서를 내리와 윤광천으로 평남 대원수를 삼아 장사를 치라 하시니, 북공이 다시 구몽숙으로써 형·유 안무사를 삼아 보내심을 청하니, 상이 그 현심을 아름다이 여기사, 즉시 구몽숙의 죄를 사하여 입공속죄(立功贖罪)하라 하시니, 몽숙이 천만 의외에 낙양후와 북평공의 살려줌을 당하니, 도리어 괴이하여 중장여(重杖餘)에 겨우 붙들려 집으로 돌아가되, 아무도 자닝히 여길 이 없고, 상이 태학사 위현 등을 벼슬을 삭(削)하여 전리(田里)로 내치시니라.

---

36) 가즉하다 : ①가지런히 하다. 고루 갖추다. ②힘써 하다. 힘을 다하다.

이날 중광으로부터 세월 비영 등을 다 베실 새, 중인은 다 구태여 괴이한 일이 없으되, 묘랑을 벨 제 한 덩이 핏조각이 화(化)하여 괴이한 기운이 되어, 서북간(西北間)으로 향하니, 후래(後來)에 윤세린이 재실 여씨를 얻어, 가내를 어지럽히매 출거(黜去)하였더니, 공교히 변용하여 정운기 제오 부빈(副嬪)이 되어, 능히 부부호합(夫婦好合)을 얻지 못하고, 정가의 출부(黜婦) 되었더니, 필경 궐정에 들어가 작변하다가, 악사 발각하여 또 머리를 보전치 못함이 되니, 이 설화는 삼문자녀별전(三門子女別傳)의 있느니라.

이 때 금평후 천문의 결사하심을 보고, 날이 늦은 후 상이 내전(內殿)에 들으시니 만조가 비로소 퇴할 새, 금평후 또한 삼자로 더불어 물러와 바로 윤씨의 하처(下處)37)로 오니, 주영이 여의(女醫) 등으로 더불어 부인을 모셨고, 태의(太醫) 등이 밖에서 약을 대후하는지라. 금평후 창외에서 부인의 먹는 것을 묻고 들어가니, 윤씨 겨우 붙들려 일어나 앉거늘, 공이 어루만져 왈,

"천문의 결사하심이 여차여차 하시니, 이제는 현부 위·유 두 부인을 위하여 염려할 일이 없고, 너의 절효를 칭찬하시어 문려(門閭)38)에 정표(旌表)39)하시니, 우리 부자가 사양하되 천의 견고하시니 하릴없거니와, 은영이 넘침이 불안하도다."

윤씨 미처 대치 못하여서, 북공이 고왈,

"금일 분요(紛擾)할 뿐 아니라, 몽숙을 살리기로 타렴(他念)이 미치지

---

37) 하처(下處) : 늑사처. 손님이 길을 가다가 묵음. 또는 묵고 있는 그 집
38) 문려(門閭) : 동네 어귀에 세운 문. 늑여문(閭門)
39) 정표(旌表) : 착한 행실을 세상에 들어내어 널리 알림.

못하와, 정문(旌門)40) 포장(襃奬)이 과도하심을 간(諫)치 못하였삽거니와, 소자 명일 정문 마심을 청하여 여자의 행적이 고요하게 하리이다."

공이 답왈,

"네 뜻이 그러하나 성상이 허치 않으실까 하나니, 비록 외람(猥濫) 황공(惶恐)한들 현마41) 어찌 하리오."

윤씨 존구(尊舅)의 말씀을 들으매, 유부인의 찬출이 오히려 경참하고, 자기로써 정문 포장하심을 불안 황공하여 팔자춘산(八字春山)42)에 유연(幽然)한 수색(愁色)을 띠었으니, 그 기이하고 어여쁜 기질이 불가형언(不可形言)이라. 금평후의 애련(愛憐)하는 정은 이르지 말고, 낙양후 등이 다 한가지로 사랑하여 친자부 같더라. 금후 덩43)을 들여 앞에 놓고 주영을 명하여 소저를 붙들어 덩에 편히 눕게 하라 하며, 윤씨더러 왈,

"성교(聖敎) 여차하시니 현부 다시 불안할 일이 없는지라. 모름지기 마음을 편히 하여 다시 병을 이루지 말라."

윤씨 다시 무엇이라 칭탁하리오. 자기의 사정을 비추지 못하여 덩에 들어가매, 금평후 덩을 앞세우고 삼자로 더불어 부중에 돌아올 새, 여의(女醫) 등과 태의(太醫) 다 부인의 뒤를 따르고, 허다(許多) 하리(下吏) 길을 치우니, 그 영광이 일로(一路)에 휘황한지라. 금평후 비록 사치를 원수같이 여기나 자연 위(位)예 좇은 추종(追從) 하리(下吏) 가득하여 길에 덮이니 뉘 아니 기뻐하리오.

---

40) 정문(旌門) : 충신, 효자, 열녀 들을 표창하기 위하여 그 집 앞에 세우던 붉은 문. 늑작설(綽楔)·홍문(紅門)

41) 현마 : 설마, 차마.

42) 팔자춘산(八字春山) : '두 눈 위의 화장한 눈썹'을 비유적으로 나타낸 말. '팔(八)'자는 '두 눈두덩 위에 나 있는 눈썹'의 모양을 나타낸 말.

43) 덩 : 공주나 옹주가 타던 가마.

정·진 등의 뒤를 따라 취운산으로 나아오는 자가, 왕공후백(王公侯伯)이 아니면 진신명사(縉紳名士)44)라. 이에 행하여 운산에 다다라 낙양후 삼곤계는 자질을 거느려 진부로 들어가고, 금평후는 삼자를 거느려 윤씨의 덩을 껴 부문에 들어가매, 백관(百官)과 존객(尊客)이 벌 뭉기45) 듯 모이니, 인사에 손을 버려두고 안으로 들어가지 못하여, 다만 윤씨의 덩만 들여보내고 자기 부자는 청죽헌에서 빈객(賓客)을 접응할새, 허다(許多) 재렬명류(宰列名流) 정·진 이부로 갈라 들어가, 전사(殿事)를 일컬어 치위(致慰)하니, 금평후 부자 사사(謝辭)하여 성상의 호생지덕(好生之德)임을 일컬을 따름이요, 하객이 서로 돌려들어 정부로 왔던 자는 진부로 들고, 진부 하객은 정부로 가 날이 어둡기에 이르도록 낙역부절(絡繹不絶)46)하다가, 동문(東門)이 닫히게 되매 각각 돌아 가니라.

이 날 진부인이 순태부인을 모셔 윤씨의 상처를 묻고, 처소를 선월정에 정하고, 태부인이 윤씨의 좌수를 잡고 진부인이 우수를 잡아 방중에 들어가매, 윤씨 십분 강작(强作)47)하여 아픈 것을 견뎌 태부인과 존고께 예를 마치니, 태부인이 그 상처를 보고 자닝히 여겨 능히 말을 못하고 실성비읍(失性悲泣)하니, 아주소저의 윤부인을 반기며 슬퍼함은 더욱 측량 없더라.

이소저 또한 비척함을 이기지 못하고, 양씨는 처음으로 상견하는 바로되, 윤부인의 천향월광(天香月光)48)과 수연염태(粹然艶態)49)를 구경

---

44) 진신명새(縉紳名士) : 홀(笏)을 큰 띠에 꽂은 높은 벼슬아치와 이름 있는 선비.
45) 뭉기다 : 엉겨서 무더기를 이루다.
46) 낙역부절(絡繹不絶) : 연락부절(連絡不絶). 왕래가 잦아 발길이나 소식이 끊이지 아니함.
47) 강작(强作) : 억지로 기운을 냄.

하매, 자기 위에 오를 색광기질(色光氣質)이 있음을 깨달아, 칭복하며 경앙함을 마지않더라.

존당과 진부인이 겨우 슬픔을 진정하고 소저를 볼 새, 반드시 환형척골(換形瘠骨)50)함으로 알았더니, 뉘 도리어 풍완(豊婉)함이 수삼년 사이의 더 나아짐을 뜻하였으리요. 윤씨 심회 천만 가지로 슬픔이 동하되, 승안화기(承顔和氣)를 일치 않으려 슬픔을 참고, 삼년 사이 존후를 묻자오며, 금번 화란에 놀라심을 일컫고, 활인사의 있으되 간당을 두려 감히 생존을 고치 못하여, 성녀(聖慮)를 허비하시게 함을 청죄할새, 옥성(玉聲)이 낭랑(朗朗)하여 금반(金盤)에 진주(眞珠)를 굴리고, 봉음(鳳吟)이 화평하여 천지의 화기를 일울지라. 존당과 고모(姑母)51)가 재삼 편히 눕기를 이르며, 금번 화란에 격고등문하여 화(和)를 돌이켜 복을 삼음이 현부의 공이라 하여, 한없는 사랑과 무궁한 정담이 끊이지 않고, 현기 등 사아(四兒)의 거처를 알며, 윤·양·이 다 몸을 보전하였음을 주영더러 물어 들으매, 즐겁고 영행함을 이기지 못하니, 대개 소저의 위인이 남다른 연고러라.

날이 어두오매 금평후 모부인을 모셔 들어갈 새, 진부인은 선월정에서 밤을 지내며 소저를 구호코자 하니, 북공이 가치 않음을 일컬어, 왈,

"저의 상처가 대단하오나 오히려 사생(死生)을 면하였사오니, 원컨대 정침으로 돌아가사이다."

태부인 왈,

---

48) 천향월광(天香月光) : 기이한 향기와 달빛처럼 빛나는 광채.
49) 수연염태(粹然艶態) : 꾸밈이 없고 순박한 아름다운 자태.
50) 환형척골(換形瘠骨) : 모습이 이전과 아주 달라져 몸이 바짝 마르고 뼈가 앙상하게 들어남.
51) 고모(姑母) : 시어머니.

"현부 윤소부를 위하여 구병코자 하니, 천아의 마음을 생각지 않아 삼년 이정(三年離情)을 펴게 않고, 며느리 곁에서 숙침코자 함이 무슨 뜻이뇨?"

진부인이 함소(含笑) 대왈,

"천흥이 그 곁에서 병인을 잘 구호할 것이면, 첩이 어찌 이곳에 와 밤을 지내고자 하리까마는, 위인이 종요롭지 못하오니 그 처자의 구병을 믿어 맡기리까?"

금평후 소왈,

"천흥이 비록 종요롭지 못하나 의술이 고명하니, 윤현부의 병을 구호하매 몸이 편하기는, 오히려 부인이 있어 숙직하며 구호하는 것보다는 낫게 여길 듯하니, 모름지기 아들의 말을 들으라."

진부인이 소이무언(笑而無言)이요, 북공이 관을 숙이며 띠를 도도아 행여도 웃는 빛을 나토지 않고, 조모를 붙들어 태원전에 이르매, 예부와 학사 조모의 침금을 포설하고 취침하심을 청하니, 태부인 왈,

"윤씨의 돌아옴을 보고 천흥이 또 승전입공(勝戰立功)하여 필경이 무사하니, 마음이 즐겁고 지금 세상의 살았던 줄이 영행(榮幸)한지라. 너희 화란을 진정하고 몸이 고단하리니 일찍이 돌아가 자라."

언파에 옷을 그르고 상요에 나아가니, 금평후 부부 제자를 거느려 퇴(退)할 새, 북공으로 윤씨의 병을 잘 구호하라 하고, 유흥과 필흥은 청죽헌을 지켜 군관서동배(軍官書童輩)를 데리고 자라 하고, 예부는 선자정으로 가라 하고, 태우는 선삼정으로 보내고, 자기는 진부인 침소에서 자다.

예부 등이 수명이퇴(受命而退)하여 각각 내실(內室)로 들어가고, 북공은 선월정의 이르니, 윤씨 비로소 옷을 입은 채 상요의 나아갔는지라. 북공이 몸이 곤뇌하나 고단한 줄을 알지 못하고, 윤씨의 상처에 약을 갈아 싸매, 그 시녀 등을 장외로 물리고, 이따금 '부인이 자는가.' 찰시(察

視)하니, 윤씨 비록 몸이 취운산에 있으나, 마음인즉 옥누항에 돌아가 조모의 병을 구호할 이 없음을 설워하며, 야야(爺爺)를 생각고 슬퍼 할 뿐 아니라, 자기로 인하여 조모와 숙모의 전전 과악이 들어나, 구천타일(九泉他日)52)에 야야를 뵈오매, 불효녀 됨을 면치 못할까, 온가지로 헤아려도 유사지심(有死之心)하고 무생지기(無生之氣)하되, 엄구(嚴舅)의 지극하신 당부와, 존당(尊堂) 존고(尊姑)의 양춘혜택(陽春惠澤)을 갚지 못하고 지레 죽지 못하여, 다시 칼을 들어 지르고자 마음은 고쳤으나, 설움이 중첩하여 고요히 누었으매 하염없이 흐르는 눈물이 베개를 적시고, 읍읍(泣泣)하는 소리 북받치기53)를 면치 못하되, 북공이 서안에 비겼으매 행여 앎이 있을까 하여 향벽하여 누었으나, 북공의 명쾌함으로써 어찌 그 거동을 모르리오. 그 정사가 슬퍼함이 괴이치 아니함을 모르지 않으나, 병심을 요동하여 저같이 간장을 사르니, 반드시 상처가 전보다 더할까 그윽이 염려하여, 짐짓 몸을 움직이며 곁에 나아가 그 베개를 한가지로 베고자 하매, 물에 잠근 듯하여 자기 낯이 젖는지라. 아른 체함이 비편(非便)할까, 모르는 체하고 가로되,

"부인의 두변(頭邊)54)에서 허한(虛汗)55)이 어이 이다지도 흘러 베개가 다 젖었느뇨?"

언파의 그 베개를 빼고, 자기 속옷을 벗어 뒤말아56) 부인을 베이고, 역시 한가지로 누어 부인의 옥비섬수(玉臂纖手)를 잡으며 향시(香顋)를 접하매 은정(恩情)이 여천지무궁(如天地無窮)57)하여 백년동주(百年同

---

52) 구천타일(九泉他日) : 죽어 넋이 저승에 돌아간 뒤.
53) 북받치다 : 감정이나 힘 따위가 속에서 세차게 치밀어 오르다.
54) 두변(頭邊) : 머리 근처.
55) 허한(虛汗) : 몸이 허약하여 나는 땀.
56) 뒤말다 : 함부로 마구 말다. 둘둘 말다.

住)를 오히려 나삐 여기는 마음이 있으되, 마침내 삼년 사생거처(死生去處)를 몰라 사상(思想)하던 정회를 펴지 않아, 묵묵정숙(黙黙靜肅)함이 구추상천(九秋霜天)[58] 같아서, 전일 발양호일(發揚豪逸)하던 마음이 행여도 있지 않되, 침정엄숙(沈靜嚴肅)하기는 더하였더라.

윤부인이 그 성품이 달리 되었음을 괴이히 여기나, 금평후께 삼삭(三朔)을 내치여 회과수행(悔過修行)한 곡절은 바이[59] 알지 못하고, 본디 북공이 사람의 수우(愁憂)한 거동과 척비(慽悲)한 형상을 보기를 좋아않는 고로, 잠깐 강인(强忍)하나, 당차시(當此時)하여 죽기도 임의로 못하고, 위인손녀(爲人孫女)[60]하여 그 조모를 해하며, 숙모의 과악이 드러남을 각골통절(刻骨痛切)하여, 자기 당한 바는 사사(事事)에 유별(有別)남을 애달아하니, 그 심려(心慮)를 일으키매 문득 토혈(吐血)이 북받쳐, 형색이 위위(危危)하여 보기에 차악(嗟愕) 자닝한지라. 북공이 부인의 적상(積傷)한 토혈(吐血)이 이 같음을 놀라, 급히 낭중(囊中)의 약을 내어 입에 흘려 넣더라.

---

57) 여천지무궁(如天地無窮) : 하늘과 땅처럼 끝이 없음.
58) 구추상천(九秋霜天) : 서리가 내리는 9월 가을밤의 하늘.
59) 바이 : 아주 전혀.
60) 위인손녀(爲人孫女) : 사람의 손녀가 되어서.

명주보월빙 권지육십이

설표(說表)[61] 북공이 부인의 토혈이 이 같음을 놀라, 급히 낭중에서 약을 내어 입에 흘려 넣으니, 이럴수록 공주와 위·유를 통해함이 깊은지라. 이윽고 부인이 정신을 정하며 토혈을 그치니, 북공이 그 맥을 살피고 미우를 찡기며 왈,

"심려(心慮)를 과히 하여 병을 이루려 하니 그 어찌된 일이뇨? 양흉(兩凶)[62]을 위한 정이 풀릴 길 없으니, 차라리 바삐 죽어 소요(騷擾)를 끼치지 말라."

부인이 저로 더불어 심사를 나눌 길 없어 다만 대왈,

"첩이 본디 토혈증이 있던 바라. 어찌 병을 임으로 하리까? 군자 죽음을 재촉치 않으셔도, 기괴한 정사와 남다른 명도(命途)를 헤아려 살 뜻이 있으리까마는, 대인 명교(明敎)를 저버리지 못함이로소이다."

북공이 냉소 왈,

"대인이 살라고 않으시면 죽는 것이 옳으랴?"

부인이 저두무언(低頭無言)이라.

---

61) 설표(說表) : 고소설에서 새로 이야기를 시작할 때 쓰는 '화설(話說)' '화표(話表)' '각설(却說)' 따위와 같은 화두사(話頭詞).

62) 양흉(兩凶) : 두 흉인(凶人), 곧 위태부인과 유부인.

공이 다시 말하지 않고, 서안을 비겨 잠을 이루고자 하나, 자녀를 데려오지 못하였으므로, 날이 밝기를 기다려 한충의 집에 가 현기 등을 데려옴이 착급하여 전전불매(輾轉不寐)63)터니, 아이(俄而)오64) 계성(鷄聲)이 악악하매 관소(盥梳) 후 신성지례(晨省之禮)를 마치고, 시녀 등과 군관을 명하여 제아(諸兒)를 데려오고, 또한 한충을 부르라 하니, 태부인 왈,

"운영이 그 곳에 있다 하니 한가지로 데려오라."

북공이 대왈,

"그런 행차는 바쁘지 아니하오니 아무 때나 찾아오사이다."

금후 왈,

"운영의 오미 급하지 않으나, 한충의 집의 있음을 안 후 버려둠이 괴이하니, 현기 등을 데리고 한가지로 오라 이르고, 교자를 보내라."

북공이 봉명(奉命)하여 운영에게 교자(轎子)65)를 보내며, 금평후 예부를 명하여 거교(車轎)66)를 차려 활인사에 가 양씨를 데려오라 하고, 급히 시노(侍奴)를 임산에 보내어 이씨의 돌아오기를 재촉하니라.

경참정이 이르러 금후 부자를 볼새, 금평후 소왈,

"소제는 실로 형을 내외하는 일이 없으되, 형은 처음부터 천흥 동상 삼기를 소제를 모르게 하고, 식부를 참혹히 잃어 우리 부자의 비절(悲

---

63) 전전불매(輾轉不寐) : 전전반측(輾轉反側). 누워서 몸을 이리저리 뒤척이며 잠을 이루지 못함.
64) 아이(俄而)오 : 조금 있다가. 이윽고.
65) 교자(轎子) : 가마. 예전에, 한 사람이 안에 타고 둘이나 넷이 들거나 메던, 조그만 집 모양의 탈것.
66) 거교(車轎) : 수레와 가마. 바퀴를 달아서 끌게 만든 가마.

絶)함은 이르지 말고, 고당(高堂) 편친(偏親)이 과상(過傷)하심이 더욱 절박하거늘, 형은 식부의 생존함을 소제더러 이르지 않아, 여러 일월이 되도록 감추어 두니 그 어인 뜻이뇨?"

경공이 소왈,

"윤보가 이런 일을 두고 소제를 꾸짖지 않는 것이 옳으니, 어찌 그 때 사세(事勢)를 생각하지 않느뇨? 소녀(小女) 요정(妖精)에 홀려 궐정에 들어가, 두발(頭髮)을 없이 하고, 일신사지(一身四肢) 성한 곳이 없어 반생반사(半生半死)한 것을, 궁인의 구활한 은덕으로 한책의 집에 왔으나, 그 참절하던 거동을 차마 어찌 들으리오. 팔자 괴이하여 일녀를 두어 사람이 차마 당치 못할 경계를 지내게 하고, 겨우 일명을 보전하여 강정에 감춰였으나, 벌써 범에게 놀란 사람이 되어, 세상에 살아 있음을 고치 못하니, 이런 고로 형의 부자를 기임이[67] 되었고, 금번 형가(兄家) 화란을 소녀는 아득히 몰랐나니, 만일 일렀더라면 벌써 초사(焦思)하여 그 심장이 남지 않았을 것이요, 혹자 복선지리(福善之理)[68]를 도망치 못하여, 형의 집이 참망(慘亡)하는 일이 있으면, 소제 스스로 여아를 죽이려 하더니라."

금평후 소왈,

"형이 너무 범사를 궁극히 생각하기로 친옹(親翁)과 여서(女壻)를 다 숨긴 바 되니, 항복됨을 모르노라."

경공 왈,

"소제는 아무리 궁극하여도, 형의 집 화란이 바뀌어 도리어 복이 되

---

67) 기이다 : 어떤 일을 숨기고 바른대로 말하지 않다.
68) 복선지리(福善之理) : 착한 사람에게 복을 내리는 하늘의 이치. *복선화음(福善禍淫); 착한 사람에게는 복을 주고 악한 사람에게는 재앙을 줌.

고, 하나도 사망지환(死亡之患)이 없어, 미세한 여자들까지 다 살았으니, 윤보의 유복함이요, 의렬비의 격고등문(擊鼓登聞)한 공이라. 기쁘지 않으리오. 창백이 이제는 더욱 전일과 달라, 윤·양·이 삼부인을 모아 대사를 가음 알 것이니, 소녀 같은 불민한 유(類)는 죽은 이로 알아, 다시 찾지 말고 슬하에 두기를 바라노라."

금평후 소왈,

"천흥이 아내는 열이라도 주체69) 못하여 형의 집에 둘 것이 아니니, 부질없는 말 말고 돌아가 나의 아부(兒婦)를 쉬이 보내라."

경공이 웃고 북공을 보니, 부전에 경근하는 예를 잡아 염슬궤좌(斂膝跪坐)하여 전후 말씀에 간예(干預)70)함이 없으니, 숙연한 거동과 정대한 행지 하자할 것이 없는지라. 경공이 가득이 사랑하는 정이 측량없어 손을 잡고, 왈

"네 운남을 정벌하고 돌아올 새 절강에 들어 춘기를 보채여 아녀와 예를 이루고, 옥영 등 사창을 함께 유정하여, 호기(豪氣) 발양(發揚)하고 주안(酒顏)이 방타(滂沱)하더니, 오늘날 단정함은 몽매에도 생각지 못하였도다. 영엄의 욕심이 자손에 다다라도 그칠 줄 몰라, 창백의 한 몸에 처첩 아울러 열다섯 사람을 모았으니, 소녀의 유무 무엇이 그대도록 관중(款重)하여, 매양 나의 슬하 적막함을 생각지 않고 데려오라 보채느뇨? 창백은 이제나 나의 정리(情理)와 사정을 살펴 내 집의 두게 하라."

북공이 날호여 대왈,

"소생의 무상하던 행사는, 소생이 생각하나 한심함을 이기지 못하옵나니. 악장은 어찌 소생의 참수(慙羞)함을 도우사 이렇듯 이르시나니

---

69) 주체 : 짐스럽거나 귀찮은 것을 능히 처리함.
70) 간예(干預) : 간여(干與). 관계하여 참견함.

까? 다만 영녀(令女)를 일야지내(一夜之內)에 실리(失離)하오니, 존당의
상심비도(傷心悲悼)하심이 여러 세월이 되도록 능히 잊지 못하시는지
라. 영녀 만일 사람의 마음이 있을진대 비록 악장이 기이고자 하시나,
어이 생존함을 생의 집에 고치 않음직 하리까마는, 마침내 악장의 명을
순수하여 그 몸이 세상에 있는 바를 기이고, 금번 화란에 여자가 일분이
나 구가를 중히 여기는 마음이 있을진대, 가히 즉시 이르러 존당을 위로
하며, 사생을 소생의 되어가는 대로 결코자 함이 당연커늘, 모르는 체하
여 화당(華堂)에 몸이 편함을 홀로 즐기니, 생은 실로 그런 여자에 유무
불관(有無不關)하니, 악장이 아니 보내랴 하시면 무슨 일 강청하리까마
는, 가친(家親)이 그 무상(無狀)함을 책치 않으시고 데려 오고자 하시는
뜻을, 악장이 욕화(辱禍)[71]로 미루시니, 악장은 출가한 딸을 매양 데리
고 떠나지 말고자 하심이 옳다 하리까?"

경공이 금번 화란을 여아더러 이르지 아니키를 잘못하였는지라. 북공
의 말을 들으매 가장 불안하여, 웃고 왈,

"창백은 나의 일이 괴이할지언정, 여아의 금번 화란을 알고 아니 온
바로 미루지 않음직 하니라. 제 실로 아득히 모르나니 내 탓을 삼고 여
아의 죄를 삼지 말라."

금평후 경공의 언사 구구(區區)함을 면치 못하니, 딸 낳은 자의 쾌치
못함을 깨달아, 미소 왈,

"아부는 사리를 아는 여자니, 이번 화란을 알았으면 형이 가지 말라
한들 어찌 오지 않았으리오마는, 형의 인사가 족히 기일 듯한지라. 세쇄
한 일을 깊이 책망할 것이 아니요, 돈아(豚兒)[72] 비록 노하나 대수롭지

---

71) 욕화(辱禍) : 수화(受禍). 재앙이나 액화(厄禍)를 받음. 또는 그 재난.
72) 돈아(豚兒) : 가아(家兒). 남에게 자기의 아들을 낮추어 이르는 말. 늑가돈(家

않거늘, 형이 어찌 그대도록 구구(區區)하여 하느뇨? 모름지기 돌아가
아부를 쉬이 보내라."

경공이 답소왈(答笑曰),

"내 어찌 그럴 리 있으리오마는, 딸 둔 자와 아들 둔 자의 몸[73] 크기
가 같지 못하여 구구함을 면치 못하노라."

정언간(停言間)의, 미화촌 한충의 집의 갔던 시녀 군관의 무리 운영과
공자 사남매를 데려오고, 한충이 따라 이르렀는지라. 금평후 운영을 안
으로 들여 보내고, 손아 사남매를 앞에 나오게 하여 절하라 하니, 시에
현기와 자염은 오세요, 운기는 사세요, 경씨의 유자는 삼세라. 네 아해
비상함이 속류(俗流)에 비(比)치 못하고, 신장이 나이로 좇아 내도하
여[74] 현기 운기는 범아의 십세나 됨 같고, 경씨 유자는 오륙세나 지난
듯하여, 장대한 구각(軀殼)과 특이한 기골이 닌봉(麟鳳)의 품격이라.

운기와 경씨 생아는 대소 다를지언정 완연이 북공의 이목구비(耳目口
鼻)와 같고, 현기는 천지강산(天地江山)의 수출(秀出)한 정화(精華)와 일
월의 영기(靈氣)를 오로지 거두어, 맑은 골격과 좋은 기품이 수정(水晶)
을 다스린 듯, 높고 빛난 풍용(風容)이 윤학사 희천과 방불하고, 외조
(外祖)의 숙연 기이한 품격이 있으되, 화기 만면하여 수복(壽福)이 장원
(長遠)할 상이라. 조부의 명하심을 좇아 차례로 슬전(膝前)에 배알하매,
예모(禮貌) 빈빈(彬彬)한지라. 금평후 황홀 기애(奇愛)함을 이기지 못하
여, 경씨의 유자와 자염을 함께 모두 안아 좌우슬상에 앉히고, 현·운
양아를 나오게 하여 무릎 아래 앉기를 명하여, 그 손을 잡고 머리를 쓰

豚). 돈견(豚犬). 우식(愚息).
73) 몸 : 여기서는 '처신', '행동'의 의미.
74) 내도하다 : 다르다. 판이(判異)하다.

다듬어 웃는 입이 스스로 열림을 깨닫지 못하고, 기쁜 정이 무궁하여 경
공을 돌아보고 자랑하여, 왈,

"소제의 손아 사남매 작인이 어떠하뇨?"

경공이 칭하(稱賀)하여 왈,

"형의 복록이 곽영공(郭令公)75)의 위라. 창백의 오형제 같은 기자(奇
子)를 두고, 이런 손아를 가득이 두니, 어찌 기특지 않으리오. 그러나
내 손아도 제 외조를 버리지 않으리니, 금일 데리고 돌아가 제 어미를
뵈고 내 슬상의 두리라."

금평후 머리를 흔들어 왈,

"형이 천홍을 보내라 하면, 일순(一旬)이라도 가 있으라 하려니와, 손
아는 금일 처음으로 데려와 즉시 형의 집으로 보내지 못하리니, 되지 못
할 말 말고 돌아가 내 자부를 보내라."

경공이 소왈,

"창백이 형의 욕심 있다 함을 노하여 하거니와, 대개 형이 자손에 대
하여는 무염지욕(無厭之慾)76)이라. 소제는 춘기 부부 아직 소주(蘇
州)77)서 돌아오지 못하였고, 여아를 강정(江亭)에 감추어 슬하에 한낱
아해도 없으니, 진정으로 유아를 데려가고자 하더니, 막자르기78)를 이
같이 하니, 소제 형의 귀한 손아를 앗아갈 바 아니라. 모름지기 잠깐 슬
하에 내려놓으면 소제 안아 보고 가리라."

---

75) 곽영공(郭令公) : 곽자의(郭子儀). 697~781. 중국 당(唐)나라 중기의 무장(武
   將). 안녹산 사사명의 반란을 평정하고 토번을 쳐 큰 공을 세워 분양왕에 올랐
   다. 수(壽)·부(富)·귀(貴)·다남자(多男子)의 인간적 복(福)을 다 누려, 오복
   (五福) 두루 누린 사람으로 유명하다.
76) 무염지욕(無厭之慾) : 만족할 줄 모르는 끝없는 욕심.
77) 소주(蘇州) : 중국 강소성(江蘇省)에 있는 도시.
78) 막자르다 : 함부로 자르거나 끊다. 사정없이 막다. 단호하게 거절하다.

금평후 대소하고, 경씨의 유자를 경공의 무릎에 얹고, 한충을 가까이 나아오라 하여, 은덕을 일컬어 왈,

"나의 손아 사남매를 군이 살려냈으니, 은혜 뫼 같고 덕이 바다 같은지라. 한갓 현기 사남매가 군을 부모 버금으로 대접할 뿐 아니라, 내 집 사람 여럿을 구하여 내니, 군을 생전에 골육같이 대접하고 사후(死後)에 결초(結草)79)하기를 기약하리니, '장부일언(丈夫一言)은 천년불개(千年不改)'80)라. 나의 말과 일이 종시(終始)에 다름이 없으리라."

원래 한충의 위인이 비록 아름다우나, 전자에는 북공의 군관으로 감히 당상에 오르지 못하더니, 금일은 금평후와 북공이 가까이 오르기를 일러 곁에 앉히고, 금평후 이같이 이르고, 북공이 이어, 소왈,

"큰 은혜는 일컬을 바 아니라. 다만 그대 남의 자녀를 살려내나, 군은 목전에 한낱 자식을 두지 못하였으니, 하늘이 그대 어짊을 유의하여 나의 자녀를 살리게 하였나니, 오아 등이 타일에 장성하매, 그대 은혜를 잊을 것이 아니요, 받들기를 극진히 하리니, 그대 부부 또한 현기 남매를 일시에 떠나기 결연하리니, 우리 집이 광활하여 딴 집 같은 곳에 빈 방이 많으니, 모름지기 명일이라도 옮아와 현기 등을 떠나는 일이 없게 하라."

한충이 금평후 부자의 말을 들으매, 황공 감격함이 넘쳐 백배 사사(謝辭)하여 말을 못하는지라. 북공이 재삼 옮아와 살기를 이르니, 한충이

---

79) 결초(結草) : 결초보은(結草報恩)의 줄임말. 죽은 뒤에라도 은혜를 잊지 않고 갚음을 이르는 말. 중국 춘추 시대에, 진나라의 위과(魏顆)가 아버지가 세상을 떠난 후에 서모를 개가시켜 순사(殉死)하지 않게 하였더니, 그 뒤 싸움터에서 그 서모 아버지의 혼이 적군의 앞길에 풀을 묶어 적을 넘어뜨려 위과가 공을 세울 수 있도록 하였다는 고사에서 유래한다.

80) 장부일언(丈夫一言) 천년불개(千年不改) : 대장부가 한 번 한말은 천년이 지나도 고쳐서는 안된다.

'불감청(不敢請)이언정 고소원(固所願)이라'[81] 어찌 사양하리오. 순순수명(順順受命)하고 쉬이 옮아오기를 결(決)하더라[82].

경공이 손아를 어루만져 기쁨을 이기지 못하여, 도리어 한충을 보고 추연 탄식 왈,

"군의 의기 현심 곳 아니면 정부에 이런 경사가 어찌 있으리오. 차아는 더욱 난 지 오륙삭(五六朔)에 잃어, 그 살았음을 기약(期約)[83]지 못하였노라."

한충이 사사하여 불감함을 일컫더라. 즉시 내루에서 연석(宴席)을 개장(開場)하고, 윤·양·이 등 제부(諸婦)를 모아 경하할 새, 정공이 차환(叉鬟)을 명하여 현기 등 사아를 안으로 들여 보내니, 태부인이 사아를 좌우로 이끌어 슬하에 앉히고, 경소저의 유자를 슬상에 얹어 좌우로 고면(顧眄)하니, 내외 자손이 꽃 수풀을 이뤘는데, 현기의 옥모영풍(玉貌英風)과 운기의 화류미풍(花柳美風)의 발월(發越)한 기상이며, 자염의 화옥 같은 태도와 요요정정(姚姚貞靜)하여 절염(絶艶)의 색이 아시(兒時)에 나타나되, 성녀(聖女)의 틀이 갖으니[84], 좌우(左右) 막불대찬(莫不大讚)[85]하고, 태부인이 두굿기는 웃음을 주리지 못하여, 제아를 어루만져 왈,

"사아(四兒)의 하늘께 타난 복록을 알리로다. 유아(幼兒)가 독수(毒手)를 무사히 벗어남은, 한갓 한충의 공일 뿐 아니라, 저의 수복이 하원(遐

---

81) 불감청(不敢請)이언정 고소원(固所願)이라 : 어떤 일을 감히 청하지는 못하지만, 마음속으로는 진실로 바라는 바임.
82) 결(決)하다 : 어떤 일을 결단하거나 결정하다.
83) 기약(期約) : 어떤 일이 이루어지기를 바라고 기다림. 또는 때를 정하여 약속함.
84) 갖다 : 갖추어지다. 갖추어 있다.
85) 막불대찬(莫不大讚) : 크게 칭찬하여 마지않음.

遠)함이라."

좌우빈객이 태부인 성언(聲言)이 유리(有理)하심과 달수영복(達壽永福)[86]이 결비범인(決非凡人)임을 칭찬하니, 태부인의 즐김과 진부인이 환열하여 만면에 희기(喜氣)를 띠었으니, 정부 내외에 춘풍이 이뤘고, 상하의 환성(歡聲)이 여류(如流)[87]하고, 하상(賀觴)이 분분(紛紛)하니, 곡중(谷中)에 사마쌍곡(駟馬雙轂)[88]이 나열(羅列)하고 추종(追從)이 구름 같아서, 윤의렬(尹義烈)의 신성특달(神聖特達)함이 명철보신(明哲保身)하여 한갓 신여명(身與命)[89]이 구전(俱全)할 뿐 아니라, 문호(門戶)에 사화(死禍)를 돌이켜 복이 됨을 만구칭선(萬口稱善)[90]하며, 금후의 현부 둠을 하례(賀禮)하니, 진씨 제공은 도리어 감루(感淚) 여우(如雨)하여, 낙양후 등이 다 은인성혜(恩人盛惠)[91]라 하여 칭은(稱恩)함이 그치지 않으니, 금후 좌수우응(左酬右應)[92]에 치하를 승당(承當)[93]하여 화기(和氣) 춘일(春日) 같으니, 금후의 남다른 화홍관대(和弘寬大)한 식견으로, 공주는 극악이나, 그 생아는 곧 정씨 골육이거늘, 최형의 천아(賤兒)로 바꾸어 사생거처(死生去處)를 모르니, 중심에 참비지심(慘悲之心)이 가득하더라.

경공이 다시 손아(孫兒) 데려감을 청하니, 공이 소왈,

"이 아이가 난지 수세(數歲)에 내 집에 온 것이 처음이라. 학발자위

---

86) 달수영복(達壽永福) : 길이 수(壽)와 복(福)을 누림.
87) 여류(如流) : 물의 흐름과 같음.
88) 사마쌍곡(駟馬雙轂) : 네 필의 말이 끄는 수레의 말과 수레를 함께 이르는 말.
89) 신여명(身與命) : 몸과 목숨.
90) 만구칭선(萬口稱善) : 만구칭찬(萬口稱讚). 많은 사람이 한결같이 칭찬함.
91) 은인성혜(恩人盛惠) : 은인이 베풀어 준 가득한 은혜.
92) 좌수우응(左酬右應) : 이쪽저쪽으로 부산하게 상대하고 응함.
93) 승당(承當) : 받아들여 감당함.

(鶴髮慈闈) 주야 잊지 못하시던 바니, 명일 데려가 잠깐 보고 식부와 한
가지로 보내라."

정언간의 예부 활인사로 좇아 양부인을 배행(陪行)하여 돌아오니, 금
후 더욱 깃거 제자로 제빈(諸賓)을 접대하라 하고 내당으로 들어가니,
차시 활인사 혜원법사가 요괴를 잡아 윤부인 노주(奴主)로 천위지하(天
威之下)[94)]에 나아가, 정・진 양가의 누얼(陋孼)을 신설(伸雪)하니, 꽃다
운 절의와 신명총혜(神明聰慧)한 식견이 만성(滿城)에 편행(遍行)하니,
혜원법사 또한 천자의 은혜와 상사를 받자와 돌아와, 양부인과 오씨를
대하여 궐중사(闕中事)를 전하고, 말단(末端)에 윤부인이 자결하여 명재
수유(命在須臾)[95)]하매, 위로 성상이 열절(烈節)을 아끼시고, 행여 숙녀
를 구치 못할까 염려하시던 바를 전하니, 양・오 이부인이 대경(大驚)
참연(慘然)하여, 양부인이 희허(唏噓) 탄 왈(嘆曰),

"윤부인의 숙자혜질(淑姿惠質)은 아등이 감히 바라지 못할 바라. 하늘
이 이 같은 성녀(聖女)를 내리시고 운액(運厄)이 기구하여 때를 빌리지
않으시니, 어찌 한스럽지 않으리오."

혜원과 오씨 또한 탄식하더라.

산문이 요란하며 문 직흰 소리(小尼) 황망이 정녜부 노야의 도문(到
門)함을 고하고, 또 석부에서 오씨 솔귀(率歸)하는 위의(威儀) 왔음을
고하니, 혜원이 산문에 나와 맞아 관대(款待)하고, 폐암(弊庵)에 임하심
을 만구(萬口) 칭사하니, 정・석 양인이 다 당당한 유문자제(儒門子弟)
로 불도(佛道)를 배척하는 바라. 그러나 혜원의 청정고결(淸淨高潔)함을
감히 만홀(漫忽)치 못하여 은근 칭사하고, 무수한 금백을 가져 혜원으로

---

94) 천위지하(天威之下) : 천자(天子)가 집무하는 대궐의 뜰아래.
95) 명재수유(命在須臾) : 목숨이 잠깐 사이에 달려 있을 만큼 위태로움.

부터 제승(諸僧)을 후히 사례하고, 각각 화교옥륜(華轎玉輪)으로 오씨는 석부로 돌아가고, 양씨는 정부로 돌아올 새, 양인이 별회(別懷) 악연(愕然)하여 피차 연연(戀戀)함이 동기 같더라. 제승이 저마다 결연(缺然)하고, 혜원이 탄식 왈,

"빈승(貧僧)이 부인네로 더불어 적은 연분이 있어, 화란 중 부인네를 구하여 오래 폐사(弊寺)에 머무시니, 난심옥질(蘭心玉質)96)을 조모(朝暮)에 대하여, 무색(無色)한97) 소견이 훤칠하더니98) 이제 부인네 길시(吉時)를 만나 돌아가시니, 화당고루(華堂高樓)에 복이 제미(齊美)하시려니와, 빈승은 어느 날 화용성모(花容聖貌)를 잊으리까?"

양인이 역시 결연 칭사 왈,

"첩 등이 사중구생(死中求生)99)하여 영화로이 돌아감은 사부의 대은이라. 생내(生來)에 어찌 잊으리오. 원컨대 사부는 한 번 반김을 기약하라."

재삼 당부하고 분수(分手)하여 돌아와 존당에 배현할 새, 존당 구고 바삐 눈을 들어보니, 용수사제(龍鬚蛇蹄)100)는 그리기를 폐한 지 오랠

---

96) 난심옥질(蘭心玉質) : 난(蘭)처럼 맑은 마음과 옥(玉)처럼 깨끗한 자질.
97) 무색(無色)하다 : 부끄럽고 보잘 것 없다.
98) 훤츨하다 : 막힘없이 깨끗하고 시원스럽다.
99) 사중구생(死中求生) : 죽을 수밖에 없는 처지에서 한 가닥 살길을 찾음.
100) 용수사제(龍鬚蛇蹄) : '용의 머리에 난 털'과 '뱀의 발굽'을 함께 이르는 말. 여기서는 '여성의 눈썹'을 비유적으로 표현한 말로 보인다. 즉 '용수(龍鬚)'와 '사제(蛇蹄)'는 각각 , 용이나 뱀을 그릴 때 꼭 나타내지 않아도 되는 것들인데, 마찬가지로 예전에 여성들이 화장을 할 때 눈썹은 그리기도 하고 그리지 않기도 했기 때문에, 이를 '용수사제'로 비유해 표현한 듯하다. 〈벽허담관제언록〉·〈명행정의록〉·〈윤하정삼문취록〉 등에도 같은 뜻으로 쓰인 표현이 보인다. "아미(蛾眉)를 그리지 않고 옥안(玉顔)을 수렴치 않았으니, 이 이른바 용수사저는 그리지 않을수록 빼혀나고 옥부추영(玉膚秋影)은 다듬지 않을수록 더욱 기이하니"〈벽허담9:9〉, "농수사저는 그리지 않아 섬농(纖濃)하여 팔채(八彩)의 빛이 아미봉(蛾眉峰)의 빼어나고"〈명행53:15〉, "헛흔 운발(雲髮) 가운데 용수

수록 가월(佳月)의 그림자 몽롱(朦朧)하고, 화용옥질(花容玉質)은 풍완윤
택(豊婉潤澤)하였으니, 존당 구고 황홀(恍惚) 기애(奇愛)하고 연애지심(戀
愛之心)이 층출(層出)하니, 부인이 중계(中階)에서 고두 청죄(請罪) 왈,

"소첩이 불능누질(不能陋質)로 성문(聖門)에 입승(入承)[101]하매, 행사
(行使) 불초(不肖)하여 사람의 미움을 받고, 신명(神明)의 외오[102] 여기
심을 얻자와 일신에 누명을 실어 친측(親側)에 돌아가오니, 또한 성주의
관홍하신 덕음(德蔭)이라. 신기(神祇)[103] 오히려 안거(安居)함을 믿게
여기사, 무인심야(無人深夜)에 참화를 만나, 윤부인 노주(奴主)로 더불
어 석혈냉지(石穴冷地)의 죄수 되었더니, 추성지 물에 떨어지매, 첩 등
의 일루잔천(一縷殘喘)은 아깝지 않거니와, 존당 구고의 심은혜택(深恩
惠澤)을 저바려, 생사를 고치 못하옵고 어복(魚腹)을 채울까 슬퍼 하옵
더니, 활인사 신승(神僧)의 구함을 입사와 복아(腹兒)를 완전히 하옵고,
존하에 다시 뵈오니 석사(夕死)라도 무한(無恨)이로소이다."

존당 구고 불승연애(不勝憐愛)하여 빨리 당에 오름을 명하고, 태부인
이 옥수(玉手)를 나오게 하여 무빈(霧鬢)을 어루만져, 추연 왈,

"현부 등의 숙요혜행(淑窈慧行)[104]으로 초운(初運)이 다험(多險)하여,
기괴한 누얼을 실어 친당에 돌아가니, 노모 그 때의 결연함을 측량하리
오. 연(然)이나 부운이 거두매 옛날 화기를 잃지 않을까 하더니, 뉘 도
리어 요인의 작해 아니 미친 곳이 없어, 윤현부 도중에 실리하여 거처

사저와 옥부추영(玉膚秋影)이 더욱 쇄락하여"〈윤하정 98:57〉

101) 입승(入承) : ①임금에게 아들이 없을 때 왕족 가운데 한 사람이 임금의 대를
     잇던 일. ②여자가 혼인하여 시집의 며느리로서의 대(代)를 잇던 일.
102) 외오 : 그릇. 잘못되게.
103) 신기(神祇) : 천신(天神)과 지기(地祇)를 아울러 이르는 말. 곧 하늘의 신령과
     땅의 신령을 이른다.
104) 숙요혜행(淑窈慧行) : 맑고 고상하며 슬기로운 행실.

존망을 모르고, 또 현부마저 호환(虎患)을 만나 부지거처(不知去處)라 하니, 어찌 놀랍지 않으리오. 한갓 노모의 박복함을 슬퍼, 하일(何日) 하시(何時)에 초창(怊悵)치 않으리오. 천우신조(天佑神助)하여 요인(妖人)이 극성즉패(極盛卽敗)105)하는 환(患)을 만나 간정(奸情)이 발각하매, 저의 당은 도리어 주륙하는 환(患)이 있고, 오아 등은 천자의 은영을 띠여 죽은가 하던 현부 등이 옥수신월(玉樹新月) 같은 해아(孩兒)를 안아 돌아오고, 윤현부 꽃다운 열의(烈義) 만성(滿城)에 빛나니, 어찌 외람치 않으리오. 노모 소부(少婦) 등과 제아(諸兒)를 실리(失離)하매, 매양 수즉다욕(壽則多辱)106)임을 한하더니, 금일이 하일(何日)이관데, 손부 등을 보니 장수함을 깃거 하노라."

양부인이 옥안이 척연하여 재삼 불효를 사죄하더라.

이때 양개(兩個) 유아를 안아 좌중에 놓으니 생지기년(生之朞年)107)이나, 걸음이 빠르고 언어를 능통하되, 삽삽(澁澁)108)한 녹발(綠髮)이 겨우 이마에 덮였으니, 미모(美貌) 절승한지라. 태부인이 연망(連忙)이 양아(兩兒)를 나오게 하여 양(兩) 슬하(膝下)에 가로 앉히고, 제아(諸兒)를 슬하에 벌이매, 두굿김을 형용치 못하여 기쁨이 무궁하나, 한 가지 흠사(欠事)는 윤의열의 병세 위란(危亂)함이라.

북공의 곤계 들어오매, 양부인이 맞아 수숙(嫂叔)이 예필(禮畢)하고 부부 예파(禮罷)에, 북공이 양아를 나오게 하여 그 옥모영풍(玉貌英風)을 크게 사랑하더라.

---

105) 극성즉패(極盛卽敗) : 극성스럽게 굴다가 실패하거나 망함.
106) 수즉다욕(壽則多辱) : 오래 살수록 그만큼 욕된 일을 많이 겪음을 이르는 말. ≪장자≫ 〈천지편(天地篇)〉에 나오는 말이다.
107) 생지기년(生之朞年) : 세상에 태어난 지 만 일 년이 됨.
108) 삽삽(澁澁) : 매끄럽지 않고 껄껄함.

태부인이 제아(諸兒)의 명자(名字)가 없음을 묻고, 금후를 명하여 제손의 이름을 지으라 하니, 금후 수명하고 경씨 유자로 문기라 하고, 윤의렬 유자로 선기라 하고, 양씨 유자로 연기라 하니, 선·연 양아는 오히려 철을 모르되, 경씨 유자는 능히 인사를 아는지라. 일어나 배사(拜謝) 왈,

"손아(孫兒)가 거의 식사(識事)하기에 이르되 이름이 없사옵더니, 오늘 대부(大父)께서 이름을 주시니 차후는 무명지아(無名之兒)를 면하리로소이다. 수연(雖然)이나, 자모를 어찌 뵈옵지 못할소니까?"

북공 왈,

"네 아직 어려 인사를 모르니 무엇을 알리오. 여모 모일(某日)에 여차여차(如此如此) 호환(虎患)의 죽어 지금 거처가 없으니, 죽은 어미를 어디에 가 보리오. 여모 비록 죽었으나, 선월정 윤씨와 선향정 양씨 다 너의 자모요, 버거 서모(庶母) 열이라. 죽은 어미를 구태여 생각하여 무엇하리오."

소애 청파(聽罷)에 별 같은 양안(兩眼)에 슬픈 눈물이 은연(隱然)하여 머리를 숙이고 오열양구(嗚咽良久)[109]타가, 다시 고 왈,

"부교(父敎)를 듣자오니 비록 여러 자모 계시나, 생모의 생휵(生慉)하신 바를 모르니, 어찌 슬프지 않으리까?"

언파에 옥루만면(玉淚滿面)하니, 좌우 더욱 애지(愛之)하고, 진부인이 나아오게 하여 슬상(膝上)에 얹고 머리를 쓰다듬어 위로 왈,

"여부 작위 공후(公侯)요, 여러 자식을 두어 젊지 않기에 미쳤으되, 인사(人事) 미거(未擧)하여[110] 아소(兒小)의 희롱을 즐기매, 지어(至於)

---

109) 오열양구(嗚咽良久) : 흐느껴 울기를 오래 함.
110) 미거(未擧)하다 : 철이 없고 사리에 어둡다.

자식에 미쳐 희어(戲語)를 주작(做作)하니, 너의 아비 광언(狂言)을 신청(信聽)치 말고, 밖에 너의 외조(外祖) 계시니 석양에 왕부(王父)를 따라가 여모(汝母)를 보고 모자(母子) 한가지로 오라."

소애 비로소 고두(叩頭) 사례하더라.

이 때 양공이 죽은가 한 여아가 복아(腹兒)를 보전하여 무사히 생환(生還)함을 보고, 또한 외당에 이르렀는지라. 금후 식부를 명하여 사침(私寢)에 물러가 양공 부자를 뵈오라 하니, 양부인이 양소저로 더불어 수명하고 선향정에 돌아와 부친을 뵈올 새, 양부인이 하당영지(下堂迎之)하여 모셔 승당(昇堂)하매, 부친 슬하에 재배하고, 광수(廣袖)를 붙들어 부안(父顔)을 우러러 비희교집(悲喜交集)하여 불효를 청죄하매, 능히 말을 못하니, 양공이 또한 여아의 옥수를 잡고 추연 위로 왈,

"왕사(往事)는 이의(已矣)라. 생각함이 무익하나, 차라리 너의 향신(香身)을 지하의 장(葬)하였으면, 슬픔이 그대도록 하리요마는, 요정(妖精)의 진가(眞假)는 미처 알지 못하고, 진정 여아의 옥골방신(玉骨芳身)을 호표의 복중의 채운가 상심비도(傷心悲悼)하나, 사람의 모짊이 시호(豺虎)에서 더하여, 지우금일(至于今日)에 여아 생환하고 요행 복아를 보전하니, 인간낙사(人間樂事)가 이 밖에 없는지라. 노부는 즐거움을 이기지 못하거늘, 오아는 어찌 과상(過傷)하느뇨? 여모(汝母) 너의 생존함을 들으매 누세(累歲) 썩은 장위(腸胃) 당황(唐惶)한지라. 너는 모름지기 수일 후 귀녕(歸寧)하여 여모(汝母)를 위로하라."

부인이 배이수루(拜而垂淚)[111] 왈,

"불초녀(不肖女) 성효 천박하옵고, 동렬(同列)의 시기를 만나고 요인이 창궐(猖獗)하오나, 몸이 위지(危地)에서 벗어나, 복아를 무사히 분산

---

111) 배이수루(拜而垂淚) : 절하고 눈물을 흘림.

(分産)하고, 참잔역경(慘殘逆境)을 돌이켜 복을 삼아 존하(尊下)에 다시 등배하오니, 석사(夕死)나 무한(無恨)이로소이다."

이어 제형으로 이회(離懷)를 일컬어 피차 반기고, 기쁨이 상하(上下)치 아니하더라.

문득 정당 시녀 운기 등이 양아(兩兒)를 데려 이르니, 양공이 손아를 어루만져 연애함이 새롭더라. 이윽고 평장이 제자로 더불어 돌아가니라.

태부인이 운영을 옛 침소에 돌려보내니, 양부인이 혼정(昏定)을 마치고 이・양 양소저와 아주와 운영으로 더불어 선월정에 가 윤부인을 문후할 새, 윤부인이 상상(床上)에 언와(偃臥)하여 통성(痛聲)이 미미(微微)한지라. 양씨 나아가 금금(錦衾)을 열고 옥수를 잡아 왈,

"재작(再昨)의 부인을 분수할 제 춘색(春色)이 의구(依舊)하시더니 차하경색(此何景色)112)이니까? 부인의 심회 남달리 차오(差誤)113)하나, 차마 스스로 천명(天命)을 결(決)하리오. 비록 일시 분두(忿頭)에 사생을 경히 여기나, 정당 태부인 상명(喪明)114)을 더하랴 하시며, 슬하 유치(幼稚)에게 궁천지통(窮天之痛)115)을 끼치려 하시나니까?"

윤부인이 정히 엄구(嚴舅)와 소천(所天)의 명성지교(明聖之敎)를 좇아 일단 회심(回心)이 없지 않으나, 진실로 자기 집 변고는 남이 알까 두려운지라. 대인(對人)할 낯이 없더니, 차일 양씨 돌아옴을 듣되 무심무려(無心無慮)하더니, 문득 유아를 데려오고 버거 양씨와 운영이 이르러 문후하니, 심사 추연(惆然)하여 길이 탄왈,

"지난 바 역경 참화는 망극한지라. 형세 만만부득(萬萬不得)이 천정

---

112) 차하경색(此何景色) : 이것이 어찌된 일인가?
113) 차오(差誤) : 틀리거나 잘못됨.
114) 상명(喪明) : 아들의 죽음을 당함.
115) 궁천지통(窮天之痛) : 하늘에 사무치는 고통이나 설움.

(天廷)에 격고(擊鼓)하여 구가 참화와 아등의 누얼을 신설(伸雪)하나, 죄에 나아간 자가 그 몇 사람이뇨? 고인(古人)이 운(云)하되, '남이 나를 저버릴지언정, 내가 남을 저버릴 것이리오.' 하니, 첩이 이미 고인의 경계를 저버려, 사람 해함은 이르지도 말고, 조모와 숙당의 허물이 나타나 죄루(罪累)에 떨어지게 하였으니, 이는 첩의 생전의 불효요, 사후에 하면목으로 선친을 뵈오리오. 또 설사(設使) 공주가 임사지덕(姙似之德)116)이 없다 하여도, 왕희(王姬)의 존(尊)으로 성상(聖上)의 소교(小嬌)거늘, 첩으로 말미암아 심궁(深宮)에 안치(安置)되었으니, 어찌 사세(事勢) 난처치 않으리오. 시고(是故)로 자모(慈母)의 단장지극(斷腸之極)이 다른 이와 다르실 줄 알되, 형세 부득이 하여 죽기를 결(決)함이러니, 완명(頑命)이 지리(支離)하여117) 죽지 못하고, 도리어 존당 구고께 성녀(聖慮)를 끼치오니, 불효를 생각하매 욕사무지(欲死無地)118)러니, 부인의 교회(敎誨)119)를 들으니 더욱 참괴(慙愧)토소이다."

설파에 옥루(玉淚) 환난(汍亂)하니, 양부인이 그 심회(心懷)를 감동하여 종용이 위로하더니, 날이 어두오매 이·양 양소저와 운영 등이 돌아가되, 양부인이 촉을 이어 야심토록 말씀할 새, 북공이 존당 부모의 침수(寢睡)를 살피고 선월정의 나아가니, 윤부인이 침병(枕屛)120)을 져121)

---

116) 임사지덕(姙似之德) : 중국 주(周)나라 현모양처(賢母良妻)인 문왕의 어머니 태임(太姙)과 그의 비(妃) 태사(太姒)의 덕을 함께 일컫는 말.
117) 지리(支離)하다 : 지루하다. 시간이 오래 걸리거나 같은 상태가 오래 계속되어 따분하고 싫증이 나다.
118) 욕사무지(欲死無地) : 죽으려고 하여도 죽을 만한 곳이 없다는 뜻으로, 매우 분하고 원통함을 이르는 말.
119) 교회(敎誨) : 잘 가르치고 타일러서 지난날의 잘못을 깨우치게 함.
120) 침병(枕屛) : 머릿병풍. 머리맡에 치는 병풍. 보통 두 쪽으로 되어 있다.
121) 지다 : 무엇을 뒤쪽에 두다. 무엇인가에 등을 기대어 의지하다.

양씨와 말씀하더니, 북공을 보고 윤부인은 능히 기동(起動)치 못하나, 양씨는 일어나 맞아 좌정하매, 양부인이 돌아가고자 하거늘, 북공 왈,

"부인이 어찌 생을 보고 가고자 하시느뇨? 윤씨 병회(病懷) 민울(悶鬱)한 중, 생을 자못 괴로이 여기나니, 두 부인은 사생동처(死生同處)하던 정이 있으니, 금야에 머물러 생의 수고를 대하고 병심을 위로하소서."

양씨 마지못하여 좌의 나아가니, 북공이 윤씨를 향하여 문 왈,

"지금은 상처 어떠하며 기운이 어떠하시뇨?"

부인이 수용(修容) 대왈,

"상처 대단치 않은 바의, 존당 구고의 은택을 입사와 정신이 관계(關係)치 않은데, 군자 또 근로하시니 첩의 마음이 도리어 불안토소이다."

공이 미소 왈,

"생이 본디 부인 여자의 의문치례(懿文致禮)[122]하여 내외(內外) 교식(矯飾)함을 괴로이 여기나니, 부인은 명철(明哲)한 여자라. 익히 생각하여 신체발부(身體髮膚)를 중히 여기소서."

언파의 시녀를 분부하여 부인의 진(進)할 약을 물어 기걸하고[123], 사사(事事)에 그 마음을 편케 하고자 하여, 부인을 향하여 잘 조섭(調攝)함을 이르고, 양부인의 머물기를 이른 뒤, 외당으로 나가니, 양부인이 차야를 동숙하니라.

차시 경참정이 천금교자(千金嬌子)[124]의 일생계활(一生計活)이 어지러워, 공연이 참화여생(慘禍餘生)으로 망명도생(亡命圖生)[125]하니, 종

---

122) 의문치례(懿文致禮) : 아름다운 문장을 꾸며 예를 표하는 것.
123) 기걸하다 : 당부하다. 시키다.
124) 천금교자(千金嬌子) : 매우 귀하고 예쁜 딸.
125) 망명도생(亡命圖生) : 망명하여 삶을 꾀함.

신계활(終身計活)이 아무리 될 줄 몰라 주야 번뇌하더니, 천만 의외에 정·진 양문이 대역으로 문호(門戶) 망멸케 되니, 참정 부부 황황망극(遑遑罔極)하여 여서(女壻)를 위한 근심이 망지소위(罔知所爲)[126]하더니, 천고(千古) 열부성녀(烈婦聖女)의 격고등문(擊鼓登聞)하는 거조로 좇아, 뇌정(雷霆)[127]의 위엄을 돌이켜 간당이 망멸(亡滅)하고, 현인이 영광을 띠어 여아의 부부 복합하라 하신 은지(恩旨) 내리시니, 강정(江亭)에 둠이 불가한지라. 차일 거교를 차려 보내어 여아를 데려오매, 모부인이 정부 역경참화(逆境慘禍)를 전하니, 비록 지난 바나 수루비열(垂淚悲咽)함을 마지않으며, 조초[128] 윤의열의 총명특달(聰明特達)함이 타류(他流)와 달라, 요괴를 잡아 구가 참화 구함을 이르니, 소저 청파에 대경하여 희허(唏噓) 양구(良久)에 왈,

"소녀는 진실로 세간(世間)에 있으나 유명(幽明)이 즈음함[129] 같도소이다. 구가에서 허다 참화를 경력하되, 소녀는 고당화각(高堂畵閣)에 안거(安居)하여 구연(舊然) 시식(視息)[130]하니, 비록 모르는 중이나 천앙(天殃)이 두렵지 아니며, 구고와 정군이 화홍관대(和弘寬大)하여 소소(小小) 허물을 용서하시나, 어찌 부끄럽지 않으리까?"

설파(說罷)의 척연(慽然) 수루(垂淚)하니, 부인이 탄 왈,

"차역(此亦) 천야(天也)라. 네 또 위지(危地)에서 십생구사(十生九死)[131]한 인생이라. 사람이 알까 망명구생(亡命苟生)하니, 정후 부자가

---

126) 망지소위(罔知所爲) : 어찌해야 할 바를 알지 못함.
127) 뇌정(雷霆) : 뇌정벽력(雷霆霹靂). 천둥과 벼락이 격렬하게 침. 또는 그런 천둥과 벼락.
128) 조초 : 따라. 뒤따라. 이어.
129) 즈음하다 : 가로막다. 사이에 두다. 격(隔)하다.
130) 시식(視息) : 눈 뜨고 살아 숨 쉬고 있음.
131) 십생구사(十生九死) : 아홉 번 죽고 열 번 살아난다는 뜻으로, 위태로운 지경

어찌 책망을 과도히 하리오. 연(然)이나 고진감래(苦盡甘來)라 하니, 정문의 영화가 첩첩하니 어찌 기특치 않으리오. 지금 한충의 부부가 정아(鄭兒) 등을 구하여 돌아오다 하니, 상공이 손아를 보고 겸하여 화변(禍變)을 치위(致慰)하러 가신지라. 성상이 문양 공주를 심궁(深宮)에 폐거서인(廢居庶人)132)하시고, 윤·양·이 삼인과 여아를 다시 정가로 복합하라 하시니, 시고(是故)로 너를 데려옴이라."

소제 역시 유자(幼子)의 생존함을 들으매 깃거 하더라.

석양에 참정이 문기를 데려오니, 부인과 소저의 반김이 측량없고, 소애 또한 유저(乳底)를 어루만져 자안(慈顔)을 반기며, 모자의 연연한 정이 상하(上下)치 아니하더라. 공이 금후 부자의 말을 다 전하고 사정이 절박하나, 여아의 부도를 폐치 못하리니, 명일 나아가 존당 구고께 배현함을 이르니, 부인은 타념(他念)없이 묵연하되, 소저는 슬하를 떠남을 슬퍼하더라.

차야에 공이 부부 여아 모자를 곁에 뉘어 회리(懷裏)에 익애(溺愛)하여 강보영아(襁褓嬰兒) 같더라. 소저 심려 번다하여 전전불매(輾轉不寐)타가, 이윽고 효계창효(曉鷄唱曉)133)하매, 부인 모녀 조반을 한 당에서 파하고, 평명(平明)에 정부로 좇아 유흥 공자 태부인 명으로 화교(華轎)를 갖추어 이르러 소저를 청하니, 참정 부부 결연하나, '여자유행(女子有行)은 원부모형제(遠父母兄弟)134)라', 사정(私情)을 어찌 발뵈리오135). 소제 부모를 배사(拜辭)136)하고 유자(幼子)로 더불어 취운산으로 나아가다.

에서 겨우 벗어남을 이르는 말.
132) 폐거서인(廢居庶人) : 벼슬이나 신분적 특권을 빼앗아 서민으로 살게 함.
133) 효계창효(曉鷄唱曉) : 새벽닭이 새벽을 알림.
134) 여자유행(女子有行) 원부모형제(遠父母兄弟) : 여자는 부모형제를 떠나 살아야 함.
135) 발뵈다 : '발보이다'의 준말. 무슨 일을 극히 적은 부분만 잠깐 드러내 보이다.

경씨 채교(彩轎)를 바로 정당에 놓고, 소저 교중(轎中)의 내려 감히 승당치 못하고, 관잠(冠簪)을 빼고 당하(堂下)에 청죄 왈,

"소첩이 불혜누질(不慧陋質)로 존당 구고의 혜택을 저버리옵고, 구구히 일명을 투생(偸生)하오나, 사생을 은휘(隱諱)하여 허다 성려를 끼치옵고, 엄구와 가부 위경(危境)의 임하심을 망매(茫昧)¹³⁷⁾하고, 금루화당(金樓華堂)에 안과(安過)하여 비환(悲患)을 참예치 못하옵고, 윤부인 신성명달(神聖明達)하시므로 화를 돌이켜 복이 되며, 가내 화평하여 지어(至於) 여음(餘蔭)이 소첩에게 미치와 망명(亡命)하는 구차함을 면하옴이, 다 윤부인 성덕이라. 존당 구고 비록 성은을 드리워 불효를 책지 않으시나, 어찌 난연수괴(赧然羞愧)함이 없으리까? 복원 존당은 소첩의 불민(不敏)한 죄를 다스리심을 바라나이다."

언파에 애루(哀淚) 진진(津津)하니 존당이 불승애련하여 승당함을 명하여, 이·양 양소저로 서로 보게 하니, 삼소저가 피차 예필에 눈을 들어 옥면화용(玉面花容)을 보고 피차 애경(愛敬)함을 마지 아니하더라. 이윽고 문기 경부로 좇아 와 존당에 배알하고, 좌하에 꿇어 야래 존후를 묻자오니 아름다운 얼굴이 우희염즉하여¹³⁸⁾, 완연이 동자(童子)의 체를 이뤘고, 은은한 예모 노사숙유(老士宿儒)¹³⁹⁾를 압두(壓頭)할지라. 존전에 문후하기를 마치고 물러나 모친 슬하에 시좌하니, 경근지도(敬謹之道) 조금도 소아의 미진(未盡)함이 없으니, 좌중이 불승칭찬하고 태부인의 두굿김¹⁴⁰⁾은 이루 기록지 못할라라.

---

136) 배사(拜辭) : 절하여 하직함.
137) 망매(茫昧) : ①까마득히 모름. ②경험 따위가 적어 세상 물정에 아주 어두움.
138) 우희다 : 움키다. 움켜쥐다. 손가락을 우그리어 물건 따위를 놓치지 않도록 힘 있게 쥐다.
139) 노사숙유(老士宿儒) : 학식이 많고 덕망이 높은 나이 많은 선비.

태부인 왈,

"죽은가 슬퍼하던 제부제손(諸婦諸孫)이 마침내 완전여구(完全如舊)하니, 세간의 이 같은 희경(喜慶)이 어디에 있으리오마는, 공주 극악이나 그 정(情)인즉 가련한지라. 천아의 풍채 남다른 고로 구중천궐(九重天闕)의 금지옥엽(金枝玉葉)이 반계곡경(盤溪曲徑)[141]으로 하가(下嫁)하매, 가부를 과도히 사랑하여 총애(寵愛)를 독당(獨當)코자 하다가, 간정(奸情)이 발각되매 심궁 기인(棄人)이 되니, 수악(雖惡)이나 어찌 가련치 않으며, 더욱 그 생한 바 골육은 정씨 혈육이거늘, 최형의 천출(賤出)과 바꾸어 그 아무데 간 줄 모르니, 어찌 어여쁘지[142] 않으리오."

설파에 길이 탄식하니, 좌우가 태부인의 덕화를 감오(感悟)하더라. 태부인이 우왈(又曰),

"예부터 '고래 싸움에 새우 죽는다'[143] 하니, 요인의 작해에 지어 천아의 첩 가운데도 멸(滅)한 재 없는지라. 제부 제손과 운영까지 돌아왔으나, 오히려 구창이 못 돌아왔는지라. 구창이 또한 천아의 풍물(風物)[144]을 받든 연고로 사화(死禍)를 만나니, 그간에 별유사고(別有事故)하여 하부에 피화하다 하니, 비록 불관(不關)하나 의(義)예 버리지 못한즉 어찌 거두지 않으리오. 불러 일택(一宅)에 머물게 하고 윤현부로 임

---

140) 두긋기다 : 자랑스러워하다. 대견해하다. 기뻐하다.

141) 반계곡경(盤溪曲徑) : 서려 있는 계곡과 구불구불한 길이라는 뜻으로, 일을 순서대로 정당하게 하지 않고 그릇된 수단을 써서 억지로 함을 이르는 말.

142) 어여쁘다 : 불쌍하다. 애석(哀惜)하다.

143) 고래 싸움에 새우 죽는다 : "고래 싸움에 새우 등 터진다."는 속담으로, 강한 자들끼리 싸우는 통에 아무 상관도 없는 약한 자가 중간에 끼어 피해를 입게 됨을 비유적으로 이르는 말.

144) 풍물(風物) : 『음악』 풍물놀이에 쓰는 악기를 통틀어 이르는 말. 꽹과리, 태평소, 소고, 북, 장구, 징 따위이다.

사(姒似)의 교화를 빛내게 하라."

금후 구창을 불관이 여기나, 사세(事勢) 그러하고 친의를 억지 못하여 구창을 부르니, 수유(須臾)에 이르러 당하에서 배알하고, 각각 성의(聖意)를 감격하여 감루(感淚) 여우(如雨)하니, 태부인이 그 옥안화미(玉顔華美)와 양선자혜(良善慈慧)함을 사랑하여, 말석의 좌를 주고 경계 왈,

"여등이 비록 노류장화(路柳墻花)145)나 손아를 위하여 수절신고(守節辛苦)함이 귀(貴)한지라. 이에 택상(宅上)에 안신(安身)하여 여군(女君)의 교화를 어지럽히지 말라."

제녀 고두수명(叩頭受命)하더라.

이 날 경부인이 양부인을 처음으로 보매, 피차 못내 사랑하여 정의(情意) 상조(相照)하더라. 태부인 왈,

"경소부 천아의 처실이 된지 오래나, 가변이 층출(層出)하기로 윤현부의 안면을 모르니, 지금 이·양 등 제 손부는 마땅히 경씨로 더불어 선월정에 가, 윤씨와 상견하게 하라."

양인이 승명하고 경부인과 선월정에 이르러 먼저 시녀로 통하니, 윤씨 강인하여 제인을 접대할새, 경소저 윤부인을 향하여 재배하니, 윤부인이 동신(動身) 답녜함이 지극 겸손하더라. 경씨 윤부인을 보니 각별이 품수한 바 일월정채(日月精彩)라. 흐억 찬란하여 귀복(貴福)이 당당하고, 인자공검(仁慈恭儉)함이 외모에 나타나니, 피차 심복(心腹) 기대함이 전일 알던 바 같더라. 이 날 구창의 처소를 각각 정하니 구창이 불승영희(不勝榮喜)하더라.

북공이 윤부인 병세 차경(差境)에 미친 후 비로소 양씨를 찾아 구정을

---

145) 노류장화(路柳墻花) : 아무나 쉽게 꺾을 수 있는 길가의 버들과 담 밑의 꽃이라는 뜻으로, 창녀나 기생을 비유적으로 이르는 말.

이으며, 경씨를 찾아 환난지시(患亂之時)에 본부(本府)에 편히 있어 망연부지(茫然不知)함을 일장대책(一場大責)하고, 제가(齊家)를 한결같이 하니, 경씨 비록 원민하나 하릴없더라.

차후 가내 화평하고 규문이 징수(澄水) 같으니, 존당 부모 두굿기고 칭찬하더라.

북공이 일념에 구몽숙의 간악함을 아무쪼록 선도(善道)에 나아가게 제도코자, 그 사망지화(死亡之禍)를 녁구(力求)하여 형·유 안무사를 천거하였으나, 몽숙이 자기를 벅벅이[146] 의심할 줄 알고, 한 번 틈을 얻어 저 곳의 나아가 해유(解諭)코자 하더니, 일야는 밤이 깊고 월색이 명랑함을 인하여, 가벼운 미복(微服)으로 초초(草草)히[147] 하여 몽숙의 집에 이르니, 차시 몽숙이 중형지하(重刑之下)에 남은 목숨이 당당이 한 번 죽기를 면치 못할 바거늘, 의외에 정·진 양인이 힘써 구함을 입어, 하늘 위엄을 면하여 몽숙의 일루(一縷)를 빌리고, 형·유 양처를 안무하라 하시니, 몽숙이 저의 재주 아무리 기특한들, 허다한 요정을 어이 진정하리오. 의기군자(義氣君子)의 깊은 뜻을 알지 못하고, 자기 정죽청과 낙양후의 허다 대은을 잊고, 대역의 흉모(凶謀)로 몰아넣어 배은망덕이 '남은 땅이 없으니'[148], 저 부자숙질이 무슨 일 두호(斗護)하리오. 상명(上命)이 처참하라 하시고, 역적과 다르니 처자와 적몰(籍沒)[149]은 말라

---

146) 벅벅이 : 반드시, 틀림없이
147) 초초(草草)하다 : ①몹시 간략하다. ②갖출 것을 다 갖추지 못하여 초라하다. ③바쁘고 급하다.
148) 남은 땅이 없다 : '여지(餘地)없다'를 번역하여 표현한 말. *여지(餘地)없다; 더 어찌할 나위가 없을 만큼 가차 없다. 또는 달리 어찌할 방법이나 가능성이 없다.
149) 적몰(籍沒) : 중죄인(重罪人)의 재산을 몰수하고 가족까지도 처벌하던 일.

하신지라. 제정(諸鄭)이 이로써 불쾌히 여겨, 형·유에 진무하여 공을 못 이루면 화를 밧게 함이라 하여, 사양코자 하나, 더욱 사죄를 더할까 하여 못하고 옥중을 벗어나니, 강근지친이 없으매 뉘 위로할 자 있으리오. 다만 그 처(妻) 양씨 울며 구호하여 거교(車轎)에 실어 집에 돌아와, 의약으로 치료하여 쉬이 상명을 순수하라 하니, 몽숙이 울며 죽기를 자분(自憤)하고, 저 곳에 감을 원치 아니하니, 무고(無故)한 분한이 현인 군자에게 돌아가, 교아절치(咬牙切齒)하여, 당당이 죽어 악귀 되어 정·진 양문을 삼키기를 맹세하니, 가히 별물악종(別物惡種)이러라.

이날도 괴로이 신음하여 야심하되 잠을 이루지 못하고 분기 철골(徹骨)하더니, 문득 문 밖에 사람이 와 가인을 부르니, 서동이 문을 열고 물은데, 북공 왈,

"내 약간 의술을 하더니, 구상공 창처(瘡處)가 대단타 하매 한 번 보아 양약(良藥)을 시험코자 하노라."

가동(家僮)이 내당의 들어가 양씨에게 고한대, 양씨 깃거 즉시 피하고 청하니, 북공이 바로 몽숙의 와상(臥床)에 나아가 금금(錦衾)을 열매, 그 의형이 초고(憔枯)[150]함은 불문가지(不問可知)라. 지극던 의(誼)로 추연하여 손을 잡고 불러 왈,

"형이 나를 아는다?"

몽숙이 그 소리 귀에 익음을 대경하여 숙시(熟視)하니, 이 곳 평생 질오(嫉惡)하여 부디 해코자 하던 정죽청이라. 대경 황홀하여 번연(翻然) 역색(易色) 왈,

"그대 아니 정창백이냐? 반드시 나의 고단하고 병세 깊음을 헤아리고 사원(私怨)을 갚으려 중야(中夜)에 오도다. 불연즉 무슨 일로 오리오."

---

150) 초고(憔枯) : 몸이 몹시 야위어 뼈만 앙상함.

북공이 청파에 그 사곡(邪曲)한 염려를 둠을 어이없어 미소하고, 이에 정색 왈,

"소제 평일 그대로써 총명재사(聰明才士)로 알았더니, 원래 불통무식함이 만고에 무쌍하도다. 군자는 애자지원(睚眦之怨)151)을 필보(必報)치 않나니, 생이 비록 불학무식하여 군자를 미치지 못하나, 어찌 사곡(邪曲)한 의사 있으리오. 형을 죽이랴 하면 당당한 왕법(王法)이 있거늘, 구태여 중야(中夜)에 와 남모르게 해(害)하여, 반생 수행으로 간악(奸惡) 암밀(暗密)하기에 미치리오. 그대 또한 고서를 박람(博覽)하여 옛 말을 알리니, 한소열(漢昭烈)152)의 이른 바, '어진 일이 적다 하고 버리지 말며, 사나운 일이 적다 하고 행치 말라'153) 하니, 그대의 총명으로 어찌 헤아리기를 잘 못하여, 군자의 행의(行義)를 멀리 하고, 소인의 정태(情態)를 습복(習服)하여, 은악양선(隱惡佯善)하며 투현질능(妬賢嫉能)하여, 스스로 죄의 나아가리오. 예부터 군자 성현이 시명(時命)이 기박하나, 마침내 이름이 아름답고 도학이 빗나며, 난신적자(亂臣賊子)가 일시 득의(得意)하나 나중이 어떠며, 후세 매명(罵名)이 그 어떠 하뇨? 사람

---

151) 애자지원(睚眦之怨) : 한번 흘겨보는 정도의 원망이란 뜻으로 아주 작은 원망을 말함.
152) 한소열(漢昭烈) : 중국 삼국시대 촉한의 제1대 황제유비(劉備 : 161~223). 자는 현덕(玄德). 황건적을 처서 공을 세우고, 후에 제갈량의 도움을 받아 오나라의 손권과 함께 조조의 대군을 적벽(赤壁)에서 격파하였다. 후한이 망하자 스스로 제위에 오르고 성도(成都)를 도읍으로 삼았다. 재위 기간은 3년(221~223)이다.
153) 어진 일이 적다 하고 버리지 말며, 사나운 일이 적다 하고 행치 말라 : 『소학(小學)』의 '勿以善小而不爲(물이선소이불위)하고 勿以惡小而爲之(물이악소이위지)하라'를 번역한 말. 곧 착한 일은 그것이 아무리 사소한 것이라 해도 반드시 해야 하며, 악한 일은 그것이 아무리 사소한 것이라고 해도 해서는 안 된다는 말.

이 스스로 알 이 없다 하고, 함인해물(含忍害物)154)하여 악사를 행하나, 천지신명(天地神明)은 속이지 못하나니, 어찌 간정이 한 번 발각지 않으리오. 전두(前頭)155) 모계(謀計) 패루하면 화급기신(禍及其身)함은 이르지도 말고, 앙급문호(殃及門戶)하며 욕급조선(辱及祖先) 하리니, 슬프다 악사를 행하매 일신 참화는 자작지얼(自作之孽)이거니와, 조선절사(祖先絶祀)는 어찌 하리오. 이제는 형·유 양처의 요얼이 성하여 제어키 어렵다 하나, 이 또 형의 조선이 복이 높아 절사치 않을 때라. 형의 재주 적은 요정을 근심치 아니할 것이요, 처음이 그르나 개과책선(改過責善)은 성인의 허하신 바라. 어찌 설설(屑屑)이 초우(焦憂)하여 자멸기명(自滅其名)하여 조선에 불효지죄(不孝之罪)를 막대(莫大)케 하리오.”

설파에 팔을 내게 하여 몇 마디를 이르고, 낭중으로 좇아 주필부작(朱筆符籍)과 제요축사(制妖祝辭)를 내어 주며, 형·유 양처를 안무할 모책을 낱낱이 가르치매, 언언이 맹변주론(孟辯朱論)156)이요, 자자히 금옥지언(金玉之言)이라. 소인의 투현질능함이나 어찌 감복치 않으리오. 몽숙이 어린 듯, 한갓 그 낯을 보며 그 말을 듣기를 마치매, 본디 소통영오(疏通穎悟)한지라. 황연(晃然) 대오(大悟)하여 빨리 병체(病體)를 움직여 고두(叩頭) 유체(流涕) 왈,

“고어의 운(云)하되, 타인유심(他人有心)을 여촌탁지(予忖度之)라157)하니, 몽숙이 진실로 우미(愚迷)하여 대군자의 여차 성심덕화(誠心德化)

---

154) 함인해물(含忍害物) : 잔인한 마음을 품고 남을 해함.
155) 전두(前頭) : 앞 또는 앞쪽.
156) 맹변주론(孟辯朱論) : 맹자와 주자의 변론이란 뜻으로, 논리 정연하여 설득력 있는 변론을 말함. 맹자(B.C.372~289.중국 전국 시대의 유학자)나 주자(1130-1200, 중국 송나라의 유학자)는 둘 다 변론에 매우 능했다.
157) 타인유심(他人有心) 여촌탁지(予忖度之) : 다른 사람의 마음을 내 마음을 헤아려 안다.

를 모르고 전후에 배은망덕한 죄 만사유경(萬死猶輕)이라. '생아자(生我者)는 부모요, 지아자(知我者)는 포자(鮑子)라' 하니158), 금일 현형을 이름이로다. 현형의 하늘같은 덕화가 한갓 몽숙을 사지에서 건질 뿐 아니라, 문호를 보전케 하시니, 이는 사골부휵지은(死骨扶恤之恩)159)이라. 몽숙이 비록 대악(大惡)이나 형의 덕화를 저버리면, 천지(天地)가 각별히 혹벌(酷罰)을 내리오시리니, 생전은 모르거니와 사후에 난망지은(難忘之恩)을 결초보은(結草報恩)하리로다."

설파에 감루여우(感淚如雨)하여 말을 못하니, 북공이 저의 진정을 보고 대희하여 연망(連忙)이 붙들어 위로하고, 재삼 성언대도(聖言大道)를 경계하고 돌아갈 새, 임별에 연연(戀戀)하여 왈,

"소제 체면(體面)에 다시 형을 교외에 작별치 못하리니, 모름지기 병이 낫기를 기다려 쉬이 공(功)을 이루면, 성상이 인견(引見)하시리니, 다시 은사를 입어 제향(帝鄕)에 돌아오게 되리라."

하고, 양약(良藥)을 적어 일제(一劑)160)를 복(服)하라 하고, 돌아가니, 몽숙이 천만 감사하여 능히 갚을 바를 알지 못하더라.

북공이 돌아간 후 양씨 그 천일지위(天日之威)와 인자성심(仁慈聖心)을 불승감탄(不勝感歎)하여, 몽숙을 대하여 휘루(揮淚) 강개 왈,

"군자 저 같은 대현을 저바려 배은망덕하니, 만난 바 죄 중하고 벌이 경한지라. 이제나 개과(改過) 수신(修身)하여 현인의 지교(指教)를 욕되지 않게 하시랴?"

---

158) 생아자(生我者)는 부모요, 지아자(知我者)는 포자(鮑子)라 : '나를 낳아준 이는 부모요, 나를 알아준 이는 포숙(鮑叔)이다'는 말. 사마천(司馬遷), 『사기(史記)』〈관안열전(管晏列傳)〉에 나온다.
159) 사골부휵지은(死骨扶恤之恩) : 죽은 사람을 살려 길러준 은혜.
160) 일제(一劑) : 1제. 1제는 탕약 20첩을 이름.

몽숙이 탄 왈,

"생이 현처의 내조함과 죽청의 책선(責善)을 저버려 전후 악사 호대(浩大)하니, 뉘우치나 미칠 것이랴."

이에 힘써 병을 조리하니, 월여(月餘)에 차복(差復)하매, 국가 중수(重囚)로 오래 연곡지하(輦轂之下)161)에 있기 불안함으로, 행리(行李)를 차려 예궐(詣闕) 하직하고 처자를 거느려 먼저 형주로 가니, 비록 이름이 사죄인(死罪人)이나 안무사(按撫使) 위의 있으니, 지나는 바의 형세 쇠잔함은 없더라.

이 때 천문의 결사(決事)162) 내려, 요얼(妖孼)을 소청(掃淸)하매, 유금오(金吾) 바야흐로 여아가 죽지 않았음을 알고, 비록 불통(不通)하나 일단 예의념치(禮義廉恥)는 아는 고로, 그 매(妹) 만고일악(萬古一惡) 유흥과는 천지(天地) 현격(懸隔)하고, 또 모든 유생들163)은 어진 선비라, 이 일을 알고 대경 참괴하며, 전일 금계 죽었을 때 윤어사의 말을 생각하고, 그 선견지명을 탄복하며, 숙모의 교사(狡邪)함과 그 매(妹)의 음행을 각골(刻骨) 분해(憤駭)하나 하릴없더라.

유금오 옥누항에 이르러 누이를 보고 대언(大言)하여 불인간악(不仁奸惡)을 대책(大責)하고 돌아가니, 이 때 유씨 만신(滿身) 창질이 성농(成膿)하여 괴롭기 심한 중, 전전악사(前前惡事) 발각하여 세월 비영이 처사(處死)하니, 우익이 끊어지고, 가산(家産)이 적탕(籍蕩)164)하니, 기한(飢寒)이 심하거늘, 거거(哥哥)의 허다 책언을 들으니, 저의 죄악은 모르고 도리어 동기의 박정(薄情)함을 원(怨)하여 악악한 질언(叱言)이

---

161) 연곡지하(輦轂之下) : 왕성(王城). 왕도(王都). 왕궁이 있는 도성.
162) 결사(決事) : 관청에서 범죄나 소송 사건에 대해 판결을 내리는 일. 또는 그 판결
163) 유생들 : 유씨 가문의 젊은 사람들. 곧 유금오의 자질(子姪)들을 말함.
164) 적탕(籍蕩) : 집안의 재산을 다 써서 없앰.

그치지 않더니, 궐중의 잡혀 갔던 복부(僕夫) 차환(叉鬟)이 방석(放釋)함을 입어 돌아와, 제인의 초사(招辭)를 전하매, 위·유 양인의 창질(瘡疾)이 다 태복 군석 등의 저주(詛呪) 빌미라 하니, 양인이 들으매 양노(兩奴)의 흉완(凶頑)함을 대로(大怒)하나 무가내하(無可奈何)[165]라. 또 상명이 지엄하시어 위씨는 양주에 찬적(竄謫)하고 유씨는 사사(賜死)하려 하시다가, 정·진·하 삼공이 극간하여 추밀의 낯을 보아, 위씨 적거(謫居)는 풀고, 유씨는 양주에 정배(定配)하되, 성내의 두지 말고 문외(門外)[166]의 머물러 병이 나은 후 상명을 순수하라 하신다 하고, 윤씨 종족이 모여 교지(敎旨)를 전하고, 위·유 양 부인을 강정(江亭) 별처(別處)에 옮기니, 양흉(兩凶)이 교아절치(咬牙切齒) 왈,

"아등의 적년 모계(謀計) 패루(敗漏)함은 다 명아의 요괴로운 꾀라. 요녀를 없애지 못하여 오늘날 대화를 취함이라."

하고, 새로이 삼키고자 하나 할 수 없는지라. 위·유 양인이 한 번 강정(江亭)에 잠기매, 우익이 끊어지고, 수중에 재물이 없고, 신상괴질(身上怪疾)이 일일(日日) 침중(沈重)하여 괴롭고 아픔이 심하나, 그런 중에도 위흉은 양목(兩目)이 어두워 보는 것이 명명치 아니하나 듣는 것이 명명하니, 풍편에 들리는 말마다 부아[167] 넘노라, 태우 형제와 명아를 없애지 못함을 각골분한(刻骨憤恨)하고, 유씨는 귀먹어 알아듣지 못하나 보는 것은 명명하거늘, 만신 창질이 괴로이 아리고 쓰리는 데, 곳곳이 성농(成膿)하여 악취 진동하니, 더욱 괴로움이 측량없더라.

이 때 하소저 이 소식을 듣고, 간당을 소청(掃淸)하고 태우와 학사 누

명을 신원함을 깃거하나, 지현지효(至賢至孝)한 마음에 존당과 존고의 위질이 참혹함을 들으매, 대경하여 이에 부모께 뵈오니, 하공과 조부인이 허다 설화를 이르고 윤의렬의 열절상행(烈節霜行)[168]을 갖추어 전하니, 소저 탄식 주왈

"존당과 고모(姑母) 병세 고극(苦劇)[169]하다 하니, 소녀 감히 물러 있으리까? 나아가 구호함을 고하나이다."

공의 부부 미급답(未及答)에 초후 만류 왈,

"현매 어찌 이런 말을 하느뇨? 위·유 양흉은 천지간 별물대악(別物大惡)이라. 어찌 현매를 고이 보리오. 잠깐 부도에 어긋날지라도, 타일 사빈 형제 오거든 가면 혹자 사망지화(死亡之禍) 없으려니와, 이제 들어간즉, 결단코 독수를 입으리니, 망령된 의사를 내지 말라."

소제 정색 왈,

"거거(哥哥) 식리재상(識理宰相)으로 언사의 과격함과 성정의 불통함이 이 같으시뇨? 남녀가 유별하고, 전일 엄구의 성심을 생각하며, 윤군의 낯을 보아도 불경하심은 만만 불가하시니, 행신(行身)의 휴손(虧損)함과 언사의 무식함을 삼가소서. 남의 며느리 자식이 되어 소매 본디 불초하니, 존당과 존고 어찌 경계치 않으시리요. 자부의 도리로 석사(昔事)를 함원하오며, 위환지시(危患之時)에 안연(晏然)이 물러있어, 타일 엄구와 가부를 대할 낯이 없으리니, 거거는 괴이한 말을 마소서."

초후 냉소 왈,

"현매 내 말을 믿지 아니하거니와, 저 곳에 가기만 해보라. 어떤 액을 만날 줄 알리오. 아무리 여자 구구한들 현매같이 세쇄(細瑣)[170]하리오.

---

168) 열절상행(烈節霜行) : 곧고 강한 절개와 추상같은 행실.
169) 고극(苦劇) : 너무 심하거나 지독함.

우형이 여자 되어 현매 같은 경계를 당하면, 그런 악종의 시할미와 간악한 양(養)시어미가 무슨 대사라고 병구완까지 하랴. 타일 가부(家夫)가 돌아와 아무 말이나 하거든, 내 앞이 멀쩡하니[171) 무슨 말을 못하리오. 생심(生心)코[172) 못가리라."

소제 변색 왈,

"사생이 다 명이라. 거거는 세쇄한 호의(狐疑)를 두지 마소서."

공의 부부 여아의 언사를 두긋겨 이르되,

"위·뉴 양부인이 처음은 잘못하였으나 현마 이제야 뉘우치지 않으리오."

소저, 부모의 명을 듣자오매 굳이 갈 뜻을 정하니, 초후 냉소왈

"현매 부디 가랴 하니, 어디 두고 보자."

하더라.

소저, 초초히 거교(車轎)를 갖추어 윤부 강정으로 나아가니, 미지하여(未知何如)[173) 오.

선시(先時)의 한상궁이 공주의 악사 패루하여 폐치(廢置)하며, 귀비 액궁(掖宮)[174)에 갇히고, 여당(與黨)이 폐멸(廢滅)하여, 죄녀 능지처참(陵遲處斬)되니, 공주의 우익이 그쳐지고 형세 고단함을 들으니, 지극한 충의로써 슬프고 애석함을 이기지 못하여, 이에 교자를 갖추어 문양궁의 나아가 공주를 보니, 공주 폐(廢)한 아미(蛾眉)와 무색한 의상으로, 주야 침상에 몸을 버려 호읍(號泣)으로 날을 보내니, 무슨 모양이 있으리오.

---

170) 세쇄(細瑣) : 시시하고 자질구레함.
171) 멀쩡하다 : 지저분한 것이 없고 아주 깨끗하다.
172) 생심(生心)코 : ('못하다' 따위의 부정어와 함께 쓰여) 어떤 경우에도 절대로.
173) 미지하여(未知何如) : 어떻게 될지 알지 못하리로다.
174) 액궁(掖宮) : 궁중(宮中).

옥안이 초췌하고 화태(花態) 이울어175) 쇠한 풀과 지는 꽃 같은지라.

한상궁이 이 거동을 보매, 비록 자작지죄(自作之罪)나 자닝 참담함을 이기지 못하여, 붙들고 실성유체(失性流涕)하니, 공주 다만 비읍(悲泣)할 뿐이라. 양구반향(良久半晌)176)에 누수(淚水)를 거두고 허다 화란을 치위(致慰)하며, 귀비 액궁(掖宮)에 수계(囚繫)하여 고초하심을 일컬어 슬퍼하매, 혈심진정(血心眞情)이라. 상연(傷然) 수루(垂淚) 왈,

"이는 다 옥주께서 '소인(小人)을 가까이 하고, 현인(賢人)을 멀리 하여 이렇듯 되었으니, 최녀 간인은 지흉(至凶)하여 불의(不義) 패도(悖道)로 옥주의 만리 전정을 그릇 돕거늘, 옥주 친지신지(親之信之) 하시므로 신세(身勢) 계활(計活)을 판단하시니, 개심수덕(改心修德)은 성교(聖敎)에 허하신 바라. 왕사(往事)는 이의(已矣)니, 일러 쓸 데 없으니, 복원(伏願) 옥주는 이후나 회과책선(悔過責善)하시고 개심수덕(改心修德)하시어 선도에 나아가소서."

공주 묵연 참괴(慙愧)하여 탄식 부답하더라.

한상궁이 차후로 주야 공주를 모셔 정성이 동촉(洞屬)하며, 어진 말씀으로 그 심사를 위로하매, 자연 행사(行事)에 보익(補益)함이 만터라. 비록 듣고자 않으나 자연 정부의 소식이 귀에 들리고, 윤·양 등 사부인과 운영이며 구창과 현기 등 제애 다 돌아와, 내외 화평하여 즐긴다 하는지라. 공주 듣는 말마다 애달음이 병출(竝出)하니, 차라리 죽어 듣지 말고자 하는지라. 한상궁이 그 조협(躁狹)함을 민망하여 재삼 위로 권면함을 마지않더라.

---

175) 이울다 : 시들다. 점점 쇠약하여지다.
176) 양구반향(良久半晌) : 시간이 오래 되어 반나절쯤이나 지나서.

차시 윤의렬이 전언(傳言)으로 좇아 조모와 숙모 옥누항을 떠나심을 듣고, 또 병이 중하심을 들으매, 심담이 최절(摧折)하나 감히 나아갈 생의(生意)를 못하더라.

차시 하소저 강정에 이르니, 차환복첩(叉鬟僕妾) 등이 죽은 줄로 알던 하소저 생환함을 불승환열(不勝歡悅)하여 보보전경(步步顚傾)[177]하여 내당의 고하니, 위·유 양흉이 하부인 세자를 들으니, 청천의 벽력이 일신을 분쇄하는 듯하더니, 하소저 승당 예알(禮謁)하고 고두청죄(叩頭請罪)하니, 위흉이 귀는 밝아 하시의 옥음낭성(玉音朗聲)을 들을지언정 그 향신(香身)과 그 절이(絶異)한 얼굴은 보지 못하여, 한갓 미온 마음이 맹출(猛出)하매 흉성(胸聲)으로 꾸짖고, 유씨는 귀먹어 말을 듣지 못하나 눈은 밝은지라. 그 옥모화용(玉貌花容)과 난자혜질(蘭姿蕙質)[178]이 여구(如舊)함을 분한절치(憤恨切齒)하여, 고대 죽이고자 싶으나 어찌 미치리오. 창질(瘡疾)로 만신을 움직이지 못하니, 문득 일계(一計)를 생각고, 왈,

"왕사는 이의(已矣)라. 내 병이 중하니 그대는 마땅히 가까이 나아와 병세를 보라."

소저 청파에 존고의 극악으로 그리 쉬이 개과할 리는 없을 줄 알되, 그 흉계를 모르고 이에 슬하에 나아가 배시(陪侍)하니, 유씨 일성포악(一聲暴惡)에 독안(毒眼)을 부릅뜨고 벽상에 걸린 장도(粧刀)[179]를 빼어

---

177) 보보전경(步步顚傾) : 놀라거나 다급하여 걸음마다 넘어지고 구르고 하며 허둥지둥 걸음.

178) 난자혜질(蘭姿蕙質) : 여자의 아름다운 자태와 뛰어난 자질을 난초(蘭草)·혜초(蕙草)와 같은 아름답고 향기로운 꽃에 비유하여 이르는 말.

179) 장도(粧刀) : 주머니 속에 넣거나 옷고름에 늘 차고 다니는 칼집이 있는 작은 칼.

소저를 지르니, 소저 무망(無妄)[180]에 이 변을 만난지라. 경혈(頸血) 한 줄기를 내 쏘아 유씨의 낯과 의복에 뿌리고, 소저 신색이 변하여 엎어지니, 하부 모든 복첩과 윤부 비자 등이 대경실색하여 급히 붙들어 내니, 소저 호흡이 천촉(喘促)[181]하고 아관(牙關)[182]이 긴급한지라. 제 시아(侍兒) 황황망극(遑遑罔極)하여 실성 비읍하더니, 문득 초후 만면 노기로 들어와, 소매를 붙들어 교중의 넣어 빨리 돌아가되, 위·유를 아는 체 않으니, 위씨는 지각(知覺)이 불명(不明)하되, 유씨는 무류(無聊)코 노하여 초후와 소저를 무수 질매(叱罵)하더라.

시시(時時)에 초후

칼집과 자루는 금, 은, 밀화(蜜花), 대모(玳瑁), 뿔, 나무 따위로 장식을 한다.
180) 무망(無妄) : 별 생각이 없이 있는 상태.
181) 천촉(喘促) : 숨을 몹시 가쁘게 쉬며 헐떡거림.
182) 아관(牙關) : 입속 양쪽 구석의 윗잇몸과 아랫잇몸이 맞닿는 부분.

명주보월빙 권지육십삼

차설 시시(是時)의 초후 매자(妹者)의 강정 행거(行車)함을 방심치 못하여, 뒤를 좇아 강정에 나아가, 중헌(中軒)에서 내당 소식을 탐청(探聽)하더니, 아이(俄而)오[183], 소제 이미 악인의 독수(毒手)에 성명이 급함을 들으매, 지극한 효우로 분노 충격(衝擊)하여 즉각에 유녀를 박살코자 하나, 두루 원려(遠慮) 있어 인분(忍憤)하여 다만 소저를 구하여 돌아오니, 소저의 거교(車轎)를 바로 중당(中堂)의 놓으니, 하공 부부 경아(驚訝) 문 왈,

"하고(何故)로 여아 즉시 돌아 오뇨? 윤씨는 필유사고(必有事故)함을 알고 애달아 묵연이러니, 제시비 사연을 고하니, 하공 부부 대경실색(大驚失色)하고, 초후 만면 노색(怒色)으로 들어와, 소매를 붙들어 모친 협실에 누이고, 병장(屛帳)을 둘러 촉상(觸傷)[184]함을 방비하고, 회생단(回生丹)을 삼다(蔘茶)에 화(和)하여 입에 떠넣고, 금창약(金瘡藥)[185]을 상처에 발라 깁으로 싸매고, 피 묻은 옷을 갈아 상(床)에 편히 누이고,

---

183) 아이(俄而)오 : 얼마 안 있다가. 이윽고.
184) 촉상(觸傷) : 찬 기운이 몸에 닿아서 병이 일어남. 늑촉감(觸感).
185) 금창약(金瘡藥) : 칼, 창, 화살 따위로 생긴 상처에 바르는 약. 석회를 나무나 풀의 줄기와 잎에 섞어 이겨서 만든다.

제녀를 지휘하여 힘써 구호하라 하고, 부모께 들은 바로써 고하매, 분기 엄애(奄碍)하여 유씨 대간대악(大奸大惡)을 절치부심(切齒腐心)하니, 윤부인이 차경(此景)을 목도(目睹)하매, 모친의 전전 과악은 이르도 말고, 금일사(今日事) 차마 사람의 할 바 아니라. 초후의 허다 참욕이 불가승수(不可勝數)186)나 그르다 못할지라. 외모 태연자약(泰然自若) 하나, 그 마음이 각골비상(刻骨悲傷)하여 애187) 이울기188)에 미쳤으니, 구고 그 윽이 스치고 어여삐 여겨, 비록 유씨의 행악을 통완하나 말을 않고, 하공 부부 여아의 회도(回棹)189)함을 보고 불승영행(不勝榮幸)하여, 재삼 어루만져 병회(病懷)를 위로하나, 말씀이 위·유에 미치지 않고, 하씨 비록 초후와 골육남매나 심히 무안하여 하더라.

소저 창처가 보기에 중난(重難)하나 유씨 기력이 미치지 못하여, 빗 찔렸으매 깊이 상치 않은지라. 부모 지성(至誠) 완호(援護)하매 소제 또한 존고의 누덕(累德)을 끼치지 않으려 힘써 조섭(調攝)함으로, 병세 쉬이 차경(差境)에 있는지라.

취운산 정부에서 이 소식을 듣고 새로이 흉히 여기며, 윤의렬은 그 숙모의 과악이 갈수록 더함을 보매, 가란을 쉬이 진정치 못한즉, 두 아우의 평생 백우(百憂)190)가 풀릴 날이 없을까, 우려 간절하더라.

어시에 은사(恩赦)가 사처(四處)에 내렸으나 왕반(往返)이 멀어, 학사의 소식이 절연(絶緣)하고, 장사(長沙)191) 일읍(一邑)이 숙렬(淑烈)의 거

---

186) 불가승수(不可勝數) : 너무 많아서 셀 수가 없음.

187) 애 : 창자. 쓸개. 마음 속.

188) 이울다 : 시들다. 스러지다.

189) 회도(回棹) : 가던 배가 돛대를 돌리는 것 같다는 뜻으로, 병이 차차 나음을 이르는 말.

190) 백우(百憂) : 온갖 근심.

191) 장사(長沙) : 중국 호남성의 동부 곧 동정호(洞庭湖) 남쪽 상강(湘江) 동쪽 하

처를 심방하나, 병혁(兵革)이 막혔으니 소식이 아으라 한지라. 정부 상하가 근심함을 마지않으며, 천자께서 또 윤참모의 거처 없음을 우려하시어, 숙침좌와(宿寢坐臥)에 용우(龍憂)가 간절하시더니, 문득 장사로 좇아 변보가 눈 날리 듯하여, 손확이 대패하여 적진에 생금(生擒)되매, 부원수 장운이 겨우 백여 패잔군을 거느려 남영관에 숨었더니, 윤참모 도사의 구함을 입어 망명하였다가, 단신으로 운몽관 장수 영흠을 죽여 관(關)을 빼앗고, 월산성 수장(首將)을 항복받아, 다시 장원수로 합병하여 전필승공필취(戰必勝功必取)[192]함이 다 윤참모의 신기묘산(神技妙算)으로 소과(所過)에 무적(無敵)이라 하여, 첩서(捷書)가 자주 용정(龍廷)에 오르니, 천자가 대경대희(大驚大喜)하시어 중사(中使)를 장사의 보내시어, 윤광천의 신무대략(神武大略)을 칭찬하시고 대원수를 배(拜)하시며[193], 금백(金帛)을 내려 삼군(三軍)[194]을 호상(犒賞)[195]하라 하시니, 사명(使命)[196]이 황지(皇旨)를 받들어 주야(晝夜) 달려 장사로 가니라.

선설(先說)[197] 태우 윤광천과 학사 희천이 천고(千古)의 원앙(寃怏)한 누얼을 무릅써, 남·양 이주(二州)에 수졸(戍卒)이 되니, 이 본디 천균

류에 있는 도시. 수륙 교통의 요충지이며 호남성의 성도(省都)이다.
192) 전필승공필취(戰必勝功必取) : 싸우면 반드시 이기고 공을 반드시 취함.
193) 배(拜)하다 : 조정에서 벼슬을 주어 임명하다.
194) 삼군(三軍) : 상군(上軍)·중군(中軍)·하군(下軍) 또는 중군(中軍)과 좌익(左翼)·우익(右翼)을 합한 군 전체를 이르는 말. 현대는 육군·해군·공군을 합한 군 전체를 이른다.
195) 호상(犒賞) : 군사들에게 음식을 차려 먹이고 상을 주어 위로함.
196) 사명(使命) : 명령을 받은 사신.
197) 선설(先說) : 고소설에서 장면을 바꿔 앞에서 진행되었던 이야기를 이어 시작할 때 쓰는 화두사(話頭詞).

대량(千鈞大量)198)과 하해지심(河海之心)이라. 돌아다 가사(家事)를 생각건대, 계부는 교지(交趾)199)에 계시어 환가하실 기약이 아득한데, 자기 형제마저 집을 떠나매, 완노(頑奴) 강비(强婢)의 작악(作惡)과 흉험한 위·유 양부인이 기탄없어 무슨 악행을 지을 줄 알리오. 반드시 문호를 망하게 할지라. 두루 심려 번다하여, 겨우 일일을 형제 동행하여 가다가 분수할 새, 태우 반드시 간인의 흉계 다시 있을 줄 아는지라. 자기는 족히 근심치 않으나, 아우의 청수미질(淸秀美質)을 염려하여, 임별(臨別)에 가만히 혜준 등 양노(兩奴)를 당부하여, 공차(公差)가 불량하니 일시도 상공 좌하(座下)를 떠나지 말라 하니, 양노가 청령(聽令)하고 물러나매, 형제 다시 휘루(揮淚)하여 각각 배소로 향하니라.

학사를 압령(押領)하여 가는 공차가 유씨의 회뢰(賄賂)를 받고, 부디 학사를 죽이려 하여 때를 엿보되, 혜준 등이 눈치를 알고 또 충근(忠勤) 영리(怜悧)함이 '개자추(介子推)의 할고지충(割股之忠)'200)이 있는지라. 주야 학사를 모셔 숙식침좌(宿食寢坐)에 일시도 떠나지 않으니, 공차가 하릴없어 해함을 생의치 못하고, 학사 일로(一路)에 무사히 득달하여 적소에 이르니, 자사 순공이 그 소년 청망을 흠모하던 고로, 그 일시 운액이 괴이하여 찬적함을 놀라 멀리 나와 맞아, 극진히 관대하며 정(靜)한 하처(下處)에 안둔(安屯)하고, 공차를 보낼새 학사 금백을 은근이 사례하니, 공차 비록 무식하나 감복하여, 행도의 불공(不恭)함이 저의 본심

---

198) 천균대량(千鈞大量) : 천균(千鈞)이나 될 만큼 무겁고 도량이 크다. 1균은 30근 무게를 말한다.

199) 교지(交趾) : 중국 한(漢)나라 때에, 지금의 베트남 북부 통킹, 하노이 지방에 둔 행정 구역. 전한(前漢)의 무제가 남월(南越)을 멸망시키고 설치하였다.

200) 개자추(介子推)의 할고지충(割股之忠) : 중국 춘추시대 개자추가 진나라 문공을 섬겨 19년 동안 함께 망명생활을 하던 중, 문공이 굶주리자 자신의 넓적다리 살을 베어서 바쳤다는 고사를 일컬은 말.

이 아니라 세월 비영 등의 청촉임을 고하고, 무수 사죄하니, 학사 일가
에 평서(平書)201)를 부치다.

　차시 태우는 학사를 분수하고 남주로 나아가더니, 수일을 행하여 상
처가 심히 덧나 성농(成膿)하니, 아픔을 이기지 못하여 객점에 일찍 들
었더니, 이때에 자객 임성각은 본디 유문자제(儒門子弟)로 초운(初運)이
다험(多險)하여 조상부모(早喪父母)하고 종선형제(終鮮兄弟)202)하며 무
타종족(無他宗族)하니, 자취 사해(四海)에 표탕(飄蕩)한지라. 우우양양
(踽踽佯佯)203) 하여 아니 미친 곳이 없으나, 천생 작인(作人)이 비범하
여 잠미봉안(蠶眉鳳眼)204)과 호비주순(虎鼻朱脣)205)이요, 팔척경륜(八
尺徑輪)206)이며, 겸하여 지략이 겸전(兼全)하니 한신(韓信)207) 주아부
(周亞夫)208)의 위무(威武) 있는지라. 일찍 태운진인(泰運眞人) 화도사를
만나 무예 병법과 육예(六藝)209)를 갖추 가르치니. 성각이 총명영오(聰
明穎悟)하여 각별 수고 않아 무불통지(無不通知)하더라.

---

201) 평서(平書) : 늑평신(平信). 무사한 소식.
202) 종선형제(終鮮兄弟) : 일가에 형제가 많지 않음.
203) 우우양양(踽踽佯佯) : 홀로 외로이 세상을 떠돎.
204) 잠미봉안(蠶眉鳳眼) : 누에 같은 눈썹과 봉황의 눈.
205) 호비주순(虎鼻朱脣) : 호랑이 코와 주사(朱砂)처럼 붉은 입술.
206) 팔척경륜(八尺徑輪) : 팔척이나 되는 키와 그 몸둘레를 함께 이르는 말. 경륜
　　(徑輪)은 사물의 지름과 둘레를 함께 이르는 말.
207) 한신(韓信) : ? - BC196. 중국 한(漢)나라 때의 무장(武將). 한 고조를 도와 조
　　(趙)·위(魏)·연(燕)·제(齊)나라를 멸망시키고 항우를 공격하여 큰 공을 세
　　웠다.
208) 주아부(周亞夫) : 중국 전한(前漢) 전기의 무장, 정치가. 오초칠국(吳楚七國)의
　　난을 평정해 공을 세웠고 승상에 올랐다.
209) 육예(六藝) : 고대 중국 교육의 여섯 가지 과목. 예(禮), 악(樂), 사(射), 어
　　(御), 서(書), 수(數)를 이른다.

일일은 도사 성각을 불러 왈,

"네 아시에 명도 궁하여 나의 제자가 되었으나, 나는 곳 산야비인(山野鄙人)으로 자취 고운야학(孤雲野鶴) 같고, 너는 진연(塵緣)이 많아, 명리(名利)에 처(處)하리니, 청운(靑雲)과 백운(白雲)이 길이 다른지라. 이미 연분이 그쳤으니, 마땅히 사방에 오유(遨遊)하여 지기(志氣)를 소창(消暢)하고, 시세를 헤아려 현인 군자의 화액(禍厄)을 건져 사생에 좇으면, 반드시 복록(復祿)이 창성(昌盛)하리라."

성각이 사부의 신명함을 아는 고로, 순순수명(順順受命)하고, 드디어 산중을 떠나 정처 없이 다니다가, 우연이 경사에 이르러 구몽숙을 만나 사귀매, 몽숙이 윤태우의 불효부제(不孝不悌)함을 이르고, 부디 죽여 달라 하니, 성각이 분연 왈,

"대장부 처세(處世)하매 어찌 저런 강상패륜지인(綱常悖倫之人)을 머물러 두리오. 명공은 염려 말라. 내 당당이 윤광천의 머리를 베리라."

몽숙이 대희하여 천만 당부하고, 백금(百金)으로써 주니, 성각 왈,

"대장부 불인을 죽이매 어찌 값을 받으리오. 사양하여 받지 않고 개연이 삼척검을 끼고 남주로 향할 새, 도처(到處)에 태우의 행도(行途)를 물으니, 만성사서(萬姓士庶)210)와 아동주졸(兒童走卒)211)이 다 윤태우 형제의 효의를 일컫는지라. 성각이 저의 소문과 다름을 의괴하여, 한 번 저의 위인을 살펴 의심을 결(決)코자 하여, 이 날 태우의 일행이 촌점(村店)에 듦을 보고, 밤들기를 기다려 칼을 안고 가만히 객점(客店)에 들어가 창하(窓下)에서 규시(窺視)하니, 윤태우 백의소대(白衣素帶)212)

---

210) 만성사서(萬姓士庶) : 온갖 성씨, 사대부·서민 할 것 없이 모든 사람을 일컫는 말.

211) 아동주졸(兒童走卒) : 철없는 아이들과 어리석은 사람들을 아울러 이르는 말.
*주졸(走卒); 남의 심부름을 하면서 여기저기 바쁘게 돌아다니는 사람.

로 죄인의 복색을 하였으나, 화풍경운(和風慶雲)이 늠연쇄락(凜然灑落)하여, 용미봉안(龍眉鳳眼)이며 연함호두(燕頷虎頭)213)요, 월면단순(月面丹脣)214)이니, 하안(何晏)215)이 재세(再世)하고 반악(潘岳)216)이 죽지 않았으니, 진승상(晉丞相)217)의 관옥지모(冠玉之貌)218)와 두사인(杜舍人)219)의 투귤지풍(投橘之風)220)을 아울러221), 씩씩한 위의와 추수(秋水) 같은 정신이니, 청천백일(靑天白日)은 노예하천(奴隸下賤)도 역지기명(亦知其明)222)이요, 황혼흑야(黃昏黑夜)223)는 비금주수(飛禽走獸)224)라도 아는 바라. 성각의 식안(識眼)으로 어찌 군자 영걸을 모르

---

212) 백의소대(白衣素帶) : 흰 옷과 흰 띠를 함께 이르는 말로 벼슬이 없는 사람의 옷차림을 말함.

213) 연함호두(燕頷虎頭) : 제비 비슷한 턱과 범 비슷한 머리라는 뜻으로, 먼 나라에서 봉후(封侯)가 될 상(相)을 이르는 말.

214) 월면단순(月面丹脣) : 달처럼 환하게 잘생긴 얼굴에 붉고 고운 입술을 가짐.

215) 하안(何晏) : 중국 삼국 시대 위(魏)나라의 학자. 자는 평숙(平叔). 벼슬은 시중 상서에 이르렀으며, 청담을 즐겨 그것이 유행하는 계기를 만들고 경학을 노장풍(老莊風)으로 해석하였다. 저서에 ≪논어집해≫가 있다. 얼굴에 분을 발라 멋을 부려, 미남자로도 이름이 높았다.

216) 반악(潘岳) : 247~300. 중국 서진(西晉)의 문인(文人). 자는 안인(安仁). 승상을 지냈고 미남자의 대명사로 쓰인다.

217) 진승상(晉丞相) : 중국 서진(西晉)의 미남자 반악(潘岳)을 달리 이르는 말.

218) 관옥지모(冠玉之貌) : 관옥처럼 아름다운 모습. 관옥은 관(冠)을 꾸미는 옥.

219) 두사인(杜舍人) : 중국 만당(晚唐)때 시인 두목지(杜牧之). 이름은 두목(杜牧). 중서사인(中書舍人)에 올랐고, 중국의 대표적 미남자로 꼽힌다.

220) 투귤지풍(投橘之風) : 투귤(投橘)은 귤을 던진다는 뜻으로, 예전에 두목지는 용모가 준수하고 글을 잘 지어 부녀자들 사이에 인기가 대단했는데, 그가 거리에 나서면 부녀자들이 앞 다투어 귤을 던저 그의 관심을 끌고자 했다 한다. 투귤지풍이란 이처럼 여자들이 귤을 던질 정도로 아름다운 남자의 풍채를 비유적으로 이르는 말이다.

221) 아우르다 : 합치다. 여럿을 모아 한 덩어리나 한 판이 되게 하다.

222) 역지기명(亦知其明) : 또한 그 밝음을 안다.

223) 황혼흑야(黃昏黑夜) : 해가 지고 어스름해질 때나 칠흑처럼 캄캄한 밤.

리오. 양구(良久) 첨망(瞻望)에 스스로 소리 남을 깨닫지 못하여,

"진실로 대현군자로다!"

하는 소리에, 태우가 놀라 창을 열고 물으니, 일개 장사가 풍채 웅위하고 골격이 비범한데, 서리 같은 칼을 안고 팔척 장신을 굽혀 창하에 있다가, 태우의 물음을 보고 응성(應聲) 출(出) 왈,

"나는 사해(四海)의 무가객(無家客)이요, 천하의 호걸이라. 사람의 불인(不仁)함을 들으면, 협기(俠氣) 태과(太過)하여 부디 죽이랴 하며, 현인의 성화(聲華)를 들으면 불원천리(不遠千里)하여 교도를 맺고자 하나니, 내 일찍 공의 불의(不義)를 듣고 혈기 강개하여, 삼척 비수(匕首)225)로 그대의 머리를 베려 왔더니, 이제 그대를 보니 외모 풍신이 저러하고, 결연이 대악 불의는 않을 듯하여, 또 청춘이 자닝한지라, 내 차마 하수(下手)226)치 못하노라."

태우 그 기상의 비범함과 기운의 웅장함으로 길을 그릇 들었음을 아껴, 불변안색하고 탄 왈,

"고어의 왈, 나를 꾸짖는 이는 은인이요, 기리는 이는 원수라 하니, 나의 반생 행신을 책선(責善)할 이 없더니, 금야에 장사를 만나 나의 불효부제(不孝不悌)227)를 밝히니, 가히 장재(長者)라 하리로다. 군이 이미 사람의 소청을 듣고 왔으면, 쾌히 내 머리를 베어 후한 금백을 얻고, 불연즉 사람의 허물을 남에게 미룸이 녹녹(碌碌)치 않으랴?"

그 사람이 칼을 던지고 배읍(悲泣) 왈,

---

224) 비금주수(飛禽走獸) : 날짐승과 길짐승을 함께 이르는 말.
225) 비수(匕首) : 날이 예리하고 짧은 칼.
226) 하수(下手) : 손을 대어 사람을 죽임.
227) 불효부제(不孝不悌) : 어버이를 효성스럽게 잘 섬기지도 못하고 어른에게 공손하게 행동하지도 못함.

"명공은 금세 군자라. 소생 임성각이 눈이 있으나 태산을 몰라보니, 정히 망울을 빼어 지감(知鑑) 없음을 사례코자 하거늘, 어찌 다시 범하리오. 소생이 비록 사족이나 조상부모(早喪父母)하고 종선형제(宗鮮兄弟)하니 자취 영정(零丁)하여[228] 사해의 오유(遨遊)하더니, 어려서 운화진인의 제재 되어 육도삼략(六韜三略)[229]과 무예를 배우다가, 사부 나로 하여금 진연(塵緣)이 있으니 문달(聞達)을 구하라 하시니, 이로 좇아 스승을 하직하고 사해에 방랑하더니, 모일에 경사의 이르러 상서 구몽숙을 만나니, 여차여차 사귀어 감언미설(甘言美說)로 명공의 불효부제(不孝不悌)를 갖추 일컬어 죽여 달라하니, 생이 협기(俠氣) 과도한 고로 그 말을 곧이듣고, 명공의 뒤를 좇아오며 그 위인을 살피니, 군자 덕행이 가즉한지라. 어찌 차마 현인을 해하리오. 쾌히 구가 축생(畜生)을 죽여 현인 함해(陷害)한 죄를 정히 하고, 다시 와 명공의 채[230]를 잡아 섬기리라."

언파에 분연이 벌떡 일어나거늘 태우 급히 만류 왈,

"군은 혈기지분(血氣之憤)을 과히 말고 앉아 내 말을 들으라."

성각이 나아 앉아 그 까닭을 물은데, 태우 추연 왈,

"대장부 처세하매 수신행도(修身行道)를 광풍제월(光風霽月)[231]같이 하리니, 그대 기상이 창하(窓下)에 골몰할 자가 아니라. 가히 이 같은

---

228) 영정(零丁)하다 : 세력이나 살림이 보잘것없이 되어서 의지할 곳이 없다.
229) 육도삼략(六韜三略) : 중국의 오래된 병서(兵書). ≪육도(六韜)≫와 ≪삼략≫을 아울러 이르는 말.
230) 채 : 가마, 평교자, 들것 따위의 앞뒤로 양옆에 대서 메거나 들게 되어 있는 긴 나무 막대기
231) 광풍제월(光風霽月) : 비가 갠 뒤의 맑게 부는 바람과 밝은 달이란 뜻으로, 마음이 넓고 쾌활하여 아무 거리낌이 없는 인품을 비유적으로 이르는 말. 황정견이 주돈이의 인품을 평한 데서 유래한다.

암밀지행(暗密之行)을 버리고, 정도(正道)에 돌아가 입신현달(立身顯達)하면, 반드시 장좌지임(將座之任)232)에 나아가 이름이 청사(靑史)의 빛 나려니와, 종시 사처(四處)에 방랑하여 무륜협사(無倫俠士)로 자임(自任)하면, 불행한즉 화급기신(禍及其身)하고 욕급조선(辱及祖先)할 것이요, 요행 선종(善終)하나 이름이 초목과 같이 스러지고 후사(後嗣) 멸하리니, 사람이 처음 그르나 후에 뉘우침은 성교(聖教)에 허하신 바라. 생이 비록 식안(識眼)이 없으나, 군의 기상을 보니 임하(林下)에 골몰함을 아끼나니, 군이 만일 내 말을 들어 정도의 돌아가면, 한갓 일신이 쾌할 뿐 아니라, 문호(門戶의) 한천(寒賤)함을 면할 것이요, 또 악인이 각별 은원(恩怨)이 없는 바로 날을 해하려 하나, 이 또 나의 행신이 용렬하여 동류(同類)의 미움을 받음이라. 저를 겨뤄 죽임은 지자(智者)의 일이 아니라. 망령된 의사를 그쳐 차후 불의지사(不義之事)를 행치 말고 정도에 돌아가 쇠문(衰門)을 현달하라."

설파에 안색이 늠연(凜然)하니, 성각이 그 풍신(風神) 언사(言事)를 암암 칭지(稱之)하고, 춘몽(春夢)이 처음으로 깬 듯하여, 연망(連忙)이 계수(稽首) 재배 왈,

"소생이 생세(生世) 이십년에 진정 지기(知己)를 만나지 못하여 무륜협객(無倫俠客) 되기를 면치 못하였더니, 금일이 하일(何日)이관데 대군자(大君子)를 만나 어질이 교회(敎誨)하심을 입으니, 세강말속(世降末俗)233)에 성각을 알 이 없더니, 명공의 앎이 밝으니 나를 알아주는 자는 공(公)이라. 금일 이후는 마땅히 채를 잡아 모시리이다."

태우 저의 깨달음을 깃거하나, 또한 성도(性度)의 광활뇌락(廣闊磊落)

---

232) 장좌지임(將座之任) : 장수(將帥)의 직임(職任).
233) 세강말속(世降末俗) : 세상이 타락하여 말세의 사악(邪惡)한 풍속에 빠짐.

함을 깃거 머물기를 허하니, 임생이 대희하여 천지를 가르쳐 맹세하여 사생지교 (死生之交) 되기를 기약하더라.

명일 말을 내되, 경사 고우(故友)가 마침 남주로 가는 길이러니 동행한다 하니, 공차 그리 여기더라. 태우 스스로 자기 병근(病根)을 헤아려 양약(良藥)으로 상처를 조호(調護)하니, 오래지 않아 하리매 깃거 하더라. 태우 성각으로 더불어 한 상에 밥 먹으며, 잠자매 한 탑(榻)234)에 자니, 정의(情誼) 상득(相得)하여 동기(同氣) 같더라.

일로(一路)에 무사히 행하여 남주에 이르니, 자사 이회는 고명군자(高名君子)라. 멀리 나와 맞아 그 외모 풍신을 대경 흠복하여 혜오대,

"윤태우는 인세(人世) 속인(俗人)이 아니거늘, 죄명이 강상(綱常)을 범하여 이에 찬적하니, 기간 사고를 모르거니와, 차인이 결단코 강상(綱常)의 죄를 범치 않았으리니, 반드시 '증삼(曾參)의 살인(殺人)'235) 같도다."

하고, 하처(下處)를 잡아 안둔하고 대접이 관곡(款曲)하니, 태우 이공의 후의(厚誼)를 칭사하고, 범사에 풍비함을 사양하여, 띠베개236)와 베이불237)로 죄인의 거처를 극진히 하니, 자사가 크게 탄복하고, 향중(鄕中) 사대부(士大夫)가 그 어진 이름을 듣고 서로 모여 와 수학하니, 태우 극진히 충효로 권장하매, 일읍이 차차 전파하여 인읍에 자자(藉藉)하더라.

공차 돌아갈 새 태우 본부에 상서하니, 만편(滿篇)에 영모지회(永慕之

---

234) 탑(榻) : 길고 좁게 만든 평상.
235) 증삼(曾參)의 살인(殺人) : 헛소문, 또는 잘못된 소문. 증자의 어머니가 증자가 사람을 죽였다는 헛된 소문을 듣고 베 짜던 북을 던지고 사건 현장으로 달려갔다는 고사 곧 '증모투저(曾母投杼)에서 유래된 말.
236) 띠베개 : 풀베개. 짚이나 띠 따위를 엮거나 꼬아서 만든 베개.
237) 베이불 : 삼베로 만든 이불.

懷) 간절함을 베풀었으니, 식자(識者)의 감읍할 바로되, 위·유 양인은 천지간 별물악종(別物惡種)이라. 도리어 그 죽지 않음을 한하니 군자숙녀의 명박(命薄)함이 여차하더라. 또 옥화산 모친께 상서하여 무사히 적소에 옴을 고하니, 효자의 영모지회 그음 없더라. 금백으로 공차를 후상하니 공차 무수 칭사하고 환경하니라.

시시에 윤태우 한 번 제향(帝鄕)을 하직하매, 광음이 유수 같아서 얼핏 춘추(春秋)가 뒤집히니238), 충신 효자의 사군사친지회(事君事親之懷) 날로 층가(層加)하니, 화조월석(花朝月夕)에 모천(暮天)을 창망(悵望)239)하여, 위로 북당(北堂) 편친(偏親)의 외로우심을 삼상(參商)하매240). 태행산(太行山)241) 흰 구름을 조문(眺問)242)하니, 장부웅심이 설설(屑屑)함을243) 면하리오. 자기 형제 남달리 궁(窮)함이 자모의 복중(腹中)을 떠나지 않아서 엄친이 귀천(歸天)하시되, 또 능히 가국(家國)에 안거(安居)하여 사(死)함을 얻지 못하고, 만리이역(萬里異域)에 비명원사(非命冤死)하시어, 체백(體魄)이 겨우 고국에 돌아오니, 아름다운 충절은 만대에 유전(遺傳)하나, 가간(家間)에 험한 조모와 간악한 숙모가 자질(子姪)을 차마 견디지 못하게 하여, 정·진·하·장 같은 숙녀 명완(淑女明婉)을 아깝게 마치고, 자가 형제를 강상대죄(綱常大罪)로 미

---

238) 뒤집히다 : 뒤바뀌다. 차례나 위치 따위가 서로 반대가 되도록 바꾸어지다.
239) 창망(悵望) : 시름없이 바라봄.
240) 삼상(參商)하다 : 그리워하다. 삼성(參星)과 상성(商星)이 동서(東西)로 멀리 떨어져 있는 데서 유래한다.
241) 태행산(太行山) : 중국 동북부에 위치하여 산서성(山西省), 하북성(河北省), 하남성(河南省) 3개 성(省)에 걸쳐 있으며, 중심의 대협곡(大峽谷)은 빼어난 경치를 자랑하고 있다. 해발 1840m.
242) 조문(眺問) : 멀리서 부모가 계신 곳을 바라보며 안부를 물음.
243) 설설(屑屑)하다 : 자잘하게 굴다, 구구(區區)하다.

루어, 남·양 이처에 유락(流落)게 하니, 목금 형세를 생각건대, 가사 아무리 되었음을 모르니 심회 창감(愴感)한지라. 연(然)이나 태우의 성도가 웅위활대(雄威豁大)하여 소소지사(小小之事)에 거리껴 분변함이 없는 고로, 그 심위(心憂) 중함을 남이 모르는지라. 군친을 사념(思念)하는 여가에, 아우의 청수미질(淸秀美質)로 적지간고(謫地艱苦)를 생각하매 자닝함을 이기지 못하고, 이따금 청조(靑鳥)[244]의 신(信)을 얻어 피차 수적(手迹)[245]은 반기나, 화풍성모(和風聲貌)를 상상하고 광금장침(廣衾長枕)에 힐지항지(頡之頏之)[246]하던 바를 생각하니, 몽혼(夢魂)이 경경(耿耿)하여 제향을 꿈꾸는지라.

일일은 성각이 태우께 권하여 왈,

"모춘(暮春)[247] 초순이라. 경치 화창하고 물색이 아름다우니, 이에 온 후 한 번 문 밖을 남이 없으니, 어찌 남자의 풍도(風度)리오. 생이 본디 천하에 오유(遨遊)하던 협사(俠士)로, 명공을 좇아 방중을 지킨 지 오래니, 금일 천기 화창하고 경물이 아름다우니, 원컨대 공으로 더불어 한 번 유람하여 울적한 심회를 위로코자 하나이다."

태우 심회(心懷) 첩다(疊多)하니 어느 겨를에 풍경을 완상할 뜻이 있으리오마는, 임생의 말을 듣고 미우(眉宇)를 빈축(嚬蹙) 왈,

"과연 차처 경치 승절(勝絶)함을 들었으되, 심우(心憂) 남다른 고로, 한 번 완경(玩景)함이 없더니, 금일은 우회(憂懷)를 소견(消遣)하리라."

---

244) 청조(靑鳥) : 반가운 사자(使者)나 편지를 이르는 말. 푸른 새가 온 것을 보고 동방삭이 서왕모의 사자라고 한 한무(漢武)의 고사에서 유래한다.

245) 수적(手迹) : 손수 쓴 글씨나 그린 그림. 또는 손수 만든 물건에 남은 자취나 흔적.

246) 힐지항지(頡之頏之) : 새가 날면서 오르락내리락함. 형제가 서로 정답게 노는 모양을 말함.

247) 모춘(暮春) : ①늦봄. ②음력 3월을 달리 이르는 말.

하고, 양인이 죽장초혜(竹杖草鞋)로 서로 이끌어 시비(柴扉)를 나매, 동자로 주호(酒壺)를 들려 남영산 풍경을 유완할 새, 천척빙애(千尺砑崖)[248]와 만장폭포(萬丈瀑布)가 자못 기이(奇異)하여, 발이 이르는 곳마다 화려한지라. 윤·임 양인이 등나(藤蘿)를 잡아 기구한 산로(山路)를 행하여, 무궁한 승경(勝景)을 칭찬하며, 종일 유완(遊玩)하다가 낙일(落日)이 서산에 걸리니, 숙조(宿鳥)가 투림(投林)[249]하는지라. 태우는 은린옥척(銀鱗玉尺)[250]을 낚아 버들가지에 꿰어 들고, 성각은 채근을 캐어 광주리의 담아 옆에 끼고, 하처(下處)에 돌아와, 뜯은 나물과 낚은 고기로 식찬을 삼고, 탄식 왈,

"아등이 당당한 팔척장부(八尺丈夫)로 자신지책(資身之策)[251]이 능치 못하여, 이역에 유락하니 어찌 슬프지 않으리오."

언파에 추연 감회함을 이기지 못하더라.

태우 가향(家鄕)을 떠난 지 이미 수년이 되니, 적거(謫居) 기한이 찼는지라. 주주야야(晝晝夜夜)에 황도(皇都)를 첨망(瞻望)하여 희보(喜報)를 현망(懸望)하더니, 홀연 들으니, 장사왕이 모반하여 각처 변보가 눈 날리듯 하고, 인언(人言)이 자자한지라. 태우 번왕의 작난이 여차함을 분완(憤惋)하더니, 또 들으니 대장군 손확이 부원수 장운으로 황지(皇旨)를 받자와 남방을 정벌한다 하더니, 과연 오래지 않아 중사 이르러 사명(赦命)을 전하니, 태우 대열하여 향안을 배설하고 조서를 받자오니, 자기로써 군중 참모사(參謀師)를 삼아 손확의 막하에 종군하여 입공반

---

248) 천척빙애(千尺砑崖) : 일천척(一千尺)이나 되는 낭떨어지. 빙애(砑厓); 낭떨어지. 벼랑.

249) 투림(投林) : 숲에 듦.

250) 은린옥척(銀鱗玉尺) : 은빛 비늘을 가지 한 자쯤 되는 아름다운 물고기.

251) 자신지책(資身之策) : 자기 한 몸의 생활을 꾀하는 계책.

사(立功班師)하라 하신지라. 태우 북향 사배 후 중사를 관대(款待)하고, 본주 자사(刺史)와 지현(知縣) 방백(方伯)이 다 이르러 환쇄(還刷)함을 치하하고, 또 손확의 사재(使者) 장령(將令)을 받아 참모에게 군장기계(軍裝器械)와 융복(戎服)을 가져와, 군정(軍丁)252) 이 성화(成火)253) 하기에254) 이르니, 참모 심하(心下)에 자기 신성영무(神聖英武)로 손확 무부(武夫)의 절제를 감심할 바를 개탄하나, 사색치 않고, 수일 치행(治行)하여 길에 오를 새, 성각이 한가지로 종사(從事)하니, 일향 선비와 촌민부로(村民父老)가 떠남을 연연(戀戀)하여, 미찬(美饌)과 주과(酒果)로 전별하는 유(類)가 부지기수(不知其數)러라. 태우 향민부로(鄕民父老)에 이르기까지 은근 작별하고, 성각으로 더불어 장사로 가니라.

각설, 정동대원수(征東大元帥) 손확이 황지(皇旨)를 받자와, 천원맹장(千員猛將)과 십만대군(十萬大軍)을 거느려 호호탕탕(浩浩蕩蕩)이 장사로 나아가니, 군용이 엄숙하고 정기(旌旗) 폐일(蔽日)하니 위엄이 엄숙하더라. 월여(月餘)에 대군이 장사 지계(地界)에 이르니, 이미 적세(賊勢) 호대(浩大)하여 운봉과 설산성이 다 적의 함몰한 바 된지라. 사수관 수장(首將)이 대군을 맞아 성내에 안둔하고, 손확이 또한 장졸을 쉬게 하며, 성상(城上)에 대원수 기치를 세워 천병이 왔음을 알게 하고, 범사를 정제(整齊)하매, 확이 본디 지혜 부족하나, 장좌지엽(將座枝葉)이라. 군용이 엄위하니, 향민 부로와 관군이 다 깃거 이르되,
"이제야 웅호(雄豪) 대장(大將)이 왔으니 반석 같다."

---

252) 군정(軍丁) : 군졸.
253) 급어성화(及於成火) : 성화(成火)를 부리기에 이름. *성화(成火); 몹시 귀찮게 구는 일.
254) 성화(成火)하다 : 몹시 귀찮게 굴다.

하더라. 본읍 자사(刺史) 지현(知縣)이 모여 손원수께 뵈고, 적진(敵陣) 기미(幾微)를 고할 새, 장사 대장(大將) 영신 형급 등의 무용이 절륜(絶倫)함과, 왕비의 요술이 이상하여 봉예(鋒銳)를 대적하기 어려움을 이르니, 손확이 미소 왈,

"승패는 병가의 상사(常事)라. 장수 되어 어찌 조고만 역적을 두려워하리오. 공 등은 너무 겁을 먹은 고로 패한 바 되니, 내 당당이 일전(一戰)에 광적(狂賊)을 잡으리라."

하고, 장졸을 쉰 후 격서를 보내니라.

이 때 장사왕이 왕비 교아로 더불어 대역을 꾀하매, 영신으로 대장을 삼고 형급으로 부장을 삼고, 여성으로 선봉을 삼아, 장차 병마를 훈련하여 드디어 승승장구(乘勝長驅)하니, 제장(諸將) 사졸(士卒)의 용맹함이 아니라, 교아의 요술 변화가 측량없음이라. 이미 산관(山關)과 수관(水關)이며 운용관 월산성을 다 빼앗으니, 수월(數月) 내에 적세 대진(大振)하여, 병(兵)이 임하는 바에 다 이기니, 장사왕이 흔흔열열(欣欣悅悅)하여, 장차 날을 헤아려 장안(長安)[255]을 취할 뜻이 있더니, 홀연 세작(細作)이 보(報)하되, 천조(天朝)에서 대장군 손확이 웅병 맹장을 거느려 정벌하려 이르렀다 하거늘, 장사왕이 급히 문무 제신을 모아 상의하니, 대장군 영신이 분연이 출반(出班) 주왈,

"전하는 근심치 마소서. 신이 족히 손확 필부를 베어 탑하(榻下)에 헌(獻)하리이다."

제장이 일시에 제성(齊聲)하여,

"영장군의 말이 옳으니, 낭랑의 신기묘산과 영장군의 무용으로써 원로구치(遠路驅馳)한 군사를 당치 못하리까?"

---

255) 장안(長安) : 수도라는 뜻으로, '서울'을 이르는 말.

왕이 대희하더라. 또 보왈(報曰),

"천조에서 참모사는 전임 태중태우로 남주에 죄적하였던 윤광천을 사하여 군중 참모사를 시켰다 하이다 하나이다"

왕이 소왈,

"윤광천은 한 어린 아해라. 무엇을 두려워하리오."

교아 윤광천 세 자를 들으매, 애달음이 병출(竝出)하여 부디 저를 죽여 자취를 없애려 하더라.

전서(戰書)를 올리니, 장준이 보니 서(書)에 왈,

"남정 대원수 손모와 부원수 장모 등은 글을 장사왕에게 부치나니, 성천자 본디 신성영무(神聖英武)하시어 덕화가 천하에 가득하여, 초왕의 반역연좌(叛逆緣坐)를 왕에게 쓰지 아시니, 이 곳 왕의 얻지 못할 영화라. 이제 문득 망녕되이 천시(天時)를 알지 못하고, 역천무도(逆天無道)하여 간과(干戈)를 일으켜 생민을 도탄하니, 그 죄 불용주(不容誅)라. 천노 진첩하여 장차 흥사(興師)[256] 문죄코자 하나니, 왕은 익히 생각하여 일찍 허물을 뉘우쳐 항복하면, 천자가 오히려 골육지친(骨肉之親)임을 유념(留念)하시어 일분 은전이 있으려니와, 불연즉(不然則) 일방(一邦) 생녕(生靈)이 위태하리니, 왕은 살피라."

하였더라. 왕이 견필(見畢)에 대로하여 전서(戰書)를 찢고, 사자(使者)를 박축(迫逐)하여 크게 맹타(猛打)하여 돌려보내며, 왈,

"과인이 너를 죽여 위엄을 보일 것으로되, 손확 필부에게 말을 자세히 전코자 하나니, 너는 모름지기 돌아가 자세히 전하라. 초왕이 본디 죄 없거늘 혼군이 무신불의(無信不義)하여 영신(佞臣)의 간참(奸讒)을 곧이 듣고, 종족의 정을 돌아보지 않아 극벌(極罰)을 쓰니, 이는 포악무도함

---

256) 흥사(興師) : 기병(起兵). 흥병(興兵). 군사를 일으킴.

이 하걸(夏桀)257)과 은주(殷紂)258)의 일류(一類)라. 비록 내 아니나 송 조강산(宋朝江山)이 어느 곳에 돌아갈 줄 알리오. 시고(是故)로 과인이 흥병용사(興兵勇士)하여, 조종기업(祖宗基業)을 타인에게 보내지 않으려 하나니, 한광무(漢光武)259)의 중흥대업(中興大業)을 효칙하려 하노라. 과인이 또한 조씨(趙氏)라. 천하의 주(主) 됨이 마땅하니, 일찍이 항복 하라."

사재(使者) 무류(無聊)히 돌아와 고한대, 손원수 대로하여 접전하여 승부를 결하려 하더라.

문득 참모사 윤광천이 명첩(名帖)을 드리고 장전(堂前)에 배알하니, 보건대 방면대이(方面大耳)260)와 잠미봉안(蠶眉鳳眼)이며 연함호두(燕 頷虎頭)의 늠름 쇄락한 영풍(英風)이 삼군(三軍)에 솟아나고, 흉중(胸中) 에 경천위지(經天緯地)할 재주를 감추었는지라. 손확이 한 번 보고 크게 꺼려 양구묵연(良久黙然)이러니, 멀리서 옴을 치위(致慰)하고 아직 나가 쉬라 한데, 참모 물러 장중(堂中)의 돌아오다.

명조에 양진이 군용을 씩씩이 하여 대진(對陣)할 새, 송진 장졸이 적 진을 바라보니, 문기(門旗) 열리는 곳에 장사왕이 자금익선관(紫金翼善

---

257) 하걸(夏桀) : 중국 하나라의 마지막 왕. 성은 사(姒). 이름은 이계(履癸). 은나 라의 탕왕에게 멸망하였다. 은나라의 주왕과 더불어 동양 폭군의 전형으로 불 린다.

258) 은주(殷紂) : 중국 은나라의 마지막 임금. 이름은 제신(帝辛). 주(紂)는 시호(諡 號). 지혜와 체력이 뛰어났으나, 주색을 일삼고 포학한 정치를 하여 인심을 잃 어 주나라 무왕에게 살해되었다.

259) 한광무(漢光武) : B.C.6-A.D.57. 중국 후한(後漢)의 제1대 황제. 본명은 유수 (劉秀). 왕망의 군대를 무찔러 한나라를 다시 일으키고 낙양에 도읍하였다. 재 위 기간은 25~57년이다.

260) 방면대이(方面大耳) : 네모 난 얼굴과 큰 귀.

冠)261)에 홍금망농포(紅錦蟒龍袍)262)를 입고, 허리에 통천서(通天犀) 띠263)를 띠고, 만리부운총(萬里浮雲驄)264)을 탔으니, 풍신이 호상(豪 爽)한 듯하나, 양목(兩目)이 불량(不良)하고 면간(面間)이 불길(不吉)하 여 영종지상(令終之相)265)이 아니요, 좌우에 영신 협합 등 수십 원(員) 맹장이 장창(長槍) 대검(大劍)을 잡아 벌었으니, 군용(軍容)이 씩씩하고 병마(兵馬) 강장(强壯)하더라.

송진 중에서 대원수 손확이 머리의 황금관(黃金冠)을 쓰고, 몸에 황라 의(黃羅衣)를 입고, 허리에 선화보대(鮮華寶帶)266)를 띠고, 발에 무우리 (無憂履)267)를 신고, 손에 대도(大刀)를 들고 도화마(桃花馬)268)를 탔 으니, 얼굴이 웅위하고 기상이 참엄(斬嚴)하여 장무지재(將武之才)269)

---

261) 자금익선관(紫錦翼善冠) : 왕과 왕세자가 평상복인 곤룡포를 입고 집무할 때에 쓰던 검붉은 빛의 사(紗) 또는 나(羅)로 두른 관. 앞 꼭대기에 턱이 저서 앞이 낮고 뒤가 높은데, 뒤에는 두 개의 뿔을 날개처럼 달았다.

262) 홍금망농포(紅錦蟒龍袍) : 붉은 빛의 비단으로 지은 임금의 정복. 가슴과 등과 어깨에 용의 무늬를 수놓았다. 곤룡포(袞龍袍)를 망룡포(蟒龍袍)라고도 한다.

263) 통천서(通天犀)띠 : 무소의 뿔을 가공하여 만든 띠. 통천서(通天犀); 무소의 뿔. 뿔의 길이는 24cm가 넘고 물이 잘 묻지 않으며 단도의 손잡이나 약제로 쓰인다.

264) 만리부운총(萬里浮雲驄) : 말의 이름. 갈기와 꼬리가 푸르스름한 백마(白馬)인 청총마(靑驄馬)의 일종.

265) 영종지상(令終之相) : 타고난 수명을 다 누리고 편안히 죽을 관상(觀相). 영종 (令終); 고종명(考終命).

266) 선화보대(鮮華寶帶) : 보옥(寶玉)으로 장식한 선명하고 화려한 띠.

267) 무우리(無憂履) : 조선 시대, 궁중무용인 망선문(望仙門)을 출 때 신던 여자 신의 하나. 홍전(紅氈)으로 신울을 만들고 꽃무늬를 수놓았으며, 신코에는 구 름무늬를 놓고 상모(象毛)를 달아 아름답게 장식하였다.

268) 도화마(桃花馬) : 흰색 털 가운데 붉은 점이 있는 말로 명마(名馬)의 하나다. 성호 이익은 "누런 털과 흰 털이 섞인 말을 '비(駓)'라고도 하고, 도화마(桃花 馬)라고도 한다고 했다.

269) 장무지재(將武之才) : 무장의 재능.

있더라. 제장이 방위를 차례로 벌여있고, 참모사 윤광천이 융복을 선명이 하고, 후대(後隊)에 좇았으니, 영풍이 동인하고 영웅이 개세하니, 장사 군하(群下)270)가 일견첨망(一見瞻望)에 대경(大驚) 대찬(大讚)하더라.

장사왕이 산호편(珊瑚鞭)을 들어 손확을 가르쳐 왈,

"오늘 장군을 보니 구면(舊面)이 의희(依俙)한지라271). 장군이 선세로부터 송조 명장 후예라, 영무(英武) 개세(蓋世)하니 천리를 알지라. '천하는 일인의 천해 아니라, 유덕자(有德者)의 그릇이니', 이제 송황(宋皇)이 무도하여, 그 수(數)가 이미 진(盡)하였으니, 과인이 어찌 강산의 임자 못 되리오. 장군이 시무(時務)를 알거든 타일 귀히 됨을 생각하여 항(降)하라."

손확이 무식하나 일단 충의는 있음으로, 이 말을 들으매 대로하여 여성(厲聲) 대질 왈,

"반적(叛賊)이 어찌 이다지도 무례하리오. 좌우는 나를 위하여 저 도적을 잡으라."

언미필에 선봉 양흠·연경 양장(兩將)이 출마하니, 장사왕이 또한 대로하여 영신·형급 등을 명하여 접전하라 하니, 사장(四將)이 교봉(交鋒) 오십여 합에 불분승부(不分勝負)러니, 형급·영신이 패주거늘 장흠·연경 이장이 급히 따르더니, 영신이 말을 돌이켜 한 살로 양선봉의 왼 어깨를 마치니, 양흠이 번신(翻身) 낙마하니, 연경이 급히 구하여 본진으로 돌아오니, 적이 승세하여 크게 엄살하니, 천병이 대패하여 죽은 자가 무수한지라. 손확이 쟁처 군을 거두고 장대(將臺)272)의 돌아와 제장을

---

270) 군하(群下) : 많은 신하들 또는 많은 부하들.
271) 의희(依俙)하다 : 거의 비슷하다.
272) 장대(將臺) : 장수가 올라서서 명령·지휘하던 대. 성(城), 보(堡) 따위의 동서 양쪽에 돌로 쌓아 만들었다.

대하여 가로되,

"오늘 패함은 적을 너무 업신여김이라. 약간 장졸이 상(傷)하였으나 설마 어찌 하리오. 선봉은 조리하고 명일은 윤참모 나가 싸우라."

제장이 첫 진을 패하니, 아니 실망할 이 없는지라. 묵묵하고, 참모 명일 싸움이 이롭지 않음을 헤아려, 간왈(諫曰),

"불가하이다. 이제 적군은 촌토(寸土)를 떠나지 않아 병강마장(兵强馬壯)하고, 우리는 원로(遠路)에 구치(驅馳)하여 정력이 피곤하니, 피폐한 군사로써 강한 적군을 대적하매 어찌 패치 않으리오. 더욱 일기 훈열(薰熱)하여 사졸이 상한 자가 많은지라. 첫 진(陣)에 선봉이 상하고, 군심이 정히 황황하거늘, 명일 또 접전함이 불가하니 청컨대 원수는 상찰(詳察)하소서."

장원수 또 간왈,

"참모의 의논이 옳으니이다."

손확이 노왈,

"내 수중에 인검(引劍)273)이 있으니 뉘 감히 거역하리오. 위령자는 군법을 행하리라."

장원수 다시 간(諫)치 못하고, 윤참모 통해하나 간언이 무익하여 물러오니, 임성각이 절치분매(切齒憤罵) 왈,

"명공의 경륜대재(經綸大才)로 어찌 손확 무부의 수하(手下)에 종군하여, 여차 고경을 만날 줄 어찌 알리오?"

참모 탄식하여 가로되,

"차역(此亦) 명(命)이라 현마 어찌 하리오. 다만 화복(禍福)이 관수(關

---

273) 인검(引劍) : 임금이 병마를 통솔하는 장수에게 주던 검. 명령을 어기는 자는 보고하지 않고 죽일 수 있는 권한을 주었다.

數)하니 종시를 볼 따름이라. 그대는 협기(俠氣)로써 다설(多說)치 말라."

성각이 다시 말을 않으나 돌돌 분개함을 이기지 못하더라.

명조에 장사왕의 대장 영신·형급이 진전에 나와 싸움을 돋우거늘, 손확이 호령을 내려 윤참모로 나가 싸우라 하니, 참모 다시 사양치 않고, 갑주를 정제하고 대완마(大宛馬)274)를 타고, 대도(大刀)를 들고 진전에 내달려 나오니, 늠름한 풍채와 웅위한 골격이 창해(蒼海)의 출몰하는 용이라. 차시 적진 장졸이 바라보고 대경(大驚)하여 칭찬하더라.

참모 적장과 교전 십여 합에 적장이 이미 계교 있는지라. 마두(馬頭)를 돌이켜 달아나거늘, 참모 간상(奸狀)이 있는 줄 깨달아 따르지 않으려 하니, 손확의 부장 경담이 급히 웨어 왈,

"적장을 빨리 따르라. 내 당당이 협력하리라."

설파의 손확이 멀리서 북을 울리며 기를 둘너 나아가거늘, 참모 하릴없어 말을 놓아 적장을 따르더니, 벌써 사오 리를 행하매 문득 좌우 산곡 간으로서 포성이 대진하며, 양로(兩路)로 복병(伏兵)이 짓쳐275) 내달으니, 참모 이미 짐작한 바 있고, 자기 평생 지모로 조고만 도적을 족히 두려하리오. 무용(武勇)을 분발하여 동서로 좌충우돌(左衝右突)하여 싼 데를 능히 벗어나니, 허다 적군이 밀밀층층(密密層層)하여 막아섰고, 자기 겨우 위지(危地)를 벗어났으나, 거느린 사졸이 다만 이십여 기(騎)요, 손확의 부장(副將)276) 경담이 난군(亂軍) 중에서 죽었더라.

---

274) 대완마(大宛馬) : 일명 한혈마(汗血馬). 피땀을 흘릴 정도로 매우 빨리 달리는 말이라는 뜻으로, 한혈마(汗血馬)라 불리기도 하며, 아라비아 대완국(大宛國)에서 나는 말이라 하여 대완마(大宛馬)라 불리기도 한다. 하루에 천리를 간다고 하는 명마.

275) 짓치다 : 함부로 마구 치다.

276) 부장(副將) : 주장(主將)을 보좌하는 장수.

적장이 처음은 윤참모의 백면서생(白面書生)임을 바이[277] 업신여겨 경적(輕敵)하다가, 저희 장졸이 그 용기를 분발함으로 좇아, 여럿이 추풍낙엽에 떨어지는 나뭇잎같이 떨어져 죽으니, 능히 경적치 못할 위인이라. 대경하여 다만 돌아갈 길을 막고 시초(柴草)를 운전하여 불을 놓으니, 참모 불승분에(不勝憤恚)하나, 하릴없어 평탄한 길을 버리고 소로를 찾아 필마로 본진(本陣)에 돌아오니, 날이 장차 새기에 미쳤더라.

참모 비록 충천장기(衝天壯氣) 있으나, 일주야를 작수(勺水)를 불음하고, 적군에 신고(辛苦)하니 어찌 피곤하지 않으리오. 겨우 본영에 이르니 군중이 적료(寂廖)한데, 임성각이 홀로 진 밖에 나와 방황하다가 크게 반겨 맞아, 진중에 들어가 조선(朝膳)을 나와 기갈(飢渴)을 위로하고, 손확을 뵈려고 하니, 손확이 용심이 윤참모의 무사히 면사(免死)함을 어떻게 여기며, 참모의 성명이 어찌 된가?, 하회를 보라.

차시 손확이 참모를 핍박하여 적진에 몰아넣고, 짐짓 북을 울려 퇴군치 못하게 하고, 저의 죽어 돌아오지 아니키를 가장 죄더니, 명효(明曉)의 장대하(將臺下)에 북을 쳐 사졸(士卒)을 모을 새, 문득 참모사 윤광천이 스스로 사슬을 띠고 장하(將下)에 나아와 어제 패군(敗軍)한 죄를 청하거늘, 손확이 발연(勃然) 대로(大怒)하여 고성대질(高聲大叱) 왈,

"광천 소축(小畜)이 어찌 중임을 맡아 적진 기미를 알지 못하고, 첫 싸움에 사졸을 남은 이 없이 다 죽이고, 하면목(何面目)으로 나를 보리오. 군법이 패군장(敗軍將)은 용사(容赦)치 못하나니, 황명이 나로써 선참후계(先斬後啓)하라 하여 계시니, 용사치 못하리라."

무사를 명하여,

---

277) 바이 : 매우. 아주 전혀.

"윤광천을 빨리 원문(轅門)278) 밖에 내어 베어, 머리로써 삼군을 호령하라."

하니, 중장이 대경하여 일시의 간하나, 확이 이미 핑계를 얻어 부디 죽이려 하니, 어찌 사(赦)하리오. 종시 듣지 않고 죽이기를 재촉하니, 임성각이 천만 애걸하나 듣지 않으니, 도부수(刀斧手)279) 참모를 밀어 원문 밖에 나아갈 새, 참모 우러러 건상(乾象)을 보니, 자기 주성(主星)이 수운(愁雲)이 미만(彌滿)하고 흑무(黑霧) 가득하였으나, 정기(精氣) 당당하여 조금도 살기(殺氣) 없는지라. 심하(心下)의 천기(天機)를 알기 어려움을 차탄하고, 자가의 명도 소시로부터 자주 궁험(窮險)함을 탄식하여, 만일 이 변을 벗어나지못 할진대, 고당 편친께 불효와 외로운 지통(至痛)이며, 규리홍안(閨裏紅顔)에 붕성지통(崩城之痛)280)을 무엇에 비하리오. 비록 영웅지기(英雄之氣)와 장부웅심(丈夫雄心)이나, 차시를 당하여는 정히 아무런 일도 할 수 없는지라. 다만 임성각이 뒤에 좇아오며 황황망극함을 진정치 못하더니, 장차 중군(中軍)의 북이 울려 시각을 보하고, 무사가 장차 베기에 임하였더니, 문득 일위 신선 같은 도사가 백설천리운(白雪千里雲)을 나는 듯이 몰아오며, 또 뒤에 비룡(飛龍) 같은 말을 몰아 와, 참모의 사생이 급함을 보고, 소리를 높여 웨여 왈,

"빈도 사부의 교령(敎令)으로 윤참모를 구하라 왔으니, 임장군은 빨리 참모를 구하여 이 말을 한가지로 타면, 족히 천리를 순식간(瞬息間)에 가리라."

성각이 당황하여 어찌해야 할지를 알지 못 하는 가운데, 이 말을 듣

---

278) 원문(轅門) : 군영(軍營)이나 영문(營門)을 이르는 말.
279) 도부수(刀斧手) : 큰 칼과 큰 도끼로 무장한 군사.
280) 붕성지통(崩城之痛) : 성이 무너질 만큼 큰 슬픔이라는 뜻으로, 남편이 죽은 슬픔을 이르는 말

고, 대경대희(大驚大喜)하여 연망(連忙)이 분용(憤湧)하여 도부수(刀斧手)281)를 박차 거꾸러뜨리고282) 참모를 들어 올려 옥설마(玉雪馬)에 태우고 채를 한 번 치니, 양마(兩馬)가 크게 소리하고 네 굽을 모아 바삐 뛰어 순식간에 가기를 살같이 하는지라. 제군이 대경하여 급히 군사로 뒤를 따라가고, 일변 장전(將前)에 고한데, 손확이 대경하여,

"급히 잡되 요괴로운 도사조차 잡으라."

하니, 제군이 청령(聽令)하고 취우(驟雨)같이 따르나, 도사와 참모의 탄 말이 벌써 강변에 이르러, 배에 올라 순풍에 중류(中流)하여, 임성각이 선두(船頭)에서 대호(大呼)하여 무수히 손확을 수욕(數辱)하니, 제군이 하릴없어 돌아와 이대로 고하니, 손확이 심히 분하여 돈족(頓足)하되 하릴없어, 이에 조정에 상표(上表)하여 차사(此事)를 주문(奏聞)하되, 만언소(萬言疏)283) 중에 윤참모의 불의무상(不意無常)한 죄과를 가득이 일컬어, 망명도주(亡命逃走)하여 장령(將令)을 범함을 갖추 베풀어, 윤광천을 천하구주(天下九州)에 구색(求索)하여 잡아다가 베심을 주(奏)하였으니, 사의(辭意) 극악(極惡)하여 윤참모 만일 이같이 되었을진대 죄당만사(罪當萬死)로되, 하물며 백옥무하(白玉無瑕)함이니, 장원수 이하로 삼군사졸(三軍士卒)이 뉘 아니 손확의 용심(用心)을 불측(不測)히284) 여기며, 윤참모의 원억함을 아니 칭원(稱冤)할 이 없더라.

손확이 바야흐로 군사를 쉬워 다시 교전하랴 할 새, 이 기별을 장사왕이 듣고 크게 깃거, 왕이 교아더러 이르되,

"광천은 인중룡(人中龍)이라. 호걸(豪傑)이 출중하고 영웅(英雄)이 개

---

281) 도부수(刀斧手) : 큰 칼과 큰 도끼로 무장한 군사.
282) 거꾸러뜨리다 : 거꾸로 넘어지거나 엎어지게 하다.
283) 만언소(萬言疏) : 만언(萬言)에 이르는 장편의 상소문(上疏文).
284) 불측(不測)하다 : 생각이나 행동 따위가 괘씸하고 엉큼하다.

세(蓋世)하니, 내 깊이 근심하고 염려하는 바라. 손확의 독수에 차라리 마쳤더라면 쾌할 것을, 도주하였다 하니 이 적은 근심이 아니라. 윤광천이 없으니 손확 필부(匹夫)야 어찌 족히 근심하리오.”

교아 왈,

“대왕은 빨리 계교를 베풀어 손확을 생금(生擒)하고, 송군을 짓밟아 황성을 함몰하고, 천하를 혼일(混一)285)케 하소서.”

왕이 옳이 여겨 날마다 송진에 군사를 보내어 싸움을 재촉하니, 손확이 바야흐로 군사를 내니, 양진이 고각(鼓角)286)이 천지를 움직이며, 선봉 영신 여성 등 십 원 대장이 갑옷을 입고 말 위에 오르니, 송조 연선봉과 거기장군 경무와 좌익장군 영환과 표기장군 문희 등 수십여 원으로 더불어 서로 교봉(交鋒)하니, 양진 고각 함성이 천지를 진동하며 살기(殺氣)가 하늘에 뻗은지라. 제장이 각각 백여 합에 승부를 가리지 못하더니, 교아 진중에서 바라보다가 요술을 행하여, 입으로 진언을 염하며 부작을 던지니, 문득 비운(飛雲)이 참참(參參)287)하고, 음풍이 사기(四起)하며 천지 혼흑(昏黑)288)하여, 지척을 분변치 못하는데, 비사주석(飛沙走石)289)하며, 송진 장졸이 눈을 뜨지 못하고 황황이 분찬(奔竄)290)하여 서로 짓밟아 죽는 자가 부지기수(不知其數)요, 또 신병(神兵)이 살출(殺出)하니, 제장이 싸울 마음이 없어 개갑(介甲)을 벗어 버리며, 도창(刀槍)을 놓고 사산분궤(四散奔潰)291)하니, 적장이 승승장구

---

285) 혼일(混一) : 한데 섞어서 하나로 만듦
286) 고각(鼓角) : 군중(軍中)에서 호령할 때 쓰던 북과 나발.
287) 참참(參參) : 나란히 빼곡히 들어선 모양.
288) 혼흑(昏黑) : 어둡고 몹시 캄캄함.
289) 비사주석(飛沙走石) : 양사주석(揚沙走石). 모래가 날리고 돌멩이가 구른다는 뜻으로, 바람이 세차게 붊을 이르는 말.
290) 분찬(奔竄) : 바삐 달아나 숨음.

하여 크게 엄살(掩殺)하니 송진 장졸의 주검이 수(數)없더라.

손확이 일진(一陣)을 대패(大敗)하매, 스스로 대황대겁(大惶大怯)하여 급히 쟁(錚) 처 군을 거두나, 제군 사졸이 미처 수미(首尾)를 분간치 못하여, 동서로 분찬하여, 날이 저문 후 비로소 본영에 돌아오니, 손확이 제군을 수습하여 점고(點考)하매, 장수 죽은 자가 삼십여 원이요, 상한 자가 수십이요, 사졸 죽은 자 만여 명이요, 상한 자는 수천여 인이라. 군중에 곡성이 창천(漲天)하니, 손확이 비로소 부원수의 간언을 생각고 구연(懼然)하고, 또 장졸이 많이 상하니 자못 번뇌하더라.

이 날 장사왕이 대첩(大捷)하고 본진에 돌아오니, 교아 맞아 호주성찬(好酒盛饌)으로 하례할 새, 왕이 친히 잔을 잡아 교아를 주고, 칭사 왈,

"금일 싸움을 이김은 다 현비(賢妃)의 신기묘술(神技妙術)이라 어찌 기특치 않으리오."

교아 흔흔이 잔을 받아 앵순(櫻脣)을 접하고, 또 일 배를 부어 왕께 드리고, 치하 왈,

"이는 다 전하의 홍복(鴻福)이라. 첩의 지혜 따름292)이리요. 비록 그러하나 첩의 소견은 금야(今夜)에 송진을 겁채(劫寨)293)하여 무찌르고, 손확을 생금(生擒)함이 어떠하니까?"

왕이 흔연 소왈,

"현비의 말이 당세(當世) 장평(張平))294)이요, 여중영웅(女中英雄)이라. 범사(凡事)가 현비의 계교 밖에 나지 않으리니, 삼가 가르치는 대로

---

291) 사산분궤(四散奔潰) : 사산분주(四散奔走). 사방으로 흩어져 달아남.
292) 따름 ; 오로지 그것뿐이고 그 이상은 아님을 나타내는 말.
293) 겁채(劫寨) : 적의 소굴을 위협하거나 힘으로 빼앗음.
294) 장평(張平) : 중국 한(漢)나라 고조의 책사(策士) 장량(張良)과 진평(陳平)을 함께 이르는 말.

하리라."

하고 즉시 제장을 모아 약속을 굳게 하고, 당일 밤 삼경(三更)에 삼군을 거느려 왕이 교아로 더불어 후군이 되어 송진에 이르니, 진중이 고요하고 곡소리 어지럽거늘, 일시에 고함(高喊)하고 사문(四門)으로 살입(殺入)하니, 송진 장졸이 무망의 변을 만나 아무리 할 바를 몰라, 다만 서로 짓밟아 죽는 이 무수하며, 내295)와 불을 무릅쓰고 어지러운 시석(矢石) 아래 황황분찬(遑遑奔竄)하여, 일야지간에 백만 군졸이 편갑도 남지 못하니, 슬픈 곡성은 천지에 사무치고 살벌(殺伐)하는 소리 진동하니, 피 흘러 내가 되고 주검 쌓인 것은 뫼 같더라.

부원수 장운은 형세 이롭지 않음을 보고, 죽기로써 겨우 싼 데를 헤치고 몸을 벗어나니, 수하에 백여 기(騎) 남았는지라. 이에 남영관으로 달아나고, 손확은 이 날 술을 미란이 취하고 장중(帳中)에 언와(偃臥)하여 혼혼불성(昏昏不醒)이거늘, 영신이 대희하여 장중(帳中)에 돌입하여 생금(生擒)하여 돌아 가니라.

장사왕 군하(群下)296)가 일군을 최촉(催促)하여 일야지간에 송진을 무찌르니, 삼경으로부터 밝도록 싸우매 편갑도 남지 않았으니, 가히 슬프다. 허다 제장 군졸이 다 청춘 장년(壯年)으로 손확 무부의 그릇 부림을 입어, 만리 이국에 비명 참사하여, 삼혼(三魂)297)이 소산(消散)하고 칠백(七魄)298)이 표탕(飄蕩)하여 운소간(雲霄間)에 느끼고, 혈육이 사장

---

295) 내 : 내. 연기.

296) 군하(群下) : 많은 신하. 또는 많은 부하.

297) 삼혼(三魂) :『불교』대승기신론에 나오는 세 가지 미세한 정신 작용. 업상(業相), 전상(轉相), 현상(現相)이다.

298) 칠백(七魄) : 죽은 사람의 몸에 남아 있는 일곱 가지의 정령(精靈). 곧 귀, 눈, 콧구멍이 각기 둘이고 입이 하나임을 가리킨다.

(沙場)에 버려져 오작(烏鵲)의 밥이 되니, 부모처자 있으나 한 조각 형체를 거두어 풍진(風塵)에 장(葬)치 못하며, 각각 가국(家國)을 떠날 적에 인인이 승전개가(勝戰凱歌)로 돌아오기를 원하니, 백수노부모는 등을 두드리고 손을 잡아 함루(含淚) 이별하고, 홍안소처(紅顔少妻)는 강보치자(襁褓稚子)를 안고 눈물을 머금어 분수하기를 느끼니, 가국을 이미 하직하매 일월이 임염(荏苒)299)하니, 헤건대 학발고당(鶴髮高堂)은 화조월석(花朝月夕)에 태항산(太行山) 안개를 바라며, 자식 그리는 눈물이 망자산(望子山)300)에 아롱져 촉원(祝願)에 애를 끊고, 그 아들의 이슬지정(離膝之情)301)은 백만군중(百萬軍中)에 창대를 베고 시석(矢石)을 무릅써 아스라히 황성을 바라며, 사친영모(思親永慕)와 공규홍안(空閨紅顔)을 슬퍼하니, '척피창혜(陟彼岡兮)여 첨망부혜(瞻望父兮)'302)와 모혜국아(母兮鞠我)303)여 단장감회(斷腸感懷)하여, 장부(丈夫)의 웅심(雄心)이 소삭(蕭索)하고, 영웅의 눈물이 삼삼하여, 굴지계일(屈指計日)하여 쉬이 멸토벌적(滅土伐敵)304)하고 영화로이 승전가곡(勝戰歌曲)으로 즐거이 환향(還鄉)하여, 부모 처자를 반기고 조정의 후록(厚祿)을 얻어,

---

299) 임염(荏苒) : 차츰 세월이 지나감. 또는 일이 되어감.

300) 망자산(望子山) : 집 가까이에 있는 동산 따위의 어버이가 집나간 자식이 돌아오기를 기다리는 산.

301) 이슬지정(離膝之情) : 자식이 객지에서 어버이를 그리워하는 정.

302) 첨망부혜(瞻望父兮) : 『시경(詩經)』〈위풍(魏風)〉 척호(陟岵)편에 나오는 시구(詩句). 척피호혜(陟彼岵兮; 산위에 올라) 첨망부혜(瞻望父兮; 아버님 계신 곳 바라보네). 이 시는 군역(軍役)에 나간 병사가 고향에 있는 가족을 그리는 정을 노래한 시다.

303) 모혜국아(母兮鞠我) : 『시경(詩經)』〈소아(小雅)〉 요아(蓼莪)편에 나오는 시구(詩句). 부혜생아(父兮生我; 아버님 날 낳으시고) 모혜국아(母兮鞠我; 어머님 날 기르셨네). 이 시는 효자가 어버이를 봉양하지 못하는 일을 한탄하는 내용의 시다.

304) 멸토벌적(滅土伐敵) : 땅을 점령하고 적을 정벌함.

영현조선(榮顯祖先)305)하며 이현부모(以顯父母)306)하여, 이름이 옥서(玉書)307)에 오르고 청사(靑史)에 유전(流傳)하기를 바랐더니, 살운(殺運)이 참혹하고 시운(時運)이 부제(不齊)하며 상장(上將)을 그릇 만남으로, 청춘장년(靑春壯年)에 만인시석(萬刃矢石)308) 아래 명(命)을 버리니, 어찌 슬프고 아깝지 않으리오.

평원광야(平原廣野)에 혈류성천(血流成川)하고 적시여산(積屍如山)하니, 이 날 종일토록 일광이 흑색(黑色)하고 천기 음음(陰陰)하며 처우(凄雨)309) 몽몽(濛濛)하니310), 백만 원백(寃魄)이 부르지지는 듯하더라.

날이 밝으매, 장사왕이 교아로 더불어 장중(帳中)에 높이 앉아, 제장의 공을 받을 새, 송진 백만 사졸이 편갑(片甲)도 남지 않았으니, 죽은 자는 부지기수(不知其數)요, 항자(降者)는 겨우 만여 명이요, 상한 자가 무수하더라.

장사왕이 장중에 승전연(勝戰宴)을 크게 배설하고, 잔을 잡아 교아의 공을 치하하고, 제장의 공을 받을 새, 장수의 수급(首級)을 드리는 재 무수하고, 대장군 영신이 손확을 매어 장전(帳前)의 꿇리니, 장사왕이 꾸짖어 왈,

"필부 모일의 과인을 대하여 큰 말 하더니 어찌 헛되이 잡혀 왔느뇨? 네 만일 항복하면 죽이지 않으리라."

손확이 머리를 숙이고 탄 왈,

---

305) 영현조선(榮顯祖先) : 조상을 빛내 영화롭게 함.
306) 이현부모(以顯父母) : 부모를 세상에 들어냄.
307) 옥서(玉書) : 귀한 글.
308) 만잉시석(萬刃矢石) : 수많은 칼날이 맞부딪치고 화살과 돌이 어지럽게 날고 구름.
309) 처우(凄雨) : 찬 비.
310) 몽몽(濛濛)하다 : 비, 안개, 연기 따위가 자욱하다.

"오늘 이에 이름은 장운의 간언을 듣지 않은 연고라. 스스로 용렬하니 수한수원(誰恨誰怨)이리오. 그러나 머리 없는 장군은 있으나 항복한 장군은 없다 하니, 다만 죽을 따름이라."

왕이 노하여 밀어내어 베라 하거늘, 교아 말려 왈,

"저런 용렬한 필부를 죽임이 무엇이 바쁘리까. 아직 군중에 가두어 두었다가 장운을 마저 잡거든 한가지로 베어, 기(旗)에 제(祭)하고 위엄을 빛냄이 옳으니이다."

왕이 소왈,

"현비는 여중 제갈(諸葛)311)이라. 사사(事事)에 지족다모(知足多謀)하니 당당이 현비의 가르친 대로 하리라."

하고, 손확을 함거(檻車)의 가두어 군중에 구류(拘留)하라 하니, 영신 등 제장이 다 왕후의 신기묘산을 일컬어 하례하니, 왕이 더욱 깃거하고, 교아는 예기(銳氣) 배배(倍倍)하여 응당 제도(帝都)를 무찌르고, 저희 부부 제후(帝侯)의 부귀와 만승지귀(萬乘之貴)를 얻을 듯, 환희자락(歡喜自樂)하더라.

장사 군신이 서로 잔을 들어 공(功)을 하례하고, 상을 논품(論品)하여 종일 연락(宴樂)할 새, 교아 문득 잔을 잡고 아미(蛾眉)312)를 숙여 은은이 생각하는 빛이 있거늘, 왕이 괴이히 여겨 문 왈,

오늘 승전(勝戰) 연음(宴飮)하매 가히 국가의 경사거늘, 현비 어찌 즐

---

311) 제갈(諸葛) : 제갈량(諸葛亮). 181~234. 중국 삼국 시대 촉한의 정치가. 자(字)는 공명(孔明). 시호는 충무(忠武). 뛰어난 군사 전략가로, 유비를 도와 오(吳)나라와 연합하여 조조(曹操)의 위(魏)나라 군사를 대파하고 파촉(巴蜀)을 얻어 촉한을 세웠다. 유비가 죽은 후에 무향후(武鄕侯)로서 남방의 만족(蠻族)을 정벌하고, 위나라 사마의와 대전 중에 병사하였다.

312) 아미(蛾眉) ; 누에나방의 눈썹이라는 뜻으로, 가늘고 길게 굽어진 아름다운 눈썹을 이르는 말. 미인의 눈썹을 이른다.

기지 아니하느뇨? 교아 빈미 대왈,

"오늘날 승전하기는 손확의 지혜 없고 용렬함이라. 천조의 사람이 많고 인재 성(盛)하다 하니, 만일 지용모사(智勇謀士)를 만나면, 졸연(猝然)이 대업을 이루기 어려울 듯하고, 첩이 또 전일 황도에 있을 제 윤광천의 집이 장원이 격하고, 비복(婢僕)이 서로 왕래함으로 문견이 서어(齟齬)313)치 않은 고로, 광천의 비상한 재덕을 자세히 아는지라. 광천이 이제 손확의 해를 벗어나 도망하였으니, 만일 멀리 도망하였으면 좋으려니와, 이제 오히려 장운이 패잔병을 거느려 달아난 사이니, 광천이 어딘가에 숨었다가 장운을 만나 패잔군을 수습하여 결전(決戰)한즉, 이는 장사 제장의 적수 아니라. 승패를 헤아리기 어려우니, 첩의 근심하는 바는 이를 위함이라."

왕이 놀라 이르대,

"이 같으면 어찌 하리오. 현비의 신출귀몰하는 재주로 윤광천을 없애지 못하리오."

교아 침음하다가 왈,

"대왕은 놀라지 마소서. 첩이 일계 있으니, 헤건대 광천이 미처 멀리 도망치 못하고 근처 산간의 숨었기 괴이치 않을 듯싶으니, 대왕이 급히 군사를 사처(四處)의 흩어, 여항(閭巷) 촌가와 심산 궁곡에 방방곡곡에 추심(推尋)하여, 광천을 잡아 죽이면 근심이 없으리이다."

왕이 본디 교아의 말인즉 언청계용(言聽計用)314)하여 지록위마(指鹿爲馬)315)라 하여도 곧이듣는지라. 가장 옳이 여겨 즉시 군장사졸(軍將

---

313) 서어(齟齬)하다 : 익숙하지 아니하여 서름서름하다.
314) 언청계용(言聽計用) : 말을 받아들이고 계략을 채택하여 씀.
315) 지록위마(指鹿爲馬) : 윗사람을 농락하여 권세를 마음대로 함을 이르는 말. 중국 진(秦)나라의 조고(趙高)가 자신의 권세를 시험하여 보고자 황제 호해(胡亥)

士卒)을 불러 교아의 말대로 하령(下令)하니, 제장이 이르되,

"왕후 낭랑의 신기묘산(神技妙算)으로 손확의 백만지중(百萬之衆)도 일야지간(一夜之間)의 무찔렀거든, 구상유취(口尙乳臭)³¹⁶⁾도 마르지 않은 윤광천 같은 것을 근심하리까?"

왕이 가로되,

"내전(內殿)³¹⁷⁾이 이르되 일찍 윤가의 집과 연장대문(連墻大門)하여 그 재주를 밝히 알던 바라하고, 부디 차인을 먼저 죽여야 대사를 이루고 후환이 없으리라 하니, 너희 제신은 범연이 알지 말고, 방방곡곡을 심방(尋訪)하여 부디 윤광천의 수급을 얻어 드리면, 천금 상과 만호후(萬戶侯)를 아끼지 아니하리라."

하니, 제장이 또한 왕비 알기를 천신같이 아는 고로, 일시에 청령(聽令)하고 물러나, 군졸을 일처(一處)에 수십 명씩 정하여 십여 처에 흩어, 윤참모의 종적을 심방하라 하니, 제군이 다 후한 작상(爵賞)을 얻고자 하여, 저마다 용약하여 심산궁곡(深山窮谷)이며 산촌야점(山村野店)³¹⁸⁾을, 방방곡곡이 은밀한 자취를 심방하여 아니 미친 곳이 없고, 왕과 교아 또 사문(四門)에 방 붙여 구색(求索)하니, 일읍(一邑)이 진경(盡慶)하여 널리 구색(求索)함을 마지않으니, 만일 종적(蹤迹)이 심밀(深密)치 못한즉 면키 어렵더라. 그러나 장사왕의 역천무도(逆天無道)함과 교아의 배부실절(背夫失節)한 음부(淫婦)의 용심을 하늘이 어찌 벌치 않으

에게 사슴을 가리키며 말이라고 한 데서 유래한다.

316) 구상유취(口尙乳臭) : 입에서 아직 젖내가 난다는 뜻으로, 말이나 행동이 유치함을 이르는 말.

317) 내전(內殿) : =중궁전(中宮殿). 왕비가 거처하던 궁전으로, '왕비(王妃)'를 높여 이르던 말.

318) 산촌야점(山村野店) : 산간의 시골에 있는 객점.

리오.

장사왕이 송진을 파하고 손환을 생금하매, 의기 더욱 호활(豪活)하여 군사를 훈련하며 병마를 정제하여, 택일하여 쉬이 황성으로 향하랴 하는지라. 체탐이 보왈(報曰),

"부원수 장운이 패잔여병(敗殘餘病)을 거느려 남영관에 머물러 안병부동(按兵不動)319)하고, 천조(天朝)의 구원(救援)을 기다린다 하거늘, 장사왕이 호기(豪氣) 배배(倍倍)하여, 소왈

"손환 용렬한 것이 임금의 명을 받아 이르러, 천원 맹장과 백만 웅병을 몰수(沒數)이 전망(戰亡)하고, 제 또 과인에게 사로잡힌바 되었으니, 문무 조신의 듣는 재 뉘 아니 놀라리오. 어떤 담 큰 자가 어찌 감히 이곳에 나아와 승부를 다투며, 죽기를 자취(自取)하리오. 과인이 이미 부유사해(富有四海)320)하고 귀위천자(貴爲天子)321)할 복이 있는 고로, 내궁(內宮)에 태사(太姒)322) 같은 정궁이 있어, 양평(良平)323)의 지혜 있고, 밖으로 영신 형급 같은 대장이 있어, 제갈(諸葛)324)의 슬기와 한신(韓信)325) 주아부(周亞夫)326)의 용무(勇武) 있으니, 비록 천장(天將)이 강님(降臨)하고 신병(神兵)이 이른들 무엇이 두려우리오."

---

319) 안병부동(按兵不動) : 진군하던 군대를 한곳에 멈추어 두고 움직이지 않음.
320) 부유사해(富有四海) : 천하의 부(富)를 수중(手中)에 둠.
321) 귀위천자(貴爲天子) : 천자가 되어 그 귀(貴)를 누림.
322) 태사(太姒) : 중국 주나라 문왕의 비.
323) 양평(良平) : 중국 한(漢)나라 때의 책사(策士) 장량(張良)과 진평(陳平)을 함께 이르는 말.
324) 제갈(諸葛) : 중국 삼국 시대 촉한의 정치가 제갈량(諸葛亮; 181-234).
325) 한신(韓信) : 중국 전한의 무장(武將). 한(漢) 고조를 도와 조(趙)・위(魏)・연(燕)・제(齊)나라를 멸망시키고 항우를 공격하여 큰 공을 세웠다.
326) 주아부(周亞夫) : 중국 전한(前漢) 전기의 무장. 오초칠국(吳楚七國)의 난을 평정해 공을 세웠고 승상에 올랐다.

하고, 또 장수를 날마다 남영관에 보내어 싸움을 돋우며, 군사로 하여
금 만단 수욕하여, 장원수 격분하여 나와 싸우거든 계교로 사로잡으려
하나, 장원수 종시 청이불문(聽而不聞)하여 성문을 굳이 닫고 나지 않
고, 사자를 황도에 보내고 굴지계일(屈指計日)327)하여 원병(援兵)을 기
다리며, 적군의 무수한 욕설을 당하매, 분완 통해함을 이기지 못하여 사
사에 손확의 용렬함을 애달아하고, 제장사졸(諸將士卒)의 전망(戰亡)함
을 불승애감(不勝哀感)하여 신석(晨夕)에 우탄(憂嘆)하며, 강적(强敵)의
흉녕함을 근심하여, 행여 성주(聖主)의 지우(知遇)를 저버려 생령을 탕
화에 건지지 못할까 주야 절민(切憫)하더니, 안병(按兵) 순여(旬餘)에
체탐(諦探)의 보함을 좇아 기쁜 소식이 먼저 이르니, 이 다름이 아니라
망명도주하여 거처를 모른다 하던 윤참모라. 장원수 대경대희(大慶大
喜)하여 진적한 희보를 기다리더니, 과연 윤참모의 사인(使人)이 이르러
참모의 서신을 올리니, 패잔여군(敗殘餘軍)을 수습하여 월산성의 이르
러 서로 보매, 반기고 기쁨을 형언치 못하여 골육 동기가 떠났다가 맞남
같더라. 서로 지난 바를 이를 새 피차 정의 상득하여, 장원수는 윤참모
구한 도인을 은혜로 일컫고, 참모는 손원수의 병파신망(兵破身亡)함이
국가의 불행임을 일컬어 설화 탐탐하더라. 원래 윤참모를 구한 바 도인
은 누구인가? 아지못게라!

화설, 선시에 정숙렬이 만만 부득이 규리(閨裏)의 자취로써, 남의(男
衣)를 개착(改着)하매, 흉인의 엿보는 화를 두려 공연이 망명지인(亡命
之人)이 되어, 비자 홍선으로 더불어 고고한 자취가, 천하가 너르나 일
신을 주착(住着)328)할 곳이 없고, 집이 있으나 능히 갈 곳이 없어, 정처

---

327) 굴지계일(屈指計日) : 손가락을 꼽아 가며 예정된 날을 기다림.

없는 가운데, 일신 주착도 어렵거늘 남소저의 목전 사화(死禍)를 아니 구(救)치 못하여, 의기현심(義氣賢心)으로 남희주의 방신(芳身)을 사지(死地)에서 구활하고, 결약자매(結約姊妹)하여 타일 '황영(皇英)의 성사(盛事)'329)를 본받고자 하여 정의(情誼) 골육(骨肉) 같으니, 이른바 이신일심(二身一心)이라. 거취를 한가지로 할 뜻이 있으나, 다만 안정한 처소를 얻지 못하여 민울(悶鬱)하더니, 의외에 화공을 만나매, 평장(平章)330)이 일안(一眼)에 그 옥모영풍(玉貌英風)을 크게 사랑하고, 또 비서(秘書)의 사어(辭語)를 좇아, 소녀(小女)의 천연이 윤가에 있음을 헤아려, 정·남 이소저를 간절이 청하여, 본부의 돌아와 친사를 뇌정하여, 정소저로 동상(東床)의 교객(嬌客)331)을 삼아, 여아로 더불어 화촉에 깃들이는 자미를 이루매, 부부의 기화(奇花) 명월(明月) 같은 기질을 만분 익애(溺愛)하여, 연성지벽(連城之璧)332)과 조성지주(趙城之珠)333) 같으니, 정소저 화공 부부의 은혜를 깊이 감사하며, 화소저의 교연선미(嬌然

---

328) 주착(住着) : 일정한 곳에 머물러 있음.

329) 황영(皇英)의 성사(盛事) : 중국 요(堯)임금의 두 딸인 아황(娥皇)과 여영(女英)이 함께 순(舜)에게 시집 가, 서로 화목하며 순임금을 섬겼던 일.

330) 평장(平章) : 문하평장사(門下平章事). 고려 시대에, 중서문하성에 둔 정이품 벼슬.

331) 교객(嬌客) : 사위를 친근하게 이르는 말.

332) 연성지벽(連城之璧) : 화씨지벽(和氏之璧)을 달리 이르는 말. 화씨지벽은 전국 때 변화씨(卞和氏)라는 사람이 형산(荊山)에서 돌 위에 봉황이 깃들이는 것을 보고 얻었다는 천하의 이름난 옥을 말하는데, 후대에 진(秦)나라 소양왕(昭襄王)이 이 옥을 탐내, 당시 이 옥을 가지고 있던 조(趙)나라 혜문왕(惠文王)에게 진나라 15개의 성(城)과 바꾸자는 제안을 했다는 데서, '연성지벽(連城之璧)'이라는 이름이 붙게 되었다고 한다.

333) 조성지주(趙城之珠) : 조(趙)나라에 있는 구슬이라는 뜻으로 화씨지벽(和氏之璧)을 이르는 말. 위 주(註)의 연성지벽(連城之璧)과 같은 구슬을 말하고 있으나, 그것을 갖고자 하고 아끼는 주체가 진(秦)나라 소양왕(昭襄王)과 조나라 혜문왕(惠文王)이라는 사실이 다르다.

善美)함과 단일성장(端壹誠壯)334)함을 대한즉, 흔연 애석(愛惜)함이 현어외모(顯於外貌)하나, 매양 동상(東床)은 천리(千里) 같으니, 화공과 주부인은 군자 숙녀요, 화소저 또한 청한유미(淸閑幽美)하니 사침지절(私寢之節)을 각별 근심함이 없더라.

정소저 이에 머물매 의식의 염려 없고, 일신이 한가하여 낮이면 취벽루에 머물러 남소저로 심사(心思)를 논문하고, 밤이면 화소저로 고금 예악(禮樂)을 논문(論問)하여 일월을 보내나, 주주야야(晝晝夜夜)에 제향(帝鄕)335)을 첨망(瞻望)하매, 망운영모지회(望雲永慕之懷)336) 구곡(九曲)이 촌단(寸斷)하고 몽혼(夢魂)이 경경(耿耿)하여, '척피창혜(陟彼崏兮) 첨망부혜(瞻望父兮)'337)와 모혜국아(母兮鞠我)338)에, 옥장(玉腸)339)이 촌촌(寸寸)하고, 백년가군(百年家君)의 위란한 형세와 강보치자(襁褓稚子)의 생사를 상상하매, 위·유 양인의 극악 흉포함이 벅벅이 태우 형제를 고이 두지 않을 줄 헤아리매, 금심(金心)340)이 산란(散亂)하여 화조월석(花朝月夕)에 모천(暮天)을 창망(悵望)하여, 다만 화공 부

---

334) 단일성장(端壹誠莊) : 한결같고 성실하고 장중함.

335) 제향(帝鄕) : 황성(皇城). 도성(都城). 여기서는 정소저의 부모가 계시는 '고향'을 뜻한다.

336) 망운영모지회(望雲永慕之懷) : 자식이 객지에서 고향에 계신 어버이를 생각하는 마음. 늑망운지정(望雲之情)

337) 척피창혜(陟彼崏兮) 첨망부혜(瞻望父兮) : 『시경(詩經)』〈위풍(魏風)〉척호(陟岵)편에 나오는 시구(詩句). 척피호혜(陟彼岵兮; 산위에 올라) 첨망부혜(瞻望父兮; 아버님 계신 곳 바라보네). 척피창혜(陟彼崏兮)는 척피호혜(陟彼岵兮)의 이표기(異表記).

338) 모혜국아(母兮鞠我) : 『시경(詩經)』〈소아(小雅)〉요아(蓼莪)편에 나오는 시구(詩句). 부혜생아(父兮生我; 아버님 날 낳으시고) 모혜국아(母兮鞠我; 어머님 날 기르셨네).

339) 옥장(玉腸) : '옥처럼 맑은 창자'라는 뜻으로, '마음'을 비유적으로 이르는 말.

340) 금심(金心) : 쇠처럼 굳은 마음.

부와 화씨를 대하면 일단 화기 애연(藹然)하나, 고요히 남소저를 대한즉 수회만단(愁懷萬端)하여 봉황미(鳳凰眉)를 찡기고 처색(悽色)이 은은하니, 남소저 지성관위(至誠寬慰)하여 낭랑한 청아(淸雅)341)로 환소(歡笑) 자약(自若)하나, 정·남 양인의 남다른 비원(悲願)은 일각도 잊기 어렵더라.

정소저 매양 아침마다 주역(周易)을 피열(披閱)하고 팔괘(八卦)를 벌여, 태우 형제의 추수(推數)342)를 점복(占卜)하더니, 문득 점괘 크게 불길하니 가만히 근심하더니, 풍편(風便)에 들으니, 윤태우 형제 인륜의 대변을 만나 남주에 찬적하고, 윤학사 또한 양주에 죄적(罪謫)하다 하니, 부인이 듣고 실색(失色) 대경(大驚)하나, 감히 중목소시(衆目所視)에 나타내지 못하여, 심사 척비(慽悲)함을 금치 못하여, 취벽루에 이르러 남씨와 홍선을 대하여 추연(惆然) 유체(流涕) 왈,

"만사(萬事)가 천명(天命)이거니와, 가변(家變)이 여차 참극(慘劇)하나, 내 능히 가부(家夫)를 좇아 사생 거취를 일체로 못하니, 어찌 절부(節婦)에게 부끄럽지 않으리오."

설파의 애연타루(哀然墮淚)함을 깨닫지 못하니, 홍선이 또한 위·유의 궁흉한 형상을 생각고 역시 슬퍼 말을 못하니, 남소저 위하여 창감(愴感)하여 만단 위로하더라.

정숙렬이 이후로 심사 불락(不樂)하여 동방(洞房)에 화소저를 대할 뜻도 없더라.

---

341) 청아(淸雅) : 청아한 음성.
342) 추수(推數) : 닥쳐올 운수를 미리 헤아려 앎.

명주보월빙 권지육십사

　화설 정숙렬이 이후로 심사 불락(不樂)하여 동방(洞房)에 화소저 대할 뜻이 없고, 식음(食飮)이 무미하여 아무리 헤아려도 간당의 무리 적소에도 고이 두지 않을지라. 위태할 사(事)는 가군(家君)과 숙숙(叔叔)343)이라. 간당의 무리 고이 두지 않을 줄 헤아리되, 이 때에 사생존망이 어찌 된지를 알지 못하니, 여자의 위부지심(爲夫之心)이 장차 어떠하며, 존고의 무고한 망명도생(亡命圖生)으로, 옥화산 친당에 머물러 희한(稀罕)한 가변을 삼상(參商)하여344) 촌장(寸腸)이 요요(擾擾)하실 바를 헤아리니, 자기는 비록 금의옥식(錦衣玉食)의 쌓였으나 무엇이 즐거우리오. 향인(向人)하여는 화기여일(和氣如一)하나 좌와(坐臥) 종용한 때와 중야(中夜)에 어찌 숙식이 편하리오.

　일일은 심사 울울하여 칭병하고 늦도록 일어나지 아니하니, 화공이 경려(驚慮)하여 친히 문병하니, 정씨 마지못하여 금리(衾裏)를 물리치고 의건을 수습하여 일어나 맞으니, 공이 보건대 녹빈방천(綠鬢方天)345)의

---

343) 숙숙(叔叔) : '시아주버니'를 문어적으로 이르는 말. 시아주머니는 본래 남편과 항렬이 같은 사람 가운데 남편보다 나이가 많은 사람을 이르는 말인데, 여기서는 남편의 동생인 윤희천을 이르는 말로 쓰였다.
344) 삼상(參商)하다 : 그리워하다. 삼성(參星)과 상성(商星)이 동서(東西)로 멀리 떨어져 있는 데서 유래한다.

흑건(黑巾)이 기울고, 옥안(玉顔)을 소하(梳下)[346]치 않았으나, 윤택 광염이 조금도 병색이 없으니, 공이 경문왈,

"현서(賢壻) 춘색이 의구하니 각별 병세 없는가 하노라."

숙렬 왈,

"소서(小壻)의 영모지회(永慕之懷)는 물어 아실 바 아니거니와, 소서의 위인자(爲人子)하여 몸이 사류(士類)에 벗어나고, 척신(隻身)[347]이 천하에 득죄하여 몸이 한 번 경사를 떠나매, 관산(關山)[348]이 첩첩하고 애각(涯角)[349]이 즈음쳐[350] 가향(家鄉)이 아스라하니, 청조(靑鳥)[351] 불래(不來)하고, 어안(魚雁)[352]이 돈절(頓絶)하여 몽혼(夢魂)이 경경(耿耿)하니, 소서(小壻) 비록 생철지심(生鐵之心)이나 어찌 슬프지 않으리까? 고요히 생각건대, 세월이 홀홀하여 여러 염냥(炎凉)[353]이 바뀐지라. 소서의 사친 영모지심이 어찌 침식간에 안연하리까? 시고로 각별 질양이 없사오대, 만사에 흥황(興況)이 돈무(頓無)하여 금일 늦도록 기

---

345) 녹빈방천(綠鬢方天) : 푸른빛이 도는 귀밑머리와 이마의 양 옆 가장자리에 난 머리털을 함께 이르는 말. 녹빈(綠鬢); 푸른 빛이 도는 고운 귀밑머리. 방천(方天); 방천극(方天戟) 중앙 날 양 옆에 붙여놓은 두 개의 초승달 모양의 날[이것을 월아(月牙)라 함]을 말하는 것으로, 여기서는 이마의 양 옆 가장자리의 머리를 뜻한다.

346) 소하(梳下)하다 : 빗질하다.

347) 척신(隻身) : 홀몸. 배우자나 형제가 없는 사람.

348) 관산(關山) : 국경이나 주요 지점 주변에 있는 산.

349) 애각(涯角) : 멀리 떨어져 있어 외지고 먼 땅.

350) 즈음치다 : 가로막히다. 격(隔)하다.

351) 청조(靑鳥) : 반가운 사자(使者)나 편지를 이르는 말. 푸른 새가 온 것을 보고 동방삭이 서왕모의 사자라고 한 한무(漢武)의 고사에서 유래한다.

352) 어안(魚雁) : 물고기와 기러기라는 뜻으로, 편지나 통신을 이르는 말. 잉어나 기러기가 편지를 날랐다는 데서 유래한다.

353) 염량(炎凉) : 더위와 서늘함. '해(늑年)'를 달리 이르는 말.

거치 못하였사옵더니, 악장 악모의 성려(聖慮)를 끼치오니 불민(不敏)하이다. 본디 신상(身上)은 관계치 아니하니 물우(勿憂)하소서."

설파에 가월(佳月)을 빈축하매, 한아수앙(閒雅秀昻)한 풍용이 절승하여, 표연(飄然)이 '약소월(若素月)이 운니명(雲裏明)'354)이라. 공이 볼수록 연애하여 흔연 위로 왈,

"예부터 영웅호걸이 시명(時命)이 기박하니, 공자 대성(大聖)이시되 '진채(陳蔡)에 곤(困)하시니'355), 현서의 출범함으로 어찌 한 번 환난을 면하며, 일시 운건(運蹇)356)함이 괴이하리오. 반드시 부운(浮雲)에 옹폐(擁蔽)357)함이 오래지 않으리니, 연즉 현서의 성덕(聖德) 문명(文名)으로 한 번 과갑(科甲)에 나아가면, 천생아재(天生雅才)로 단계(丹桂)358)를 꺾고, 옥계(玉階)에 어향(御香)을 받자와, 용린(龍麟)을 받들고 봉익(鳳翼)을 추(推)하매359), 자포오사(紫袍烏紗)360)로 상간(上間)361)을 압도(壓倒)하여 성군을 돕사와 요순(堯舜)의 치정(治政)을 이루고 효자 쌍봉(雙逢)에 충효 완전치 못할까 근심하리오. 이렇듯 풍운의

---

354) 약소월(若素月) 운니명(雲裏明) : 하얀 달이 구름 속에서 빛남 같음.
355) 진채(陳蔡)의 곤(困)하시니 : 공자(孔子)가 초(楚)나라 소왕(昭王)의 초빙을 받고 초나라로 가던 중 진(陳)나라와 채(蔡)나라의 접경지역에서 진·채의 군사들에게 포위된 채, 양식이 떨어져 7일 동안을 굶으며 고난을 겪었던 고사를 이른 것. 이를 진채지액(陳蔡之厄)이라 한다.
356) 운건(運蹇) : 운수가 막힘.
357) 옹폐(擁蔽) : 보이지 않도록 숨김.
358) 단계(丹桂) : 붉은 계수나무. 조선시대에 임금이 과거 급제자에게 계수나무 꽃을 수놓은 푸른 적삼을 하시어하였다.
359) 용린(龍麟)을 받들고 봉익(鳳翼)을 추(推)하매 : 용이나 봉황으로 상징되는 '임금'을 받들며 공명을 이루는 일을 표현한 말.
360) 자포오사(紫袍烏紗) : 자줏빛 도포와 검은 사(紗)로 만든 모자를 함께 이르는 말로, 조선 시대 벼슬아치들의 관복과 모자.
361) 상간(上間) : 윗간. 윗자리.

길시를 만나면 소녀 같은 봉비하체(葑菲下體)362)로써 말광(末光)에 참예하여, 군자의 유신함을 바라는 바라. 어찌 일시 불평함으로 심우(心憂)를 과우(過憂)하며 천금지구(千金之軀)를 상(傷)케 하리오."

숙렬이 묵연 탄식하고 불감사사(不堪謝辭)하더라.

공이 인하여 재삼 관위(款慰)하고 우왈(又曰),

"현서가 너무 규방에 깃드려 적막하기로 수회(愁懷) 더욱 만단(萬端)함이니, 차후는 고의(高意)를 적이 굴하여 인리(隣里)에 교우를 이루며, 이따금 방외(方外)에 소유(逍遊)하여 근처 경물을 관답(觀踏)하여 지기(志氣)를 소창(消暢)363)하라."

숙렬이 면강(勉强) 사왈,

"소서는 본성이 우용졸직(愚庸拙直)하여 세상 번화를 불구(不求)하고, 세념(世念)이 사연(捨然)하와 명리(名利)에 벗어나니, 타일 비록 누얼을 신설하오나 결연이 부귀에 뜻이 없으니, 만일 북당(北堂)364) 쌍친이 아니 계시면, 피세도은(避世逃隱)하여, 석탑(石塔) 풍령(風鈴)365)에 백설가(白雪歌)366)를 외우고, 원학미록(苑鶴麋鹿)367)의 벗이 되어, 삼은(三

---

362) 봉비하체(葑菲下體) : '무의 밑 둥'이란 뜻으로 못생긴 사람의 비유로 쓰인다. 『시경』〈패풍(邶風)〉 곡풍(谷風)편의 "채봉채비 무이하체(採葑採菲 無以下體; 무를 뽑을 때 밑 둥만 보고 뽑지 말라)"에서 온 말로, 무를 뽑을 때 무의 밑 둥이 비록 잘 생기지 못하였을지라도 맛이 좋을 수도 있고 또 잎을 요긴하게 쓸 수도 있는 만큼, 겉만 보고, 또는 부분만 보고, 전체를 평가하지 말라는 말. '봉(葑)', '비(菲)'는 둘 다 무의 일종.
363) 소창(消暢) : 심심하거나 답답한 마음을 풀어 후련하게 함.
364) 북당(北堂) : 집의 북쪽에 있는 건물로 집안의 주부(主婦)가 거처하는 곳이어서 '어머니'를 이르는 말로 쓰였다. 그러나 어머니의 처소엔 아버지가 함께 계시기 때문에 뒤에 '부모님의 처소'를 이르는 말로도 쓰이게 되었다. 여기서는 '부모님의 처소'를 이르는 말로 쓰였다.
365) 풍령(風鈴) : 풍경(風磬). 처마 끝에 다는 작은 종. 속에는 붕어 모양의 쇳조각을 달아 바람이 부는 대로 흔들리면서 소리가 난다.

隱)368) 사호(四皓)369)의 고적을 조문하고, 기산(箕山)370) 영수(穎水)371)의 소허372)의 후적(後跡)을 따르고자 하나니, 천품이 여차하니 어찌 교우할 의사 있으리까?"

공이 재삼 위로함을 마지않더라.

차후 정씨 겉으로 화기를 작위하나, 매양 미우(眉宇) 수집(愁集)함을 깨닫지 못하니, 화소저는 총명 영오한 여자라. 윤생의 남다른 심우를 문득 깨달아, 일일은 좌우 고요하고 밤이 이미 깊도록, 양인이 서로 대하여 문답이 종용하더니, 화소제 생더러 심곡 소회를 묻고자 하나, 마침내 이성(二姓)의 친(親)함이 흡연치 못한 고로 심히 수습하나, 담을 크게 하고 문득 피석(避席) 염용(斂容) 왈,

"첩이 당돌이 군자께 고할 말씀이 있으니 능히 채납(採納)하시리까?"

정씨 흔연 문 왈,

"자(子)의 교회(敎誨)하는 바 반드시 그르지 않으리니, 한 번 듣고자

---

366) 백설가(白雪歌) : 늙음을 한탄하는 노래류를 이르는 말.

367) 원학미록(苑鶴麋鹿) : 산속의 학(鶴), 고라니, 사슴을 아울러 이르는 말.

368) 삼은(三隱) : 중국 천태산(天台山)에 은거(隱居)하였던 한산(寒山), 습득(拾得), 풍간(豊干) 세 선사(禪師)를 일컫는 말.

369) 사호(四皓) : 늑상산사호(商山四皓). 중국 진씨황 때에 난리를 피하여 섬서성(陝西省) 상산(商山)에 들어가서 숨은 네 사람. 동원공, 길이계, 하황공, 녹리선생(甪里先生)을 이른다. 호(皓)란 본래 희다는 뜻으로, 이들이 모두 눈썹과 수염이 흰 노인이었다는 데서 유래한다.

370) 기산(箕山) : 중국 하남성(河南省)에 있는 산. 고대 중국의 은자 소부(巢父)와 허유(許由)가 요(堯) 임금으로부터 왕위 선위 제안을 뿌리치고, 이 산에 숨어 은거했다는 고사로 유명한 산이다.

371) 영수(潁水) : 중국 하남성(河南省)을 흐르는 강. 고대 중국의 은자 소부(巢父)와 허유(許由)가 요(堯)임금으로부터 왕위를 맡아들라는 제안을 받고, 자신의 귀가 더러워졌다며 이 강에서 귀를 씻고, 또 귀를 씻어 더러워진 물을 소에게 먹이는 것조차 포기하고 기산(箕山)에 들어가 숨었다는 고사가 전한다.

372) 소허(巢許) : 고대 중국의 은자 소부(巢父)와 허유(許由)를 아울러 일컫는 말.

하나이다."

화씨 옥면이 잠깐 취홍하여 염임(斂衽) 대왈,

"첩이 비박지질(卑薄之質)로써 감히 군자 행의를 논폄(論貶)하여, 외람히 간예(干預)함이 아니로되, 고어에 이르기를, '천자(天子)도 필부(匹夫)의 말을 채납(採納)함이 있다' 하니, 첩이 비록 우매(愚昧)하오나 어찌 군자를 대하여 심사를 은닉하리까? 자고로 '위궁실(爲宮室)373)하매, 남자는 거외(居外)하고 부인은 거내(居內)하여, 각각 소임을 일치 않는다.' 하오니, 군자 일세를 광거(廣居)374)할 당당한 대장부로, 이곳에 오신 후는 매양 고요한 처소를 지키시어 군자 체면을 휴손(虧損)하시나니까?"

숙렬이 흔연 사사 왈,

"생이 어찌 이를 알지 못하리요마는, 실로 본성이 우졸(愚拙)하고 번화히 접인(接人)함이 싫은 연고라. 어찌 규방의 잠김을 감심할 바리오."

화소저 묵연 무어(無語)하고, 화공 부부는 윤생의 남자 기상이 활달치 못함을 괴이히 여길지언정, 나이 어려 세사를 경력지 못하였으므로 그러함이라 하고, 남자 가운데 이 같은 옥인미남(玉人美男)이 있음은, 홀로 천지의 일맥과 건곤의 조화가 윤생에게 모였음을 알아 더욱 기특히 여기매, 화부 상하가 기경선대(起敬善對)하며, 예사 빙악(聘岳)에 더하더라.

정소저 이후는 날마다 염려 방하(放下)치 못하여, 시시(時時)로 주역팔괘(周易八卦)375)를 궁구하여, 태우의 전두(前頭) 길흉을 추점하더니,

---

373) 위궁실(爲宮室) : 집을 지음.
374) 광거(廣居) : ①넓은 처소. ②맹자가 가르친 인(仁)의 길을 비유적으로 이르는 말.
375) 주역팔괘(周易八卦) : 〈주역〉에서 세상의 모든 현상을 음양을 겹치어 여덟 가지의 상으로 나타낸 ☰[건(乾)], ☱[태(兌)], ☲[이(離)], ☳[진(震)], ☴[손(巽)], ☵[감(坎)], ☶[간(艮)], ☷[곤(坤)]을 이른다.

이러구러 광음이 신속하여 염량(炎凉)이 자주 바뀌어 수년에 미치니, 초하(初夏) 염간(念間)에 이르러, 남풍이 훈열(薰熱)하고 월색이 여주(如畫)하며 천기(天氣) 명랑(明朗)하니, 소저 근일은 매양 추수(推數)하매 심히 불길함이 많은 고로, 차야에 잠이 없고 인적이 끊김을 기다려, 가만히 홍선으로 더불어 밖에 나와 우러러 천상(天象)376)을 바라보니, 부공(父公)과 제형(諸兄)의 주성(主星)377)이 살기(殺氣) 미만(彌滿)하여, 문호에 대액(大厄)이 당전(當前)하였음을 묻지 않아 알지라. 소저 일견 첨망(一見瞻望)에 대경실색하여 재견(再見) 천궁(天宮)하니, 이윽고 흑무(黑霧) 흩어지고 중성(衆星)이 광채 낭랑(朗朗)하며 정기 배배(倍倍)하여 예도곤 새로운지라. 소제 대열(大悅)하여 또 태우의 주성을 보니, 살성(殺星)378)이 가득하고 비운(否運)이 참참(參參)하여, 수일 내에 대액이 오는지라. 소제 대경실색(大驚失色)하여 양구첨망(良久瞻望)하나, 계교 없어 묵연이 돌아와, 차야의 희미한 일몽을 얻으니, 일위 신인(神人)이 황건도의(黃巾道衣)로 나아와 이르대,

"윤광천의 사화(死禍)를 부인이 친히 가지 아니면 반드시 손확의 독수의 마치리니, 부인은 더디지 말고 바삐 행하여 가부의 급화를 구하라."

하거늘, 경동(驚動) 홀각(忽覺)하니 남가일몽(南柯一夢)379)이라. 몽사 자못 명백하니, 소제 개연이 천의(天衣)를 깨달아 한 번 뜻을 결하매, 어찌 다시 호의(狐疑)380)하리오. 이 일을 남씨와 홍선으로 상의하니,

---

376) 천상(仰觀天象) : 하늘의 현상이나 일월성신이 돌아가는 이치.
377) 주성(主星) : 점성술에서, 어떤 사람의 운명을 맡고 있다고 생각하는 별.
378) 살성(殺星) : 사람의 운명과 수명을 맡아 그 사람을 빨리 죽게 한다는 흉한 별.
379) 남가일몽(南柯一夢) : 꿈과 같이 헛된 한때의 부귀영화를 이르는 말. 중국 당나라의 순우분(淳于棼)이 술에 취하여 홰나무의 남쪽으로 뻗은 가지 밑에서 잠이 들었는데 괴안국(槐安國)의 부마가 되어 남가군(南柯郡)을 다스리며 20년 동안 영화를 누리는 꿈을 꾸었다는 데서 유래한다.

남씨 또 한 가지로 감을 원하거늘 정씨 허락하고, 이날 아침에 내당의
들어가 화공 부부와 화소저를 보고 한담하다가, 문득 이르되,

"소서(小壻) 불민한 재덕으로 악장의 지우를 입사와, 동상의 모첨하와
세월을 보내니, 일신의 안거(安居)함은 친측(親側)에 머무나 이에서 더
하리까마는, 일단 울읍(鬱邑)381)함이 가향(家鄕) 소식이 절원(絶遠)382)
함이라. 요사이 문견을 듣자오니, 장사왕이 모반하매 대병이 이르러 정
벌한다 하오니, 일찍 소서의 연혼(連婚) 인친지족(姻親之族)에 문무지용
(文武智勇)이 겸전(兼全)한 이 많사온지라. 혹자 이 가운데 소친자(所親
者)의 종사함이 있지 않을까 하옵나니, 소서 이제 잠깐 출유(出遊)하여
친당 소식을 알고, 근처 경치를 유람하고 수월 후 돌아오리이다."

화공 부부 저의 울적함을 근심하다가 방외(方外)의 소유(逍遊)하련다
하는 말을 가장 깃거 흔연 허락하고, 또한 수월이나 떠남을 결연하여 쉬
이 돌아옴을 원하니, 소저 흔연 배사하고 익일 발행함을 고하고 돌아와,
화씨를 작별할 새, 잠깐 사이나 이회(離懷) 결연(缺然)하더라.

익일에 정소저 화공 부부를 배사(拜辭)하고, 화씨를 향하여 장읍 왈,
"성혼삼재(成婚三載)에 일일도 떠난 적이 없으니, 악장이 도리어 생의
행사를 궁금히 여기시고, 그대 또한 내가 매양 머리를 내실에 움치고 있
음을 괴로이 여기더니, 금일 마지못하여 나가매 수삭(數朔)을 기약하리
니, 모름지기 그 사이 악부모를 모셔 무양하소서."

화씨 아미를 낮추어 절하고 답언이 없으니, 화공이 소왈,

---

380) 호의(狐疑) : 여우가 의심이 많다는 뜻으로, 매사에 지나치게 의심함을 이르는 말.
381) 울읍(鬱邑) : 수심에 찬 상태에 있음.
382) 절원(絶遠) : 늑격원(隔遠). 동떨어지게 멂.

"현서는 우리 부녀의 말을 그릇 여기지 말고, 금일 노상(路上)에서 산경(山景)을 살펴 지기(志氣)를 소창(消暢)하라."

정씨 잠소, 대왈,

"명산대천(名山大川)의 완유(玩遊)함이 많사오니, 그 사이 천지 환작(換作)지 아니하였을지라. 한 번 본 후 다시 볼 뜻이 없삽거니와, 악장이 소서(小壻) 같은 졸서(拙壻)를 내어 보내시고, 시원이 여기리로소이다."

공이 대소왈,

"현서는 아심(我心)에 먹지 않은 말을 말라. 그대 어찌 증서(憎壻)리오. 다만 지극한 정이 과도함으로, 그대 너무 침엄단중(沈嚴端重)하고 청정개결(淸靜介潔)하여 얼음과 수정 같으니, 혹자 수한(壽限)에 해로울까 우려하여, 두루 다녀 여러 벗을 사귀고 저기 마음을 진속(塵俗)의 머물러 물들기를383) 바라는 바로되, 천성의 높은 품도(品度)를 어찌 버릴 길이 있으리오."

정씨 웃고 사사 왈,

"소생이 무슨 사람이관데 악장의 지극하신 성교 이 같으시니, 어찌 감은치 않으리까? 연이나 소생이 남을 좇아 변심할 리 없고, 잡류를 사귈 뜻은 종시(終始) 없사오니, 경사 소식을 듣보아 친당 평문을 안 후는 즉시 돌아오리이다."

언필에 신을 끌어 나가니, 공의 부부 그 사이나 잃은 것이 있는 듯 훌연(欻然)384)함을 이기지 못하더라. 정씨 남씨와 홍선을 데리고 남복이 신상을 가렸음을 믿어, 앙연(盎然)385)이 말에 오르나, 그윽이 심회 불

---

383) 물들다 : 어떤 환경이나 사상 따위를 닮아 가다.
384) 연(欻然) : 갑작스럽게 떠나거나 어떤 일이 일어나, 다하지 못한 일로, 마음속에 어딘지 섭섭하거나 허전한 구석이 있음.
385) 앙연(盎然) : 사물이나 감정 따위가 넘쳐 있음.

평하여 여러 행객을 피하여, 산곡간 유벽한 길을 가려 행할 새, 화부 노마(奴馬)가 자기와 남씨를 실어 동서로 가는 곳은 다 따라다님을 민망하여, 수일을 행하매 이미 손확의 채책(砦柵)386)이 바라 뵈는지라. 정씨 남씨를 주처(住處)치 못하였고, 또 화부 노자를 괴로이 여겨, 아직 자기 근본을 알리지 않으려, 화가 노자를 돌아 보내어 왈,

"내 이에 왔으니 친척을 좇아 즉시 갈 것이오. 천연하는 일이 있어도 너희 나를 좇아 머묾이 무익하니, 모름지기 돌아가라."

노자 등이 대왈,

"상공 말씀이 마땅하시나 노야 분부하시어, 상공이 아무데로 가실지라도 모셔 다녀, 환가하실 때 한가지로 모셔 옴을 당부하여 계시니, 소복 등이 지레 돌아간즉, 죄책이 있을까 두려워하나이다."

소저 미소왈,

"내 이미 너희 돌려보냄을 서사(書辭)에 고하였나니 여등(汝等)은 수죄(受罪)할까 근심치 말라."

노자(奴子)들이 바야흐로 수명하여 글월을 맡아 돌아가매, 말을 가져 다시 모시기를 아뢰니, 소저 왈,

"내 돌아갈 때면 자연 인마를 얻어 가리니 다시 오지 말라."

제노가 수명 후 돌아 가니라.

정씨 남씨 머물 곳을 엇고자 하여 홍선으로 하여금 암자와 도관(道觀)을 들보니, 사람이 이르되,

"수년 전에 태운도인 화선생이라 하는 이, 영선강을 건너와 한 암자를 이루고, 제자를 거느려 복거(卜居)하여, 사람의 팔자를 추점하시기와 미래 과거사를 모를 일이 없다."

---

386) 채책(砦柵) : 울짱. 말뚝 따위를 죽 잇따라 박아 만든 울타리.

함을 듣고, 홍선이 소저의 길사(吉事)를 묻고자 하여 그 곳을 물으니, 이르되,

"사람이 왕래함을 괴로이 여겨 제자를 데리고 문을 난 지 수일이로되, 돌아오지 않고, 청총옥설마(靑驄玉雪馬)387) 두 필을 두고 갔음으로, 선생을 찾으러 갔던 자가 말을 가지고자 하여, 내어 이끈즉 양마(兩馬)가 뛰놀아 사람이 감히 가까이 나아가지 못하게 하는 고로, 아무리 장사(壯士)라도 가져갈 의사를 못하니, 그런 이상한 일이 어디에 있으리오."

하거늘, 정씨 남씨와 홍선으로 더불어 길을 찾아 여러 날 만에 영선강에 다다르니, 큰물이 비껴388) 있어, 행선(行船)할 도리 없거늘, 정씨 선으로 하여금 행인더러 문왈,

"이 물 건너는 배를 부리지 않느냐?"

행인이 소왈,

"영선강이 비록 상강(湘江)389)을 미치지 못하나 깊이 장하니 어찌 배를 아니 부리리오. 전자에 어부가 해물(海物)을 실어 왕래하느라 배를 부리더니, 태운도인 화선생이 낙청산에 복거함으로, 그 한낱 채선이 있어 풍일(風日)이 불순하여도 근심 없이 사람을 건네게 하니, 어부 저의 여간한 배는 부리는 것이 부질없어 다 버리고, 원래 낙청산 아래에 다니는 사람이 많지 않아 호환과 재난을 만나는 이 많은 고로, 다 피하여 옮

---

387) 청총옥설마(靑驄玉雪馬) : 옥이나 눈처럼 하얀 청총마(靑驄馬). 청총마는 털이 흰 백마(白馬)로, 갈기와 꼬리부분이 푸르스름한 빛을 띠고 있다.

388) 빗기다 : 가로지르다.

389) 상강(湘江) : 소상강(瀟湘江). 중국 호남성(湖南省)에서 발원한 소수(瀟水)와 광서성(廣西省)에서 발원한 상강(湘江)여 호남성에 있는 동정호(洞庭湖)에서 만나 이루어진 강. 주로 호남성 동정호 지역을 일컫는 말로 경치가 아름답고 소상반죽(瀟湘班竹)과 황릉묘(黃陵廟) 등 아황(娥皇) 여영(女英)의 이비전설(二妃傳說)이 전하는 곳으로 유명하다.

아가고, 어부 해물을 실어 가도 살 이 없는 고로, 금년부터는 행선하는 일이 없어, 사람이 낙청산에 다니지 않거니와, 행여 화도인 자취를 찾고 자 하는 이도, 부디 소선을 만들어 이따금 다니더니, 장사왕 병란이 급 한 고로 다 피란을 서두르고, 도관을 유완(遊玩)치 못하니, 이제는 배를 얻을 길 없어 영선강을 건너지 못하느니라."

정씨 이 말을 듣고 낙막(落寞)하여, 날이 저물도록 물가에서 방황할 뿐이러니, 홀연 멀리서 퉁소 소리 한가하니, 귀를 기울여 그 소리를 들 으나 아무데서 나는 줄 알지 못하더니, 야심 후 강상(綱常)에 한 채선이 살같이 정소저 앉은 언덕으로 나아오며, 선중에 일위 도인이 두어 동자 를 데리고 퉁소를 한가히 불며, 잠시 배를 평지에 대고 한 번 몸을 뛰어 언덕에 오르니, 정씨 등 삼인이 배를 보고 기쁘나, 도인이 남자니 심야 에 상대함이 불안 민박(憫迫)하여, 머리를 숙여 그 얼굴을 보지 않더니, 정씨 날호여 담을 크게 하고, 도인을 향하여 절하고 가로되,

"소생은 천하의 오유하는 무가객(無家客)이라. 차지(此地)에 이르러 태운도인 화선생의 도행이 고세(高世)함을[390] 흠앙하여, 일차 배견(拜 見)을 바라는 고로, 영선강을 건너 도관으로 나아가고자 하되, 수상(水 上)에 한낱 바를 얻지 못하여 정히 우민하더니, 천만 의외에 선생을 만 나니 행열함을 이기지 못하옵나니, 혹 태운도인이 아니시니까?"

그 도사 팔을 들어 공경 답례 왈,

"생은 태운도인 동류(同類)러니 도인을 찾고자 낙청산 도관의 가니, 황연하고 도인이 자취 없으니 훌훌함을 이기지 못하여 생의 도관으로 가더니, 귀인을 배견하매 가히 영행타 하리로소이다."

언어 청상하고 기상이 고결하여 진속에 물듦이 없고, 선단(仙丹)을 맛

---

390) 고세(高世)하다 : 세상에 들어날 정도로 능력이나 명망이 뛰어나다.

보며 영약을 삼켜, 완연한 선풍옥골이 옥청상선(玉淸上仙)[391]이라. 그 비상함을 지기하고 다시 배왈(拜曰),

"비록 태운도인이 아니 계셔도 소생이 그 거처하시던 관중(觀中)이나 보고자 하옵나니, 선생의 은덕으로 저 물을 건너게 하시리까?"

도인이 부복 공경 왈,

"귀인의 이르시는 바 도인을 속이시미 많으시나, 소생이 어찌 받들지 않으리까?" 다만 남녀유별(男女有別)하고 내외(內外) 격절(隔絶)하니, 부인의 당한 바 소소 염치를 돌아보지 못하시려니와, 몸 위의 남의로써 빈도 같은 이를 속이고자 하는 바나, 실은 남소저의 계실 곳을 정치 못하여 부디 도관을 찾고자 하심이요, 구태여 태운도관을 배견하실 정성이 없으니, 빈도 암매(暗昧)하나 어찌 모르리오. 그러나 두 소저를 모셔 소생이 탄 배에 오름이, 한갓 소생의 마음이 불안할 뿐 아니라, 두 소저 절민(切憫)하실 것이니, 청컨대 먼저 선창(船窓) 안으로 드시거든, 소생이 선창 밖에서 동자로 배를 저어 물을 건너시게 하리이다."

정·남 이소저 청필에 경참(驚慘)함이 낯이 붉어짐을 깨닫지 못하나, 정소저는 실로 소소 염치를 돌아보지 못할지라. 몸을 굽혀 사례 왈,

"소첩 등의 정사를 선생이 듣지 않아서도 선견지명(先見之明)이 이렇듯 쾌하시니, 고할 말씀이 없는지라. 태평성대(太平聖代)에 혼자 난리를 만나, 규리(閨裏)의 자취로 낯가리는 예를 버리고, 간사히 음양을 바꾸어 이목을 속임이 많으니, 반드시 신명의 미움을 받을 것이로소이다."

도인이 미미히 웃으며 왈,

"부인의 당하신 화란이 가장 이상하니, 만일 이렇듯 피화치 않으신 즉

---

391) 옥청상선(玉淸上仙) : 옥청궁(玉淸宮)에 사는 신선. 옥청궁; 도교 삼청궁(三淸宮)의 하나로, 원시천존(元始天尊)이 사는 곳이라 함.

어찌 보전함을 얻으리오. 하물며 의기 현심이 남소저 급화를 구하여 평
생을 동로(同老)코자 기약하고, 화소저를 취하여 윤참모께 천거코자 하
시니, 타일 동렬(同列)의 번화함과 택상의 화열함을 묻지 않아 알지라.
윤참모 종군함을 위태히 여기사, 급히 그 진중 사세(事勢)를 살피고자
하시니, 소생이 비록 여견만리(如見萬里)하는 지식이 없으나, 참모의 액
화를 거의 짐작하나니, 이후 십사일이 지나면 손확이 참모를 밀어 내어
베라 할 것이니, 부인이 낙청산 도관에 매인 두 필 말을 가져, 하나는
스스로 타고 하나는 빈 말로 몰아가, 참모를 구하여 태워오되, 요란이
소문을 듣보지 말고, 모일 인시(寅時)392)에 저 배를 타고 이 물을 건너,
날 저물기를 기다려 유시(酉時)393)에 들어가 참모를 구하여 더불어 돌
아오되, 손확이 따를 것이니 바삐 배를 건너 죽기를 면한즉, 이미 위지
(危地)를 벗어났는지라. 다시 액경이 없고 대길(大吉)하리이다.”

　정소저 사례하고 왈,

　“선생이 소첩의 어리고 아득한 심폐를 사무치셔, 이같이 명교를 나리
오시니 감은각골(感恩刻骨)함을 이기지 못 하리로소이다. 연이나 남씨
는 참모로 더불어 남이라, 일시도 상대함이 어려우니, 남씨는 도관에 두
고, 참모를 또 구하여 도관으로 가미 가치 않을까 하나이다.”

　도사 희미히 웃으며　왈,

　“부인 말씀이 예의예 마땅하신지라. 남소저 타일은 윤가 사람이 되려
니와 아직은 불가하니, 낙청산 오리허(五里許)394)에 용수암이란 소찰
(小刹)이 있어 여승 수십여 인이 머무니, 그 곳의 남소저를 두어, 일삭

---

392) 인시(寅時) : 십이시(十二時)의 셋째 시. 오전 세시에서 다섯 시까지이다.
393) 유시(酉時) : 십이시(十二時)의 열째 시. 오후 다섯 시부터 일곱 시까지이다.
394) 오리허(五里許) : 오리 쯤 되는 곳.

후에 강참정이 남경태수를 하여 이 앞을 지나다가 데려가리라."

정씨 도사의 지교(指敎)함을 천만 사례하고, 남씨와 홍선을 이끌어 선창 안에 드니, 도사 쌍개(雙個) 동자로 더불어 선창 밖에서 한가히 바를 저어, 얼핏 사이 강을 건너 낙청산에 다다르니, 도인이 도관을 가르쳐 알게 하고, 팔을 들어 두 소저에게 예하고 가로되,

"소생이 이미 양위 소저를 모셔 배를 건너게 하였나니, 이제는 본 도관으로 가나이다."

이 소제 배사하여 재삼 후은(厚恩)을 일컬으니, 도사 소왈,

"부인과 소저가 빈도의 은덕을 칭하실 리(理) 없으니, 부질없는 말을 마시고, 정부인은 모일 야(夜)에 참모의 급화를 잘 구하소서."

정씨 감은함을 이기지 못하나, 도사 자취 표홀(飄忽)하여 자기 등을 평지에 내려놓은 후, 청의쌍동(靑衣雙童)으로 더불어 동녘으로 사오 보를 옮기더니, 운무 자옥하여 간 바를 알지 못 하는지라. 남씨 숙렬을 돌아보아 왈,

"이 반드시 속세 도인이 아니요, 옥청상선(玉淸上仙)이라. 천행으로 아등이 영선강을 건너 장신할 곳을 정케 하니, 도사의 은혜 적지 않도소이다."

정씨 왈,

"도인이 우리를 대하여 거짓 화선생 동류(同類)라 하나, 이 진정 태운 도인이라. 내 전일 들으니, 화도사라 하는 이 엄구 명천공과 정분이 지극한 친우이시나, 청운(靑雲)과 백운(白雲)이 길이 달라 저는 산림(山林) 도사 되고, 존구는 용루봉각(龍樓鳳閣)의 재렬(宰列)이 되시니, 지취(志趣) 빈부(貧富) 내도하시나, 화선생이 성(性)이 고결하고 품질이 청상(淸爽)하여, 부귀를 헌 신같이 버리고 사환분주(仕宦奔走)하는 이를 우이 여겨, 엄구(嚴舅)가 재경(在京)하신 때는 찾는 일이 없다가, 혹자 하

향(下鄉)하신 땐즉, 스스로 이르러 서로 반기시며, 신성통달함이 과거 미래사를 보는 듯이 알아, 매양 엄구의 부귀하심이 기쁘지 않은 줄을 이르며, 국사를 인하여 몸을 마치실 바를 일컫다가, 존구 금국(金國)으로 향하심을 당하여, 도중에서 존구를 이별하시어 능히 생환치 못할 줄 아나, 존구의 얼굴을 그려 갔으니, 그 후 화선생을 만나지 못하고, 윤군 곤계(昆季) 그 말을 들은즉 더욱 비도(悲悼)하여, 거처 모르는 화도사를 부디 찾아 존구 화상을 모셔 오려 할 것이므로, 가엄(家嚴)이 윤군 형제의 통상(痛傷)한 심사를 더하지 못하시어, 화상지사(畫像之事)를 아시되 윤군더러는 이르지 않으시고, 일찍 나더러 이르시매 든자온 바라. 아까 그 선생이 분명 태운도인이니, 이리로 좇아 윤군이 그 자취를 심방한즉 엄구 화상을 찾을 도리 있을까 하노라."

남씨 도인의 신명함을 듣고, 자기 외구(外舅)가 남경 태수로 내려옴이 있을까 절박히 기다리더라.

정씨 남씨와 홍선으로 더불어 낙청산 도관에 들어가니, 황연이 빈 집이 인적이 그쳤으나, 마구(馬廄)395)에 두 필 말이 매여 소저를 보고 임자를 만난 듯 반기니, 비록 말을 못하나 꼬리를 치며 소리를 높여 현현(顯顯)이 즐겨하는 거동이 있으니, 정씨 도사의 말이 맞음을 행희(幸喜)하여, 흐르는 물을 떠 말을 주고 차야를 도관에서 지내고, 명일 용수암을 찾아 가니, 과연 암자가 정소(淨掃)396)하고 수십 여승이 있으되, 상모 고기(古奇)397)하고 풍채 단아하여, 진욕(塵慾)의 잡 마음을 끊은 유(類)라. 소제 수승(首僧) 묘원을 대하여 왈,

---

395) 마구(馬廄) : 마구간.
396) 정소(淨掃) : 비질을 하여 깨끗하게 청소를 하거나 청소가 되어 있음.
397) 고기(古奇) : 예스럽고 기이하다.

"아등은 산경을 유완하는 선비러니, 사제(舍弟) 마침 유질하여 도로의 행치 못하게 되었으니, 아우의 성품이 분요(紛擾)한 곳을 즐겨 아니하니, 남승(男僧)의 산사(山寺)는 유학(留學)하는 선비 분분이 많은 고로, 부득이 차암(此庵)의 안정함을 듣고 찾아 이르렀으니, 법사는 혐의치 말고 일간(一間) 방사(房舍)를 빌려 조호(調護)케 함을 바라노라."

묘원이 흔연 대왈,

"귀인이 이같이 이르지 않으셔도 벌써 태운도사의 명을 받자왔으니, 어찌 거역하리까?" 별당을 서릇어[398] 기다리나이다."

언파에 양 소저를 인도하여 별당의 드리고 차를 드리며, 홀연 웃으며 왈,

"빈도 불명하나 양위 소저 상모로 보아 남자 아니심을 아옵나니, 하고로 태명성대에 유리실소(流離失所)[399]하시어, 여화위남(女化爲男)을 달게 여기시나니까?"

정소저 묘원의 신명함을 보고 기이지 못하여, 잠깐 정사를 베풀어 이르고, 화부에서 차려 준 바 양미찬선(糧米饌膳)을 다 남씨를 주고, 날이 늦음으로 도관으로 돌아올 새, 남씨를 집수 탄 왈,

"우리 상봉 삼재(三載)에 정의(情誼)인즉 골육에 감치 않고, 피차 심회는 자연 일러 알 바 아니라. 일일 이별이 결울(結鬱)하여[400] 그대를 외로이 던지고 떠남이 참연하나, 사세 이에 미친 후는 하릴없어 가나니, 모름지기 마음을 널리 하여 그 사이 무양하라."

남씨 체루(涕淚) 산산(潸潸)하고 회포 암암(暗暗)하여, 오래 말을 못하다가, 날호여 가로되,

---

398) 서릇다 : 거두어 치우다. 정리(整理)하다.
399) 유리실소(流離失所) : 거처할 곳을 잃고 떠돌아 방황함.
400) 결울(結鬱)하다 : 섭섭하거나 보고 싶거나 하여 마음이 탁 트이지 못하고 답답한 상태에 있다.

"저저(姐姐) 이미 소제를 차암(此菴)에 안신케 하시니, 소제는 반석 같은 바나, 저저를 그 사이 떠남이 비결(悲缺)[401]한 심사 지향치 못할지라. 원컨대 저저는 도관에 나아가 성휘(聖候)를 안강(安康)하시어 질양을 이루지 마시고, 도사의 이르던 바와 같이 옥설마(玉雪馬)를 가져 소원을 이루소서."

정씨 답왈,

"현제는 나를 염려 말고 스스로 몸을 보호하여, 수순지내(數旬之內)에 무사히 있으라."

남씨 크게 슬퍼함을 이기지 못하더라.

정씨 홍선을 데리고 도관에 돌아와 십여일을 머물되, 다시 도사를 보지 못하고, 오직 이르던 말을 생각하여, 십삼일에 옥설마를 몰아 영선강에 다다라, 언덕에 매인 채선(彩船)을 끌러 강수에 띄우고자 하되, 배 젓기 어려워 주저하더니, 문득 도인을 좇았던 청의 쌍동이 산곡으로 표연이 내려와, 소저께 절하고 고 왈,

"사부 소동으로 하여금 배를 저어 드리라 하시더이다."

소저 깃거 사례하고 배에 오를 새, 홍선이 두 말을 몰아 또한 배에 올리고, 도동이 배를 젓는 대로 행하여 영선강을 건너매, 도동이 한 벌 도의를 받들어 왈,

"사부께서 이 도의(道衣)는 새 것이니, 부인께 드려 개착(改着)하시고 손원수 진문(陣門) 앞에 나아가시게 하라. 하시더이다."

정씨 도사의 명대로 고요한 곳에 가 도의를 자기 옷 위에 껴입고, 도건(道巾) 혁대(革帶)를 정히 하고, 도동을 향하여 선생의 후은을 재삼 사례하며, 날이 어둡기를 기다려 옥설마 일필을 자기가 타고 일필은 앞

---

401) 비결(悲缺) : 슬프고 섭섭함.

에 몰아, 손확의 진문을 향할 새, 홍선이 따르고자 하거늘 소제 왈,

"너는 말 타기가 나와 같지 못하리니, 좇아오지 말고 배를 지키라."

선이 실로 마상(馬上)에 익지 못하고, 소저는 만사에 신명 기이하여 사람의 의사 밖의 아름다움이 있으며, 여자의 당치 못할 것이라도 어려이 여김이 없으니, 한갓 말 타는 재주 효용한 남자는 이르지 말고, 사법(射法) 검술(劍術)과 양국(兩國) 교병(交兵)402)에 백전백승(百戰百勝)할 모략(謀略)이 제갈무후(諸葛武侯)403)라도 미치지 못하니, 홍선이 어찌 소저의 강맹함을 바라리오. 웃고 왈,

"소비는 인가청의(人家靑衣)로 천루(賤陋)히 자라나대, 오히려 도로에 익지 못하여 매양 넘어질 듯하되, 소저는 능히 말 타며 단이기를 어려워 않으시니, 주루화각(朱樓畵閣)의 금수나릉(錦繡羅綾)을 무겁게 여기시고, 팔진경장(八珍瓊漿)404)을 염(厭)하실 즈음에, 가중 비복도 간대로 보지 않으시더니, 화란을 당하시매 권도(權度)와 곡례(曲禮)를 생각하시어 처신하심이 이렇듯 하시니, 소비 영행함을 이기지 못하나이다."

소제 시각이 어길까 착급하여 부답하고, 빨리 말을 몰아 손확의 진문

---

402) 교병(交兵) : 교전(交戰). 서로 병력을 가지고 전쟁을 함.

403) 제갈무후(諸葛武侯) : 제갈량(諸葛亮). 181~234. 중국 삼국 시대 촉한의 정치가. 자(字)는 공명(孔明). 시호는 충무(忠武). 뛰어난 군사 전략가로, 유비를 도와 오(吳)나라와 연합하여 조조(曹操)의 위(魏)나라 군사를 대파하고 파촉(巴蜀)을 얻어 촉한을 세웠다. 유비가 죽은 후에 무향후(武鄕侯)로서 남방의 만족(蠻族)을 정벌하고, 위나라 사마의와 대전 중에 병사하였다.

404) 팔진경장(八珍瓊漿) : 팔진지미(八珍之味)와 옥액경장(玉液瓊漿)을 함께 이르는 말로, 아주 잘 차린 음식상에나 갖춘다고 하는 여덟 가지 진귀한 음식과, 맑고 고운 빛깔과 좋은 향을 갖추어 신선들이 마신다고 하는 술을 뜻한다. *팔진지미는 순모(淳母), 순오(淳熬), 포장(炮牂), 포돈(炮豚), 도진(擣珍), 오(熬), 지(漬), 간료(肝膋)를 이르기도 하고 용간(龍肝), 봉수(鳳髓), 토태(兎胎), 이미(鯉尾), 악적(鶚炙), 웅장(熊掌), 성순(猩脣), 수락(酥酪)을 이르기도 한다.

(陣門)에 다다르니, 무사가 바야흐로 윤참모를 내어 참코자 하는지라. 창황 망극하여 소리를 높혀, 참모를 구하러 왔음을 이르니, 임성각이 응성(應聲)하여, 바삐 말에 참모를 들어 올려 타고 소저와 한가지로 영선강에 다다르매, 도동(道童)이 금사촉농(錦絲燭籠)을 두어 쌍불을 선창 좌우로 꽂고 배를 언덕 위에 매고 돌아가며, 홍선더러 이르되,

"부인과 참모를 배에 올려 수상(水上)에 평안이 가심을 보고 갈 것이로되, 임성각이란 장사가 참모를 모셔올 것이니 무사히 가실지라. 다시 염려 없으니 우리는 돌아가노라."

하고, 오던 길로 가거늘, 홍선이 배를 지키고 있다가 말이 급히 달려옴을 보고, 황홀하여 눈을 들어보매, 소저 앞서고 참모 재후(在後)하여 어떤 장사가 호송하여 오는지라. 선이 도동의 이르는 말을 듣고, 소저께 배 저을 사람이 없음을 고하니, 말이 끝나지 않아서 성각이 응성 왈,

"내 과연 임성각이라. 배 젓기를 본디 아나니, 그 도동이 나의 있음을 앎이로다."

언필에 말에 내려 배를 대고, 도인과 참모를 청하며, 손확의 따름이 급함을 이르니, 차시 윤참모 만일 일도(一道)를 지켜 장령을 준봉(遵奉)한즉, 어찌 일명을 보전하며, 손확이 결단코 대사를 이루지 못할 줄 알고, 시원이 사지를 벗어나 도인을 좇아 오대, 그 얼굴을 자세히 보지 못하였으니, 정씨인 줄 모르다가, 선창에 들어 잠깐 눈을 들매 일월광휘(日月光輝)와 추수향련(秋水香蓮)이 쇄락하여, 미우에는 팔채서광(八彩瑞光)405)이 영영(盈盈)하고, 안모(顔貌)의는 오색이 현요(顯曜)하여 백태천광(百態千光)이 도의도건(道衣道巾) 아래 봉관(鳳冠) 썼던 정숙렬

---

405) 팔채서광(八彩瑞光) : 눈에서 나는 상서로운 광채. '팔채(八彩)'는 팔(八)자 모양의 눈썹 광채를 뜻하는 말로, 여기서는 눈빛을 대신 나타낸 것이다.

같아서, 아무리 살펴도 다름이 없으니, 어찌 반가운 정과 황홀한 마음이 없으리오마는, 소저 벌써 건복으로 짐짓 남자의 강장맹렬(强壯猛烈)한 형상을 작위하여, 여자의 섬약한 거동을 감초는 바라. 전일보다는 행보 다르고, 온유 나직하여 쌍미성안(雙眉星眼)을 행여도 높이 뜨지 않던 바와 내도하여, 원산(遠山)을 그리던 봉황미(鳳凰眉)가 망건(網巾)에 추파(秋波)를 높이 뜨니 영채(映彩) 더욱 조요(照耀)한지라.

참모 분명이 정씨임을 짐작하나 세사(世事)가 기괴함이 많고, 겨우 선창에 오르며 도인의 모양으로써 자기 부인이라 함이 너무 급하고, 그 좇은바 도동을 돌아보니, 비록 남의를 입었으나, 백안(白顔)이 교교(皎皎)하고, 홍순(紅脣)이 모지고[406], 가는 눈이 그린 듯한 형상이 홍선이 아니고 뉘리오. 천만 뜻밖에 정씨를 만나매 행희(幸喜) 쾌열(快悅)함이 망외(望外)라. 자기 삼년을 남주에 있으되 소저의 생존을 듣지 못하매, 슬픔이 매양 장부의 철석장심(鐵石腸心)[407]을 녹이니, 비록 그 복덕이 완전지상임을 믿으나, '행여 약질이 보전치 못하였는가.' 의사 궁극하기에 미쳐는, 참연 비상함을 이기지 못하던 바거늘, 부인의 행사 사람의 생각지 못할 의사 있으며, 자기 급화를 구함이 또 조각에 맞는지라. 어찌 아름답고 감격함을 이기리오마는, 임성각이 배를 저으니 출발(出拔)한 사적을 드러냄이 불가하여, 짐짓 소저 답언을 듣고자 하여, 팔을 들어 예하고 칭사 왈,

"생이 종군하여 기괴한 화를 만나 검하경혼(劍下驚魂) 되기를 면치 못할 바거늘, 선생의 구활(救活)한 대은을 입으니 감은함을 이기지 못하거니와, 다만 생이 도사로 더불어 일면부지(一面不知)라. 무슨 정의로 생

---

406) 모지다 : 모양이 둥글지 않고 모가 나 있다.
407) 철석장심(鐵石腸心) : 쇠와 돌 같이 굳은 마음. 장심(腸心); 심장(心腸). 마음.

의 급화를 구하시느뇨?"

소제 참모의 총명영기(聰明靈氣)를 아는지라. 일안(一眼)의 한 번 본 사람도 잊지 않는 총명이거늘, 어찌 자기를 모르고 이 말을 하리오. 짐짓 자기 답언을 듣고자 함을 지기(知機)하고 부끄러운 낯이 달아올라 옥면이 취홍(醉紅)하니, 한 덩이 홍옥이 백 겹에 싸인 듯, 연화(蓮花)가 광풍을 당한 듯, 아리따운 태도와 정정한 용안(容顔)이 보고 고쳐 볼수록 기이함을 이기지 못할지라. 참모 양안을 옮기지 않고 소저 신상을 쏘았으며, 소저는 참안(慙顔) 황괴(惶愧)함이 몸 둘 곳이 없어, 고개를 숙여 능히 말을 못하고, 창황(愴怳)할 차에, 성각은 선창 밖에서 손확의 살을 개개이 칼로 처 버리며 확을 욕하고, 뱃전을 두드려 노래 불러 즐김을 이기지 못하니, 참모 부부의 수작을 듣지 못한지라. 참모 소안(笑顔)이 미미하여 우왈,

"생이 선생 은덕을 종신토록 잊지 못하리니, 청컨대 존성(尊姓)과 대명(大名)을 알아 천리 밖에 떠남이 있어도, 일생 일차(一次) 상견을 폐치 않으리라."

소제 더욱 부끄러워 날호여 탄식 왈,

"몸이 인세에 머무나, 양가 친당 존문과 일가 제족의 소식을 모름이 유명(幽明)을 격(隔)함 같으니, 군자(君子) 남주 찬적하심을 들으나 칠팔일 정도라도, 피차 성식(聲息)[408]을 통할 길이 없어 생존을 고치 못하더니, 다행이 기특한 도인을 만나 명공의 급화를 이르고 말을 주어 군자를 구하라 할 새, 첩이 비록 암용(暗庸)하나, 군의 차악한 화를 모르는 듯이 하기는 차마 못하여, 부득이 도사의 지교(指敎) 대로, 여자의 자취 번거함을 살피지 못하고 군자의 위급지시를 한가지로 당코자 함이

---

408) 성식(聲息) : 소식(消息). 멀리 떨어져 있는 사람의 사정을 알리는 말이나 글.

러니, 이미 흉지(凶地)를 벗어나 선중(船中)에 오르니, 손학의 따르는 화를 면하시려니와, 군자 명감으로 첩의 음양을 변하여 이목(耳目) 가림을 거의 짐작하시리니, 어찌 참황수괴(慚惶羞愧)함을 더하게 하시나니까?"

옥성(玉聲)이 낭랑하고 봉음(鳳吟)이 화평하여 천지 화기를 일울지라. 백만염용(百萬艶容)이 쇄연하여 비길 곳이 없으니, 도건 아래 더욱 청상한 풍채 선풍옥골(仙風玉骨)이라. 참모의 바라는 눈과, 쾌하고 기쁜 정신이 측량없으니, 스스로 몸이 동(動)함을 깨닫지 못하여 나아가 그 손을 잡으매, 옥인의 십지섬수(十指纖手) 수정(水晶)을 삭여시며, 이향(異香)이 만신(滿身)하니, 풍류장부(風流丈夫)의 은애 춘풍에 나른하여409) 백만 근심을 사르는지라. 이윽히 말을 못하더니, 날호여 가로되,

"우리 부부 차처에 공교히 상봉함은 천만 기약치 못한 바라. 다만 그대 장사에 적거삼재(謫居三載)에 즉시 죽음을 칭하고, 관을 실어 보내고 아득히 자취를 감추니, 표홀(飄忽)한 종적이 평초(萍草)와 낙엽 같아서, 소식을 알 길이 없는지라. 생이 남주로 내려온 후 어찌 그대의 거처를 심방코자 않았으리오마는, 실로 만사 무념(無念)하여 처실에 마음이 미치지 못하는 고로 찾음도 없었거니와, 그대 어찌 생존을 통치 않아 아득히 모르게 하뇨? 생을 급화에서 구함은 감사하되, 삼재를 죽은 듯이 숨어 생으로 하여금 참연한 마음을 허비케 함은 많이 미흡하도다."

소저 유화(柔和)히 대왈,

"첩이 비록 불민(不敏)하나 생존을 통하여 유익함이 되고 해로우미 없을진대, 어찌 자취를 숨겨 죽음으로 칭하리까마는, 그간 곡절이 있어, 첩을 미워하는 자가 곳곳에 있는지라. 혹자 생존을 안즉 불측지환(不測之患)이 있을지라. 번거히 생존함을 나토지 못하고, 일이 만만불가(萬萬

---

409) 나른하다 : 힘이 없이 보드랍다.

不可)함을 알되 구차히 투생(偸生)을 도모하매, 마지못하여 변복건의(變服巾衣)[410]하고 이목을 속이나, 여행(女行)에 어긴 죄인으로, 백희(伯姬)[411]의 절(節)을 생각하매 참괴함이 욕사무지(欲死無地)로소이다.”

참모 본디 여자로 장설(長說)하여 세쇄한 곡절을 다 펴지 않는 성품이라. 오직 소저를 위하여 안심케 하고, 있던 곳을 물으니, 소제 언언(言言)이 몽롱이 대답하여, ‘겨우 일명을 보전하나 누천리(累千里) 타향에 사고무친(四顧無親)하니, 혈혈무의(孑孑無依)하여, 천만 부득이 화가의 머무나, 사리(事理)에 불가한 일이 무궁하고, 도인은 영선강 앞에서 만나되 성명을 이르지 않던 바’를 전하니, 참모 소저의 말을 유심(有心)히 듣지 못함으로, 화가에 여화위남(女化爲男)하여 머묾이 비편(非便)한 줄로 알고, 화씨를 취하며, 남씨를 구하여 용수암의 둔 바야, 어이 알리오. 한갓 그 몸이 사망지화(死亡之禍)를 면하여, 부부가 기특히 상봉함을 영행 환열하여, 스스로 쾌희(快喜)함을 이기지 못하되, 손확의 위인을 근심하여 국가중사(國家重事) 그릇 될까 염려하더라.

임성각이 적은 덧 배를 저어 낙청산 언덕에 대고, 비로소 참모를 붙들어 평지에 내리고, 홍선을 보아 왈

“이 채선이 의심 없이 우리 사부 화도사의 타고 다니시던 바요, 옥설마 두 필이 또한 사부의 말이라. 존사가 아니 태운도인과 친하시냐? 그대는 존사의 서동(書童)이라 반드시 알리로다.”

---

410) 변복건의(變服巾衣) : 남복(男服)을 입어 변장함.
411) 백희(伯姬) : 중국 춘추시대 魯(노)나라 宣公(선공)의 딸. 송나라 恭公(공공)에게 시집갔다가 10년 만에 홀로 됐다. 궁궐에 불이 났을 때 관리가 피하라고 했으나 부인은 한밤에 보모 없이 집을 나설 수 없다고 고집해서 결국 불속에서 타 죽었다. 『열녀전(烈女傳)』〈정순전(貞順傳)〉‘송공백희(宋恭伯姬)’ 조(條)에 기사가 보인다.

선이 미급답(未及答)의 참모 웃고 왈,

"이 도인은 성정이 괴려하여 근본과 성명을 이르지 아니하니, 그대는 구태여 묻지 말라."

성각이 괴이히 여기나 다시 묻지 못하고, 오직 말과 채선을 보매 반김을 이기지 못하여 사부의 소식을 들을까 영행하더라.

정소저 배에 내려 말을 몰아 당선(當先)하여 먼저 도관으로 나아가니, 성각과 참모는 따라 도관에 이르매, 정씨 방사를 정하여 차야를 지낼새, 성각은 진정 도인만 여겨 참모 구활지은(救活之恩)을 사례코자 하되, 참모 말려 왈,

"그 도인이 품성이 사람과 수작함을 진정으로 괴로워하니, 그대는 잡말하여 저의 싫어함을 이루지 말라."

성각이 소왈,

"생이 일찍 도관에서 자라 도인의 성정이 고요하고 풍용(風容)이 정실(正實)하여 속세 범인과 다른 줄 알거니와, 이 도인은 실로 일월명광(日月明光)이요, 추수정신(秋水淨身)이라. 생이 생각건대 수연미려(粹然美麗)하여 화옥(花玉)의 빛난 것을 압두(壓頭)하는 사람은 명공밖에 보지 못하였더니, 금자(今者) 도인을 보니 맑으며 고운 것이 명공께 배나 더하고, 좋으며 연연함이 인간만물을 벗어난지라. 여자 가운데도 그런 색은 없으리니, 결단코 상선(上仙)이 하강(下降)하여 명공(明公)을 구함이라. 하물며 그 성정이 사람을 간대로 대코자 아니함이, 진속(塵俗) 용우(庸愚)한 박명지인(薄命之人)을 더럽게 여김이라. 소생 같은 경박(輕薄) 무행자(無行者)가 어찌 그 면전에 어렴풋하게나 대하리오."

참모 미소 왈,

"그대는 천하 독보한 호걸이라. 심산의 오졸(迂拙)한 도인을 저토록 칭찬할 바 아니로되, 그대 도관에서 자란 바로 도사의 유는 다 기특한

줄로 알거니와, 마침내 도사의 유(類) 허망함이 없지 아니하니, 어찌 군자대도(君子大道)와 영준의 강맹한 기상 같으리오. 나는 그 도의 기특함을 실로 모르노라."

성각이 소왈,

"명공은 도사의 무리를 배척하시나, 도인의 유는 그 신성명달(神聖明達)함을 스스로 기특히 여기고, 사환(仕宦)에 분주하는 자를 우이 여겨, 사해로 집을 삼고, 천하 명승지지로 유완(遊玩)하는 정자(亭子)를 삼아, 세상 괴로움을 물외(物外)에 던지니, 또한 즐거움이 그 같음이 있으리오."

윤참모 소왈,

"그대 말도 옳거니와, 천하 억만 인민이 다 도사 될진대, 사군찰임(事君察任)에 안민보국(安民保國)하며 이음양순사시(理陰陽順四時)412)하는 재상이 뉘 있으리오. 나는 본디 도사의 무리를 괴로이 여기노라."

성각 왈,

"이러나저러나 도인 곧 아니면 명공의 급화를 면키 가장 어려우니, 생은 도인을 감격함이 살을 헐고 머리털을 베어도 아까운 뜻이 없나이다."

참모 다시 말을 않으나, 성각의 지극한 정성이 정씨를 도인으로 알아, 자기 구함을 각골감은(刻骨感恩)하여 함을 보고, 평생에 성각을 범연(凡然)히 대접할 뜻이 없더라.

도관에서 수삼일을 머물되 소저의 방에 구태여 들어가지 않았더니, 제사일(第四日)에 참모 성각으로 더불어 낙천산상에 올라 건상(乾象)을 보니, 손원수의 주성(主星)이 자리를 정치 못하여 황황하고, 장사진(長沙陣) 살기 이미 송진(宋陣)을 꿰뚫어, 벌써 사졸이 수 없이 죽고 송진

---

412) 이음양순사시(理陰陽順四時) : 음양(陰陽)을 바르게 하고 사계절(四季節)의 흐름을 순조롭게 함.

이 파하여 다시 이를 것이 없으되, 자기 주성은 흑무(黑霧)를 벗어나, 한 없는 광채가 남토(南土)를 밝혔는지라. 성각이 박장(拍掌) 낙희(樂戱) 왈,

"건상(乾象) 성수(星數)를 보아는 손확의 그릇 됨을 보지 않아 알지라. 일로 좇아 명공이 승전입공(勝戰立功)하실 것이로소이다."

참모 빈미(顰眉) 왈,

"어찌 이런 말을 하느뇨? 확이 설사 불인하나 국가 막중대사를 다 확에게 맡겼으니, 삼만 정병과 십원 명장의 사생이 다 확의 장리(掌裏)에 있을 뿐 아니라, 한 싸움에 국가 안위와 만민의 사생이 달렸으니, 저의 패함을 어찌 깃거 하리오. 제 나를 미워하여 짐짓 그 꾀를 내 죄를 얽어 죽이려 하였으나, 나는 저의 수하장(手下將)이라. 옳은 도리로 할진대 순히 그 영을 좇아 죽음이 마땅하되, 도사의 구함을 인하여 사지를 벗어나 이곳에 숨었으나, 승부를 알지 못하니 정히 민박할 즈음이라. 이제 건상성운(乾象星運)을 보아는 우리 진이 반드시 패하였나니, 국가 불행이 그 어떠 하리오. 실로 경악함을 이기지 못하노라. 그대 어찌 이같이 즐겨 하느뇨?"

각이 또한 그리 여겨 다시 말을 않으나, 참모 주성의 광채 조요(照耀)함을 심히 행희(幸喜)하는지라. 참모 이윽히 건상을 앙견(仰見)하다가, 야심 후 성각을 먼저 숙소로 보내고, 완완히 산에서 내려와 소저의 처소로 들어가니, 소저 홍선으로 더불어 촉하에서 고서(古書)를 보다가 일어나 맞는지라. 참모 팔 밀어 동서로 좌한 후, 참모 불쾌한 사색으로 가로되,

"자(子)의 사생존망을 모르다가 기특히 상봉함을 얻으니 가히 영행하나, 생의 마음이 절민한 바 많은지라. 으뜸은 손확 같은 무덕불인자(無德不仁者)가 삼군(三軍)을 통령(統領)하매, 용병(用兵)하는 도리를 모르니, 그 반드시 패망함을 보지 않아 알지라. 버거는413) 우리 형제 집을 떠난 지 삼년이요, 계부(季父) 교지(交趾)에서 미처 환가치 못하여 계시

리니, 대모(大母)를 봉양할 이 없을 뿐 아니라, 봉사지절(奉祀之節)을 아주 폐하여 무고히 조선(祖先) 신위에 사시(四時) 향화(香火)를 끊으니 어찌 슬프지 않으리오. 생이 건상을 앙견하니 결단코 손확이 패군 하였을 듯하니, 내 차마 안연이 있지 못할지라. 명일은 소식을 듣보아 확의 승패간(勝敗間) 본진(本陣)으로 가려 하나니, 자는 부질없이 도관을 지키지 말고, 화가의 가 있으라."

소제 화씨 취함을 종시 기이지 못하여, 자세히 이른 후 참모 육례로 화씨를 취케 할지라. 아직 참모 만사 기황(虁惶)414)하여 함을 보매, 기쁘지 않은 소식을 전하여 자기 행사를 넘나게 여길까 저두묵연(低頭黙然)타가, 날호여 대 왈,

"첩이 구차히 투생(偸生)키를 도모하여 한갓 음양을 변할 뿐 아니라, 행사 남을 듣게 함직 하지 않으니, 첩이 마침내 부도(婦道)에 어긴 죄인으로, 국가 찬적을 푸시나 예사 사람과 같지 못하니, 저 화가는 친족도 아니거늘, 거짓 이름을 지어 그 집 슬하 자서항(子壻行)에 참여하여 후은(厚恩)을 받으니, 차생에 다 갚지 못할 바로되, 여자의 몸으로 매양 남의 식객(食客)이 되어 어찌 괴이치 않으리까?"

참모 자상(仔詳)치 못한 성정으로, 정씨의 취처한 사단(事端)은 몽리(夢裏)에도 생각지 못하고, 그 말이 이 같음을 들되 깨달아 묻지 않고, 답왈,

"화가 식객(食客)이 된들 그 자서항(子壻行)에 참예(參預)할 일이 어이 있으리오. 고진감래(苦盡甘來)라 하니, 자(子)가 사람의 당치 못할 화란을 많이 경력하였으니, 어찌 한 번 길운을 만나지 못하리오. 금년 상원

---

413) 버거 : 버금으로, 둘째로, 다음으로.
414) 기황(虁惶) : 조심하고 두려워 함.

일(上元日)⁴¹⁵⁾에 우리 형제 부부의 명수(命數)를 추점(推占)하니 금년은 액회(厄會) 물 풀어지듯 하고 새로운 복경(福慶)이 일어나리니, 결단코 맹하(孟夏)⁴¹⁶⁾를 당한즉 좋은 소식이 있을까 하나니, 화가 식객인들 얼마 오래리오."

소저 참모의 쓰리처⁴¹⁷⁾ 답함을 듣고, 다시 화씨 취함을 이름이 너무 급한 고로, 오직 참모의 승전을 기다려 하리라 하고, 이에 가로되,

"군자 명일 손원수의 승패를 보려 하시니 만일 승전하였은즉 기쁘려니와 혹자 패한즉 어찌하려 하시나니까?"

참모 왈,

"신자(臣子)가 몸을 국가의 허하매 사사를 돌아보지 못하나니, 손확의 패군함을 벌써 짐작하였나니, 죽기를 그음 하여 적진을 꿰뚫고 들어가 흉적을 베고자 하노라."

소제 옷깃을 여미고 대왈,

"병기는 남자도 어려이 여기나니, 첩이 어찌 간예하며, 첩의 금차 행도는 천만 부득이 함이요, 비록 허탄타 하나, 도인의 가르침이 명명하니, 어찌 태운도인의 지교한 덕이 아니리까?"

참모 탄 왈,

"만사(萬事) 천야(天也)요, 명야(命也)라. 도인의 은혜 적지 않거니와, 또한 생의 명완(命頑)함이라. 북당 편위(偏闈)⁴¹⁸⁾의 상명지탄(喪明之嘆)⁴¹⁹⁾을 슬퍼함이요, 우리 부부 만사여생(萬死餘生)⁴²⁰⁾으로 고원(故

---

415) 상원일(上元日) : 정월대보름날 곧 1월 15일을 달리 이르는 말.
416) 맹하(孟夏) : 초여름. 음력 4월을 달리 이르는 말.
417) 쓰리치다 : 쓸어 모으다. 한데 뭉뚱그리다.
418) 편위(偏闈) : 편자위(偏慈闈). 편모(偏母). 아버지가 죽어 홀로 있는 어머니.
419) 상명지탄(喪明之嘆) : 아들을 잃은 탄식. 옛날 중국의 자하(子夏)가 아들을 잃

園)421)에 갈 날을 정치 못하니, 영웅의 장심(壯心)이나 어찌 애달지 않으리오."

소저 염용(斂容) 탄 왈,

"인생 처세(處世)에 반드시 화복(禍福)이 유수(有數)하고, 궁달(窮達)이 재천(在天)하니, 설설이 슬퍼함이 무익도소이다. 하물며 첩은 규중약질(閨中弱質)로 존당(尊堂)과 친측(親側)을 이슬(離膝)하여, 만리의 망명 유락함이 되니, 비록 저지른 죄 없으나 살인 죄명이 한심하니, 어찌 은사(恩赦) 쉬이 내림을 바라리까? 하물며 명도 기구하여 누천리 원적(遠謫)도 보전치 못하여, 공교히 죽음을 칭하고, 남의 문하객(門下客)이 되어 망측한 거조가 없지 못하니, 더욱 신명의 외오 여김을 얻을까 하나이다."

참모 왈,

"경사에서는 혹자 부인을 해코자 할 이 있을 듯하거니와, 이곳에 따라 이르러 해할 리는 실로 생각지 못하나니, 자는 앎이 있느냐?"

소저 교아의 일을 모르지 않으나, 교아 장사왕에게 개적함을 전함이 괴이함으로, 모르는 체하고, 경사 소식을 묻고, 유아의 생사를 물으니, 참모 탄 왈,

"자위 부인의 찬적함을 과도히 비애(悲哀)하시던 바로, 우리 형제 남·양 이처(二處)에 분찬하니, 여러 세월에 그 참비(慘悲)하심을 듣지 않아 알리니, 다시 전할 말이 없고, 대모 노년에 한 자손도 시봉할 이 없으니, 감지온냉(甘旨溫冷)을 맞출 이 없음을 슬퍼하거늘, 부인이 장사에 찬적한 후 날이 오래지 않아서, 유아를 실리하여 지금 사생존망을 알지

고 슬피 운 끝에 눈이 멀었다는 데서 유래한다.
420) 만사여생(萬死餘生) : 여러 번 죽을 고비를 넘기고 살게 된 목숨.
421) 고원(故園) : 고향.

못하는지라. 오직 저의 작인을 믿는 바나, 어찌 살았음을 믿으리오. 아 등의 명도(命途) 박하여 옥 같은 기린을 처음으로 얻어, 그 작인이 비범 하던 바를 생각하매, 아까움을 이기지 못하나이다."

소저 벌써 아자를 보전치 못하였음을 헤아리고 슬퍼하나, 오히려 분 명한 소식을 몰랐다가 이 말을 들으매, 흉장(胸臟)이 타는 듯하여 방성 통곡(放聲痛哭)고자 하나, 참모의 어지러운 마음을 요동치 않으려 하고, 참절애상(慘切哀傷)한 빛을 감추나, 자연이 쌍안에 추수징파(秋水澄波) 가 요동하니, 참모 재삼 위로하며, 집수 왈,

"우리 부부의 당한 바 액회는 사정(事情)을 이를 겨를이 아니나, 부인 의 남복을 보매 생이 실로 불쾌하여 바삐 복색을 고치게 하고자 하되, 화가에 의지하여 이미 남자로 처신하매, 아직 여복을 개착하기 어려울 까 하노라."

소제 탄 왈,

"첩이 부득이 남복을 변착(變着)하였으나, 어찌 불안 황괴함이 없으리까?"

참모 명일은 군중으로 가려 함으로 부인을 떠남이 결연하되, 그 처실 로 더불어 은애를 베풀 때 아니라, 정을 주리잡고[422] 날호여 일어날 새, 홍선더러 문 왈,

"너의 주모를 해할 이 장사에 있다 하니 뉘라 하더뇨? 네 거의 알리로다."

선이 교아의 일을 모르지 않는지라. 어찌 은휘하리오. 이에 고하되,

"소(小) 유씨 반드시 개적하여 장사 왕비 되었는가 싶으오니, 경사에 서 미워하던 한을 풀지 못하여 지금 부인을 해코자 함이니이다."

참모 청파의 분연 통해함을 이기지 못하여, 또 문왈,

---

422) 주리잡다 : 줄여 잡다. 줄잡다. 다잡다. 들뜨거나 어지러운 마음을 가라앉혀 바로잡다.

"유녀 개적하여 장사왕에게 옴을 네 어찌 아느뇨?"

선이 대왈,

"소비 어찌 자세히 알리까마는, 그 때 궁녀를 잡아 물으매 대답이 여차여차 하고, 그 형용을 옮겨 이르는 바, 분명이 유씨인가 싶더이다."

참모 부인을 돌아보아 왈,

"자는 어찌 이 말을 이르지 않으시뇨?"

정씨 대왈,

"사람이 친히 보지 못한 바로 중대한 말을 함이 괴이하여, 군자께 전치 못하이다."

생이 도리어 웃으며 왈,

"나의 상법(相法)이 결단하여 그르지 않을 것이니, 발부(潑婦) 어찌 와석종신(臥席終身)423)할 상격이리오. 장사 왕비 요술 재주 괴이타 하더니, 이 반드시 유녀 내 칼에 죽고자 함이로다."

드디어 숙소에 돌아와 편히 자니, 정씨는 홍선의 경설(輕說)함을 책하더라.

명일 임성각을 데리고 영선강을 건너 진중으로 가려 할 새, 소저를 대하여 한가지로 물을 건너감을 이르니, 소저 이르기를,

"용수암에 가 아직 남씨와 한가지로 있을 것이니, 군자는 먼저 행하소서"

참모 왈,

"화가에 이미 있던 바니 어찌 새로이 있을 곳을 정하시느뇨?"

소제 왈,

"용수암이라 하는 암자에 경조정사(京兆正使) 남순의 여자 머물고 있나니, 첩이 남씨를 사귀어 지극한 정이 있는 고로, 도인이 이르기를, 일

---

423) 와석종신(臥席終身) : 제명을 다하고 편안히 자리에 누워서 죽음.

삭 후면 그 외구(外舅) 강공이 남경 태수로 갈 적 데려 가리라 하였으니, 도인의 말이 다 맞는지라, 첩이 남씨와 한가지로 있다가 떠나려 하나이다."

참모 소왈,

"원내 자의 다사함이 남 다르도다. 저의 용화기질이 어떠하뇨?"

정씨 왈,

"남씨는 세상의 드문 여자니이다."

참모 소왈,

"연즉 남공이 돌아오거든 생이 특별이 삼취를 구하리라."

소제 자기 뜻과 같음을 행열(幸悅)하나, 천성이 침묵함으로 다시 말을 않고, 홍선으로 먼저 도관을 떠나 용수암에 나아가니, 남씨 반기고 깃거함이 비길 대 없더라.

윤참모 임성각으로 더불어 영선강을 건너 십여 리를 행하더니, 높은 언덕에 올라 보매, 벌써 진이 패하고 피난(避亂)하는 유(類), 서로 울며 왈,

"참모 윤광천은 장사왕과 무슨 원수관데, 그대도록 못 찾아 방방곡곡이 다 뒤여, 깊은 바위틈과 험준한 뫼 사이를 아니 보는 데 없으니, 우리가 윤참모 찾는 난군(亂軍)에게 이같이 상하니, 윤가는 어디로 간고? 알면 잡아 바치고 해나 면할로라."

참모 그 형상을 보고 차악비절(嗟愕悲絶)하여, 즉시 말에 내려 왈,

"내 과연 참모 윤광천이니, 여등(汝等)이 잡아 장사왕에게 드리고 급화를 면하라."

제민(諸民)이 참모를 보매, 용모기상(容貌氣像)이 만고에 희한하여, 천일(天日)이 외외(巍巍)하고 태산(泰山)이 암암(巖巖)하여, 비록 금수지심(禽獸之心)이나 어찌 해할 뜻이 있으리오. 일시에 꿇어 왈,

"장군이 이다지도 기특하심을 모르고, 장사왕의 구색(求索)이 날로 심

하여, 제민(齊民)424)이 살 길이 없어 아까 우연히 한 말이라. 장군을 뵈매 태산의 의지를 얻은 듯, 거의 태평일월(太平日月)을 볼까 하나니, 어찌 해할 뜻이 있으리오. 장군이 소민 등을 믿지 않으실진대, 면전에서 자문이사(自刎而死)하여 장군의 의심을 풀게 하리이다."

참모 제인의 이 같음을 보고, 더욱 추연(惆然) 왈,

"내 머리를 베어 주어 여등이 해를 면할진대 어찌 아끼리오마는, 장사왕의 마음이 점점 방자하여 제민(齊民)을 탕화(湯火)에 넣을 뿐 아니라, 적심(賊心)을 고칠 길이 없으므로, 무익히 머리를 주지 못하나, 나로 인하여 제민의 굿김을 더욱 참연(慘然)하노라. 너희가 나를 따라온즉, 비록 태평을 즉시 보지 못하나 죽든 않으리라."

피난민(避難民)이 대열(大悅)하여 고두칭선(叩頭稱善)하고, 일시에 참모를 따르거늘, 참모, 임성각 더러 왈,

"우리가 채책(砦柵)을 이룸은 어려우니, 먼저 관액(關阨)을 취하리라."

성각 왈,

"여기서 삼십리만 가면 운봉관이 있고 월산성이 있으니, 빼앗음이 옳을까 하나이다."

참모 소왈,

"연(然)타."

하고, 나아가 성 치기를 급히 하더라.

---

424) 제민(齊民) : 일반 백성.

명주보월빙 권지육십오

어시에 윤참모 나아가 성 치기를 급히 하니, 수관장(守關將)이 나와 맞아 싸워 수합(數合)에 임성각에게 베인바 된지라. 제장 군졸이 참모의 신위(神威)와 용맹을 당치 못하여 다 항복하니, 참모 성언현어(聖言賢語)로 위로하고, 관(關)으로 들어가 안민(安民)하고 사졸을 거느려 월산성을 빼았으려 하니, 산성(山城) 수장(守將)이 윤참모 운봉관 취함을 듣고 문을 열어 항(降)하거늘, 참모 성에 들어가 안민하고, 장운이 일백 군을 거느려 남영관에 있음을 알고 글월을 부쳐 돌아옴을 청하니, 장원수 윤참모의 글을 보고 인하여 군을 거느려 운봉관에 이르니, 참모 계(階)에 내려 맞아, 당에 올라 한훤(寒暄)을 마치매, 손원수의 존망을 물으니, 장원수 답왈,

"나도 들으니 손원수 적군에게 잡히다 하더이다."

참모 탄 왈,

"내 천문을 보니 원수의 주성(主星)이 자리를 정치 못하여 황황(遑遑)하나 죽든 아니 한가 하나이다."

장운 왈,

"장군의 말씀이 정론이라. 저로 인하여 인명이 무수히 상함을 한하노라."

참모 왈,

"승패는 병가(兵家)의 상사(常事)로되, 천조 위엄을 소방(小邦)에 손(損)함을 한하나니, 장군은 회수(淮水)를 건너 장사 궁중이 허(虛)함을 타, 불 지르고 백화성을 취함이 어떠하뇨?"

장원수 왈,

"장군의 신출귀몰(神出鬼沒)한 재주와 지혜를 어찌 좇지 않으리오."

하고, 가니라.

참모 관문을 열어 피난하는 백성을 들여 안무(按撫)하고 적세(敵勢)를 탐청하더라.

어시에 장사 왕비 유교아 윤참모를 찾아 죽이려 발분망식(發憤忘食)하기에 이르니, 영신 등이 교아의 소행을 알지 못하고, 다만 윤광천의 달아남이 심상치 않음을 근심하여 심방(尋訪)함을 엄히 하더니, 문득 참모 구색하던 사람이 다 돌아와, 고하여 가로되,

"윤광천이 임성각이란 장사를 데리고 운봉관 월산성을 탈취하니, 월산 수장은 자항(自降)하고 운봉 수장은 죽이다 하나이다."

교아 대경하여, 왕을 혼동 왈,

"손확의 삼만 정병과 십원 제장 파키는 여반장(如反掌)이거니와, 윤광천 잡기는 대해(大海)의 비룡(飛龍) 같으니, 첩이 대국에 있을 적 잠깐 들으니, 광천의 재주 만인 중 뛰어나다 하던 바니, 차인을 범연이 대적한즉 패하기 쉬우리니, 대왕은 영장군과 수만 병을 거느려 운봉으로 나아가시거든, 첩이 후응이 되어 승전케 하리이다."

왕이 소왈,

"현비 수고로이 오지 않아도 과인이 영신을 데리고 가면, 광천이 감히 당치 못하리라."

교아 왈,

"대왕이 오히려 광천의 비상함을 모르시나, 광천은 인중룡(人中龍)이요, 금중봉황(禽中鳳凰)이라. 위로 천문(天文)을 통하고 아래로 지리(地理)를 알아, 운주유악지중(運籌帷幄之中)425)에 결승천리지외(決勝千里之外)426)하는 재주가 당세 일인이라. 많은 군병을 거느려 싸워도 능히 이길까 싶지 아니하나이다."

왕 왈,

"현비 어찌 광천의 재주만 너무 기리느뇨? 항우(項羽)427)의 용력으로도 천명을 얻지 못한 후는 오강(烏江)428)에 자문(自刎)하였나니, 광천이 하등지인(何等之人)이관데 아국을 당하리오."

교아 왈,

"첩이 대국에 있을 때 그 재주를 익히 아나니, 대왕은 첩이 종군하여 교전하려 함을 막지 마소서."

왕 왈,

"만일 그러하면 어찌 막으리오. 우명일(又明日) 행군하려 하니, 현비도 바삐 의갑(衣甲)을 차리라."

교아 대열하여 갑주를 갖추더라.

---

425) 운주유악지중(運籌帷幄之中) : 장막(帳幕) 안에서 주판을 놓듯이 이리저리 궁리하고 계획함.
426) 결승천리지외(決勝千里之外) : 교묘한 꾀를 써서 천리 밖의 먼 곳에서 일어나는 싸움의 승리를 결정함.
427) 항우(項羽) : B.C.232~202. 중국 진(秦)나라 말기의 무장. 이름은 적(籍). 우는 자(字)이다. 숙부 항량(項梁)과 함께 군사를 일으켜 유방(劉邦)과 협력하여 진나라를 멸망시키고 스스로 서초(西楚)의 패왕(霸王)이 되었다. 그 후 유방과 패권을 다투다가 해하(垓下) 오강(烏江)에서 포위되어 자살하였다.
428) 오강(烏江) : 중국 양자강(揚子江)의 지류(支流). 귀주고원(貴州高原)에서 시작하여 중경(重慶) 동쪽을 거쳐 양자강으로 흘러든다. 항우가 이 강에서 자결하였다.

윤참모 운봉관에서 군민을 안무하더니, 홀연 한 점괘를 얻으니 장사 왕이 수일내(數日內)에 와 싸워, 자기 입공(立功)이 반듯할 줄 헤아리고, 대희하여 문굉으로 월산성을 지키게 하고, 성각으로 더불어 급히 운봉으로 오니, 참모 왈,

"갑자일(甲子日)이 우리게 길한 날이니, 갑자일을 기다려 싸우면 반드시 전승(全勝)함을 얻으리라."

성각이 소왈,

"문굉의 말을 들으니, 왕비의 변화가 불측(不測)하여 풍우를 부르고, 공중에 자행(自行)하여 적장(敵將)의 머리 베기를 낭중취물(囊中取物)같이 한다 하니, 장군은 그 요술을 방비하소서."

참모 소왈,

"군자의 곳에는 요괴로운 일이 없느니, 장사 왕비 비록 요술이 있으나 염려할 바 아니라. 군은 두려워 말라."

성각이 역소하더라.

참모 사졸을 명하여 종일 풀을 베어 초인(草人)을 만들 새, 갑옷을 입혀 날이 어둡기를 기다려, 사졸로 하여금 이를 들려 계령산으로 올라가니, 원래 계령산은 운봉관의 뒤요, 회수(淮水)[429] 앞이라. 층암절벽(層巖絶壁)이 험준하여 사람이 오르기 어려우나, 참모 기구산로(崎嶇山路)를 평지같이 왕래하여, 초인을 나무 칼과 방패를 손에 들려 산상에 세우고, 기치(旗幟)를 정히 베풀어 완연이 대병을 둔취(屯聚)한 듯이 하였더라.

성각이 소왈,

---

429) 회수(淮水) : 중국 화중(華中) 지방을 흐르는 강. 하남성(河南省) 남쪽 끝 동백산(桐柏山)에서 시작하여 강소성(江蘇省)의 홍택호(洪澤湖)를 지나 대운하(大運河)로 흘러든다. 길이는 1,100km.

"적군이 명공의 얼굴을 알 리 없거니와, 초장을 본즉 의심 없이 명공으로 알소이다."

참모 소왈,

"적진에서 알 리 없으나 왕비가 알 것이니, 초장(草將)을 제일봉에 앉혀 두면, 적군이 분명이 나로 알아 산상으로 오르리라."

성각이 장사 왕비가 참모의 얼굴을 아는 곡절을 물은데, 참모 왈,

"묻지 말고, 초인을 세우고 야심 후 관에 들어와, 장원수로 계교를 가르쳐 여차여차 하라."

하고, 또 손원수를 구하라 하니, 장운이 점두(點頭) 응낙하고, 회수를 건너 깊은 산곡간에 숨어, 장사왕의 운봉관 향하기를 기다리더라.

참모 장원수를 보내고 임성각 더러 왈,

"만성 수장 형합이 호위장 형급의 아우라. 그대 만창에 가 형합을 보고 여차여차 다래여, 형급의 마음을 변케 하라."

성각 왈,

"만창이 예서 백여 리(里)라. 빨리 행하리이다."

하고, 옥설마(玉雪馬)를 채쳐 가니, 날이 오히려 밝지 않았더라. 성각이 관문 밖에서 소리를 높혀 왈,

"장군의 높은 덕을 듣고 불원천리(不遠千里)하고 왔노라."

하니, 합이 듣고 즉시 청하여 서로 보고 예할 새, 성각의 상모 준수하고 풍채 헌앙함을 보고, 물어 왈,

"족하(足下)가 나로 더불어 일면지분(一面之分)이 없는지라. 하고(何故)로 서로 찾느뇨?"

성각이 합의 곁에 사람이 없음을 보고, 문득 나아앉아 왈,

"생이 장군을 찾음은 다른 일이 아니라, 부디 물을 일이 있으니, 아지 못게라! 장군의 조선(祖先)이 어느 나라 사람이뇨?"

합이 변색 왈,

"내 일찍 군으로 사귄 일이 없고, 성명도 통치 않아서, 어느 나라 사람임을 물음은 어찌오?"

성각이 웃으며 왈,

"장군이 임성각을 모르시나냐? 장군의 존성대명을 이르지 않았으나, 내 이미 밝히 알아 그 덕화를 흠앙하여 부러 와 봄이라. 괴이히 여기지 말고, 형가(兄家) 조선이 어느 나라 사람인가 빨리 이르라."

합이 성각의 언사와 거동이 출류(出類)함을 아름다이 여겨, 또한 웃고, 왈,

"다만 우리 조선은 송나라 신자(臣子)로서 선인이 연왕의 사부(師父)시니, 우리 형제 장사왕을 좇아 소국에 와 삶이라. 족해(足下) 물음은 어찌오?"

성각 왈,

"연선대인(슈先大人)이 연왕 사부시면 연왕을 간하시던 도리 어떠하시더뇨?"

합 왈,

"선인 덕화는 한갓 번국(藩國)에 유명할 뿐 아니라, 천조에 모를 이 없으니, 군이 듣지 못하였느냐?"

성각 왈,

"나는 듣지 못하였으니, 영선인(슈先人)이 연왕을 인도하시던 바를 이르라."

합 왈,

"선인이 연왕 섬기시미 예 아니면 행치 않고, 덕이 아니면 쓰지 못하시던 바라. 이러므로 연왕이 황친류에 으뜸이시더니라.

성각이 소왈,

"장사왕이 연왕과 어떠하뇨?"

합이 머리를 흔들어 왈,

"연왕은 충현지인(忠賢之人)이요, 초왕과 장사왕은 불량지인(不良之人)이라. 어찌 연왕에 비하리오."

성각 왈,

"초왕의 패망함이 군의 마음에 어떻다 생각하느냐?"

합 왈,

"정의(情誼)를 이를진대 어찌 범연하리요마는, 자기 죄로 망하니, 현마 어찌하리오."

성각 왈,

"장사왕이 초왕과 같이 망하면 장군의 마음이 어떠하랴?."

합이 변색 왈,

"국군(國君)이 초왕 같이 망할 리 없으니, 군이 어찌 이 말을 하뇨?"

성각이 소왈,

"장군이 도지기일(徒知其一)이오 미지기이(未知其二)430)로다. 지금 장사왕이 패망할 기틀을 짓지 아니하나냐?"

합 왈,

"초왕은 초에 부질없이 충현을 해함이 그르고, 위사(衛士) 나명(拿命)을 전하되 응치 않음이 옳지 아니커늘, 또 재략과 용맹이 부족하여 하원광에게 죽은 바 되니, 그 애달음이 어찌 비할 곳이 있으리오. 이제 장사왕은 병혁(兵革)을 일으킴이 구태여 천조를 반코자 함이 아니요, 지방을 넓혀 위엄을 빛내고자 함이거늘, 천조(天朝)가 부질없이 손확 같은 용렬한 장수를 보내어 패망을 취하니 어찌 우습지 않으리오."

---

430) 도지기일(徒知其一) 미지기이(未知其二) : 다만 하나만 알고 둘은 모른다.

각이 탄 왈,

"장군의 말을 들으니 불승한심(不勝寒心)하나니, 군의 식견이 어찌 이렇듯 무거(無據)하뇨? 석자에 영선인이 연왕을 도와 덕화를 빛내고, 연군을 불의의 빠지지 아니케 함이, 영선대인의 어질게 인도함이라. 장군의 형제 장사왕을 어질게 섬김이 옳거늘, 불충불의를 도와 대국지계를 탈취하고, 왕비는 요정(妖精)이거늘 왕이 어리고 미혹하여 그 간사함을 모르고, 군등이 또한 깨닫지 못하여 인의(仁義)로 간하는 일이 없으니, 장사국이 얼마하여 망하리오. 차석하는 바는 군의 형제라. 근본이 대국 신자(臣子)로 외국에 와 동심하여 천조를 범하니, 그 죄역이 한 번 베임을 면치 못할지라. 금수(禽獸)[431]도 택목(擇木)[432]하거든, 군의 형제는 저 금수만도 못하여 흉적을 섬기고자 하니, 어찌 우습지 않으리오. 내 과연 윤참모의 심복이라. 이제 장군을 간사한 말로 달램이 아니라, 윤참모의 재주 출류(出類)하여 필마단창(匹馬單槍)[433]으로 운봉관을 취하여, 영흠을 죽이고 군사 만여 명을 얻으매 뉘 감히 대적하리오. 하물며 장군은 천조 대신의 자손으로 한 번 길을 그릇 들어, 불인지국(不仁之國)에 와 참혹히 죽을 바를 아껴, 나로써 이해로 달램이니 장군은 익히 생각하라."

합이 발연(勃然) 대로(大怒) 질왈(叱曰),

"네 간사한 말로 내 마음을 변코자 함이니, 내 어찌 곧이들으리오."

하고, 칼을 빼어 지르려 하니, 성각이 안색을 불변하고 냉소 왈,

"장군이 무식한 무부나 천리(天理)를 모름이 이다지도 하뇨? 모름지

---

431) 금수(禽獸) : 날짐승. 조류(鳥類).
432) 택목(擇木) : 새 따위가 나무를 가려 둥지를 틂.
433) 필마단창(匹馬單槍) : 한 필의 말과 한 자루의 창이란 뜻으로, 혼자 간단한 무장을 하고 한 필의 말을 타고 감을 이르는 말. 또는 그렇게 하는 사람.

기 그대 비서(秘書)를 보지 못하였느냐?"

합이 비서(秘書)라 말을 듣고 괴이히 여겨, 문 왈,

"비서는 무엇을 이름인가?"

"장사국 해주 바위 밑에서 한 중이 비서를 얻으니. 다른 말이 아니라 장사국왕이 망할 바를 기록하였으니, 그대는 들어보라."

하고, 윤참모의 지교(指敎) 대로 이르니, 합이 머리를 숙여 말을 않거늘, 성각이 웃으며 왈,

"장군이 비록 장사왕께 진충(盡忠)코자 하나, 왕이 장군을 의심하여 급히 죽일까 하노라."

합 왈,

"그 엇진 말이뇨?"

성각 왈,

"왕이 곳곳이 기찰(譏察)을 두어 우리 군의 왕래를 통치 못하게 하였다 하니, 내 이리 올 제 규찰군(窺察軍)을 만났던지라. 장사왕이 이 말을 들으면 장군을 의심하여 죽이고자 않으리오? 하물며 영백(슈伯)으로 대장을 삼을 것이로되, 근본이 천조(天朝) 사람일 뿐 아니라, 영백의 내권(內眷)이 남주에 있음을 의심하여, 마침내 가신(可信)하는 일이 없다 하니, 이 일을 내 문꾕에게 자세히 들었노라."

합의 형제 용맹과 재주 영신의 아래 아니나, 왕이 영신을 대장을 삼고 형급은 호위장을 삼으니, 합이 그윽이 불쾌한 뜻이 있던 바라. 하물며 문꾕은 월산 주장(主將)으로 영신의 표종제(表從弟)니 장사왕의 일을 밝히 알 듯함으로, 저희를 의심하여 대장 삼지 않음을 분앙(憤怏)하여, 낮을 붉혀 왈,

"군이 왕의 일을 어찌 자세히 아느뇨?"

성각이 소왈,

"자연 들은 바니 어찌 모르리오. 나는 수고로이 야행(夜行)하여 그대를 위하여 구코자 하더니, 그대 내 말을 초개(草芥)같이 여기니, 내 어찌 오래 머물리오."

언필에 일어나 가려 하니, 합이 그 거동이 쇄락함을 보고 그릇함을 사죄하고, 마음이 변하여 바삐 그 형에게 글을 부쳐 반함을 꾀하니, 형급이 합을 사랑함이 남다른 우애(友愛)라. 어찌 듣지 않으리오. 즉시 좇으니, 성각이 하직하고 본진에 돌아와 자세히 고하니라.

장사왕이 대군을 거느려 회수를 건너려 하는지라. 참모 성각을 돌아보아 왈,

"그대는 일백 군을 거느려 관문(關門)을 굳게 닫고 나의 돌아옴을 기다리라."

하고, 급히 말에 올라 백여 기(騎)를 거느려 취령산으로 가니라.

장사왕이 영신 등 제장을 거느려 회수를 건너, 취령산 앞에 와 군사를 쉬더니, 운수산 좌우 전면에 함성이 대진하거늘, 왕이 교아로 더불어 음주하다가, 고성을 듣고 대경하여 관에 나가 살펴보니 아무도 없는지라. 이렇게 하기를 사오차를 하니, 왕과 교아 놀라 의혹하여, 교아 요술을 행하여 몸을 솟구쳐 공중에서 자세히 살피니, 이 때 벌써 효신(曉晨)이 되었더라. 교아 왈,

"이 분명 귀신의 조화이니 두려워할 것이 없는지라. 잠깐 쉴 것이라."

하고, 자리에 나가 자고, 사졸도 곤핍하여 잠이 깊었더라.

참모 운수산에 숨었더니, 적군이 잠든 때를 타 영선관 뒤해 불을 놓고 도로 운수산에 숨으니, 장사왕이 잠결에 이 변을 만났는지라. 아무런 줄 모르고 급히 말에 올라 관문을 내달아 보니, 군사의 죽은 재 그 수를 알지 못할러라.

교아 불과 포성을 의심하여, 참모의 비상한 재주를 익히 아는 고로, 당치 못하는 즈음에 남평백이 따라 도움을 듣고 계령산으로 달리더니, 참모 벌써 계산의 웅거하였음을 보고 운봉관을 취하러 나아가니, 성각이 굳게 지키고 나지 않으니, 왕이 할일 없어 계령산으로 가고자 하거늘, 영신 왈,

"사졸이 피곤하여 행키 어려울까 하나이다."

왕이 성도가 급할 뿐 아니라, 교아가 윤참모의 계산에 있음을 듣고 미운 듯, 반가운 듯, 참모의 천일지표(天日之表)와 용봉지자(龍鳳之姿)가 매양 안중(眼中)의 삼삼하며, 보고 싶은 마음도 있으되, 저의 소행을 참모 안즉, 누설하여 왕에게도 용납지 못할지라. 차라리 참모를 급히 죽여 걸린 염려를 없애고자 하여, 왕을 혼동 왈,

"군사 비록 피곤하였으나, 어찌 편할 때같이 하리오. 원 대왕은 사졸을 재촉하여 빨리 계산으로 나아가 윤광천을 베게 하소서."

왕이 교아의 말인즉 다 기특히 여기는 고로, 군사를 거느려 계산으로 성화(星火)같이 올라갈 새, 산로(山路) 험악하여 발붙이기 어렵되, 왕으로 더불어 수만 군졸이 올라가나, 초장(草將) 초병(草兵)이 어찌 움직일 리 있으리오. 박힌 듯이 서서 조금도 요동치 않으니, 왕의 군신(君臣)이 의심하더니, 교아 가까이 가 윤참모라 하는 초장을 바라보니, 비록 얼핏 같은 곳이 많으나 어찌 평생 생각던 윤태우의 출류(出類)한 풍광을 모르리오. 분명이 아님을 깨달아 칼을 들고 나아가 한 번 소리하고 베매, 초인의 머리 땅에 떨어지거늘, 교아 급히 왕더러 왈,

"좌우 군이 다 사람이 아니요, 초인(草人)이라. 광천이 짐짓 우리로 하여금 이 산의 오르게 함이니, 우리 그릇 꾀에 빠졌으니 빨리 내려가사이다.

왕 왈

"과인이 초에 사졸을 거느려 이 뫼에 잠깐 쉬고자 하더니, 좌우 군사가 실로 초인일진대 더욱 근심 없으니, 차야를 머물러 쉬고 명일 운봉관을 치리라."

하니, 형급이 본디 패망함을 죄오는지라. 문득 고 왈,

"이 뫼가 앞으로 회수를 당하여 본국으로 돌아가기 쉽고, 산곡이 그윽하여 군병을 머무름직 하니, 윤광천이 짐짓 초장을 버려 우리 군사를 올라오지 못하게 함이니, 그 뜻을 맞혀 이 산을 버리고 어찌 다른 데로 가리오. 아직 이곳의 둔취(屯聚)함이 옳을까 하나이다."

왕이 형급의 말을 옳이 여겨 영신더러 왈,

"형장군의 말이 옳으니 장군의 뜻이 어떠하뇨?"

영신이 또 험준한 산곡을 내려가기가 싫어, 어렴풋이 대왈,

"형공의 말도 그르지 아니하니 아무려나 금야란 이곳에서 지내고, 명일 송진 소식을 탐청하여, 형장군 말과 같거든 인하여 이곳의 머물러, 사세를 보아 승부를 결하시어이다."

왕이 내려갈 의사를 않고 산중에서 사졸을 쉬일 새, 교아는 불쾌히 여기되, 윤참모의 계교 아무란 줄 모르고, 계산을 떠나기를 욱이지 못하더라.

윤참모 적군이 계산의 오름을 듣고 빨리 돌아오니, 성각이 성문을 여러 참모를 맞아 갔던 곳을 물으니, 참모 왈,

"나의 갔던 곳은 영선관 뒤해 취령산이라. 여차여차 적군을 요동하고 영선관을 불 질러 없이 하였으니, 장사왕이 계궁역진(計窮力盡)[434]하여 계령산으로 갔는지라. 이 때를 가히 어기오지 못하리니, 관을 잠깐 비우고, 그대와 한가지로 계령산으로 가리라."

---

434) 계궁녁진(計窮力盡) : 꾀가 다하고 힘을 모두 써 버렸다는 뜻으로, 더 이상 어찌할 도리가 없게 됨을 이르는 말.

하고, 군을 쉬워 계산으로 올라가니, 장사왕 군신이 뫼를 의지하여 잠
이 깊었더니, 송군이 짓쳐들어옴을 잠결에 듣고 놀라, 급히 일어나 군사
미처 창검을 찾지 못하고 말에 안장(鞍裝)을 짓지 못하였는지라. 겨우
정신을 차려 송군을 대적할 새, 참모 임성각으로 더불어 높은 뫼에 올
라, 여성(厲聲) 왈,

"역천무도한 장사왕은 말에 내려 항(降)하라."

하는 소리 천지진동하며 전후좌우로 짓치니, 적군이 미처 손을 놀리
지 못하고, 왕과 영신이 계교의 빠진 줄 분완하여, 모다 형급의 탓을 삼
는지라. 급히 발연(勃然) 노색으로 창을 들어 동류를 무수히 죽이고, 고
성 왈,

"장사왕이 불인무도(不仁無道)하여 천조를 반하여 병혁을 일으켜 백
성을 살해하니, 그 망함이 조석의 있는지라. 내 어찌 번국(藩國) 역신
(逆臣)을 도와 멸망키를 자취(自取)하리오."

하고, 장사군을 짓치니, 참모 칼을 들어 영신을 참하니, 왕이 좌충우
돌 하여 싼 것을 벗어나지 못하매, 창황망극(惝怳罔極)하여 교아를 붙들
고, 통곡 왈,

"현비 어찌 이런 때에 재주를 쓰지 아니하느뇨?"

교아 멀리 서서 윤참모의 비상한 용력과 특이한 재주를 보니, 감히 겨
룸435) 의사를 못하고 그 풍광을 새로이 탐혹하여, 그 제삼 부빈(副嬪)
을 자구(自求)하였다가 종시 부부지락을 모르고, 장사왕에게 개적하매
도리어 참모에 대한 미움이 구수(仇讐) 같아서 바삐 죽이고자 하다가,
오늘날 다시 보매 어린 듯, 취한 듯, 반가움을 이기지 못하여, 요술도
감히 행치 못하고 가만히 혜오대,

---

435) 겨루다 : 서로 버티어 승부를 다투다.

"광천은 철석지심(鐵石之心)이니 나의 근본을 알수록 죽이고자 할 뿐이요, 종시 부부지락을 유념(留念)할 위인이 아니라. 나의 형세 아무리 하여도 장사왕은 버리지 못하리니, 죽기를 그음하여 왕을 구하여 돌아갈 것이라."

하고, 정신을 정하여 입으로 진언(眞言)을 염하며 요술을 행하니, 경각에 운무사색(雲霧四塞)하며 비린 바람이 일어나, 비사주석(飛沙走石)436)하거늘, 참모 금선(錦扇)을 들어 운무를 쓰리치니437), 교아 착급하여 정신 흐리는 법을 쓰니, 과연 아니꼬운 냄새 송진에 쏘이고, 누린438) 기운이 송군의 머리를 땅기는 듯 아프게 하니, 참모 기를 둘러 누린 기운을 쓰리치니, 군졸이 정신을 차리는지라. 참모 봉안을 기울여 교아를 보니, 비록 전복(戰服)을 갖추었으나 공교히 고움과 미우(眉宇)에 살기등등하니, 어찌 몰라보리오. 온 가지로 요술을 부려 자기와 겨루려 함을 더욱 분해하여, 먼저 왕을 베려 급히 취하니, 교아 왕이 살지 못할 줄 알고, 혹자 참모의 돌아봄을 얻을까, 담을 크게 하고 내달아 참모를 향하여 절하고, 왈,

"명공이 첩을 아시나냐?"

참모 교아의 성음을 들으매 노기 철천하고 통해함이 극하여, 진목 질왈(叱曰),

"배부난륜(背夫亂倫)한 발부(潑婦) 어찌 감히 군자 면전에 무슨 요악한 말을 하려 하느뇨?"

---

436) 비사주석(飛沙走石) : 양사주석(揚沙走石). 모래가 날리고 돌멩이가 구른다는 뜻으로, 바람이 세차게 부는 것을 이르는 말.
437) 쓰리치다 : 쓸어버리다. 뿌리치다.
438) 누린 : 누린내. 짐승의 고기에서 나는 기름기의 냄새. 또는 동물의 고기나 털 따위의 단백질이 타는 냄새.

교아 웃고, 사죄 왈,

"내 죄를 공이 이르지 않으나 모르리오. 연이나 석에 진승상부인(陳丞相夫人)439)이 다섯 번 개가(改嫁)하되 진평(陳平)의 후대함을 받으니, 내 비록 절행이 더러운 계집이 되었으나 일찍 공을 해한 일은 없으니, 군이 만일 화홍관자(和弘寬慈)할진대 구태여 첩을 이같이 않음직 하니, 부부는 오륜중사(五倫重事)요, 남녀 정욕은 한가지거늘, 공이 나 같은 절색가인(絶色佳人)을 무고히 박대하여, 일호(一毫) 부부의 정의 없으니, 내 비록 일 여자나 뜻인즉 백만중(百萬衆)을 호령하는 공후장상(公侯將相)의 마음이 있으니, 어찌 녹녹히 일도를 지켜 청춘을 고요히 지내리오. 사세 부득이 장사왕을 좇은 바나, 천하는 일인의 천하 아니요, 당당이 천명이 돌아가는 자가 천하 임자 되나니, 진종(眞宗)440)이 성명지주(聖明之主) 아닌 고로 왕을 권하여 병혁을 일으키나, 왕도 또한 부유사해(富有四海) 하고 귀위천자(貴爲天子) 할 상모 아니라. 첩의 뜻이 미진하더니, 금일 새로이 군을 보니 천일지표(天日之表)와 용봉지재(龍鳳之材)441)가 진정 제왕의 기상이라. 전일에도 명공이 대귀(大貴)할 줄 알던 바요, 이제 공교히 때를 얻었으니 공은 소소한 충절을 거리끼지 말고 큰 일을 도모코자 할진대, 첩이 즉각에 왕의 머리를 벨 것이니, 명공은

---

439) 진승상부인(陳丞相夫人) : 중국 전한(前漢) 혜제(惠帝) 때의 좌승상(左丞相) 진평(陳平)의 아내 장씨(張氏). 그녀는 부잣집 딸이었으나 박복하여 다섯 번이나 시집을 갔지만, 그때마다 남편이 갑자기 죽어 아무도 그녀에게 장가들려 하지 않았다. 당시 가난한 총각이었던 진평이 그녀를 아내로 맞아, 부(富)를 얻고 출세하여 벼슬이 승상에 이르렀다.

440) 진종(眞宗) : 중국 송(宋)나라의 제3대 황제(698-1022). 이름은 조항(趙恒). 태종의 셋째 아들로, 1004년 요나라가 쳐들어왔을 때에 직접 싸웠으나 굴욕적인 '전주(澶洲)의 맹(盟)'을 맺고 화의하였다. 재위 기간은 997~1022년이다.

441) 용봉지재(龍鳳之材) : 용(龍)과 봉(鳳) 곧 임금의 재목(材木).

백성을 안무하고 사졸(士卒)을 모아 장사국을 앗아 천위(天位)를 정한 후, 군신의 조하(朝賀)를 받고, 버거 대군을 거느려 황성으로 쳐들어가면, 천하 인민이 단사호장(簞食壺漿)442)으로 맞으리니, 첩이 비록 암용(暗庸)하나, 또한 공의 일비지력(一臂之力)443)을 도와 통일천하하는 즐거움을 이룰지라. 원컨대 공은 첩의 적은 허물을 잊고 대사를 이룸이 어떠 하뇨?"

언필의 천교만태(千嬌萬態)를 지어 참모를 농락고자 하는지라. 참모 어이없어 분기(憤氣) 백장(百丈)이나 높아 경각에 육장(肉醬)을 만들고자 하니, 어찌 그 말을 대답하리오.

이에 왕을 꾸짖어 왈,

"네 아무리 반국적신(叛國賊臣)인들 두 눈이 있으리니, 어찌 매달(妹妲)444) 여무(呂武)445)에 세 번 더한 계집을 봉하여 왕비를 삼고, 또 진중(陣中)에 데리고 다니니 어찌 망(亡)치 않으리오."

왕이 교아의 소행을 처음으로 들으매, 경심골해(驚心骨駭) 하고 치신무지(置身無地) 하여 앙천(仰天) 탄 왈,

"천장수세(千丈水勢)는 알아도 삼척인심(三尺人心)은 모른다446) 함이

---

442) 단사호장(簞食壺漿) : ①대나무로 만든 밥그릇에 담은 밥과 병에 넣은 마실 것이라는 뜻으로, 넉넉하지 못한 사람의 거친 음식을 이르는 말. ②백성이 군대를 환영하기 위하여 갖춘 음식.

443) 일비지력(一臂之力) : 한 팔의 힘이라는 뜻으로, 남을 도와주는 작은 힘을 이르는 말. ≒일편지력(一鞭之力).

444) 매달(妹妲) : 중국의 대표적인 악녀(惡女)인 하(夏)나라 걸(桀)의 비(妃)인 매희(妹喜)와 주(周)나라 주(紂)의 비(妃) 달기(妲己)를 함께 이르는 말.

445) 여무(呂武) : 중국의 대표적인 여성권력자인 한(漢)나라 고조(高祖)의 황후 여후(呂后) 여치(呂雉?-BC108)와 당(唐)나라 고종의 황후 측천무후(則天武后) 무조(武曌 : 624-705).

446) 천장수세(千丈水勢)는 알아도 삼척인심(三尺人心)은 모른다 : ≒"천 길 물속은

정히 이를 이름이로다."

교아 대로하여 칼을 들고 왕에게 다라드니, '성명이 어찌 된가?' 분석
하회하라.

화설 윤학사 양주에 찬적한 지 얼핏 삼년 춘을 당하매, 학사의 사친하
는 회포 주야 촌장(寸腸)447)이 녹을 뿐이라. 자기 형제 집을 떠난 지 오
래고 부공이 교지에서 돌아오지 못하여 계시니, 가사를 살필 이 없고,
자모를 봉양할 이 없으며, 조선(祖先) 신위에 제향을 아주 끊었음을 생
각건대, 흉장(胸臟)이 미어지는 듯, 생모부인의 주야 참통 비절함을 생
각하면 더욱 슬픔을 이기지 못할지라. 때때 흐르는 눈물이 마를 때 없고
가중사세(家中事勢) 비록 보지 않으나 어찌 모르리오. 조모와 양모 하는
바 다 불의라. 필경이 어찌 될꼬 근심이 간절하니, 어느 겨를에 자기 적
지(謫地) 간고를 슬퍼하리오.

조운모우(朝雲暮雨)448)에 경사를 첨망하여 천수만비(千愁萬悲)449)
만복(滿腹)하고, 혜준 등이 교지를 왕래함이 일년 일차를 폐치 않아, 야
야의 안부를 혹 앎이 있으나, 추밀이 자질의 기괴한 죄루(罪累)와 천리
찬출을 들은 후는, 차악(嗟愕) 경심(驚心)함이 숙식이 편치 못하고 가변

알아도 한 길 사람의 속은 모른다". 사람의 속마음을 알기란 매우 힘듦을 비유
적으로 이르는 말.
447) 촌장(寸腸) : 마디마디의 창자. 마음.
448) 조운모우(朝雲暮雨) : 아침의 구름과 저녁의 비라. 여기서는 '아침저녁' 정도의
의미로 쓰였으나, 이 말은 본래 남녀의 정교(情交)를 이르는 말이다. 즉 중국
초나라의 회왕(懷王)이 꿈속에서 어떤 부인과 잠자리를 같이했는데, 그 부인이
떠나면서 자기는 아침에는 구름이 되고 저녁에는 비가 되어 양대(陽臺) 아래에
있겠다고 했다는 고사에서 유래한다.
449) 천수만비(千愁萬悲) ; 천 가지의 근심과 만 가지의 슬픔.

을 염려함이 아니 미친 곳이 없으나, 오히려 유씨의 악착함이 그대도록 이상함을 알지 못하니, 이는 그 천성이 소활한 연고라. 윤학사 적상(積傷)한 병이 토혈이 그칠 사이 없고, 일신골절(一身骨節)을 아니 앓는 데 없더니, 금년 맹춘(孟春)을 당하여 병세 더욱 위중하니, 혜준 등이 초조 절민하여 몸으로써 대코자 하나 능히 미치지 못하고, 순자사가 자주 나와 보고 증세 위악함을 크게 우려하여, 향리의 유명한 의자(醫者)를 모아 의약을 힘쓰되, 백초(百草)가 무효하여 병세 점점 더하니, 혜준 등이 망극 초조하고, 순자사 그 진하여 가는 거동을 차마 보지 못하는지라. 눈물을 흘려 혜준 등더러 왈,

"네 상공의 질환이 이제는 만무회두(萬無回頭)450)하니, 초종제구(初終祭具)451)를 차릴 밖 다른 모책이 없거니와, 나의 참담 비절(悲絶)함은 타사(他事)가 아니라, 네 상공의 남다른 충효재덕(忠孝才德)으로써 망측한 죄루에 걸려, 천리타향에 정배 죄수 되매, 그 위질(危疾)을 당하여 태우형이 붙들어 의약을 정성으로 못하고, 형제 양인의 우공하는 뜻이 타인의 곤계(昆季)로 내도하거늘, 네 상공의 얼굴을 태우가 보지 못하고 천리 적소에서 흉음을 들으면, 결단하여 사원이 사지 못할 것이요, 태우 죽는 날은 윤가가 망하는 날이니, 이제 가히 남주로 나아가 학사의 위질이 독함을 태우께 고하라. 내 일변(一邊)452) 관인(官人)을 경사의 보내어 조부와 정·하 양부에 소식을 통하여 네 상공 친척 중 하나라도 와 초상을 보게 하리라."

---

450) 만무회두(萬無回頭) : 회복할 길이 전혀 없음. *회두(回頭)하다; 회복하다. 차도가 있다.
451) 초종제구(初終祭具) : 초상이 난 뒤부터 졸곡 때까지 치르는 모든 제례에 쓰는 기구와 물품.
452) 일변(一邊) : 한편.

혜준이 체읍 대왈,

"노야 말씀이 마땅하시나, 우리 노야 천만 당부하시어 남주에 질환 소식을 통치 말라 하시니, 이는 태우 노야 성려를 우려하시어 참지 못하시는 거조가 있을까 염려하심이니, 남주 급고하는 것이 유익지 않을까 하옵나니, 경사에는 십여일 전 장사마듸 노재 왔거늘, 상공 환후 위중하심을 낱낱이 기별하여 취운산과 옥화산의 통하라 하였으니, 오래지 않아 조·정·하 삼부에서 한 상공이 내려오시리이다."

순자사가 혜준의 말을 그리 여기나, 한갓 답답이 여겨 초조할 뿐이러니, 일이 괴이하여 모부인 질환이 중(重)타 하여 순부 노자(奴子) 망주야(罔晝夜)453)하여 양주에 이르니, 자사가 심혼(心魂)이 비월(飛越)하여 자사 인수(印綬)를 상사(上司)에 전하고 빨리 경사로 나아갈 새, 임행(臨行)에 학사를 와 보니 능히 알아보지 못하고, 말을 되차지454) 못하는지라.

순자사, 초상입염기구(初喪入殮器具)455)를 일일이 혜준을 맡기고 천만 당부하여, 학사를 마침내 구치 못하거든 상례서(喪禮書)를 보아가며 입념지례(入殮之禮)456)를 극진히 하라 하고 급히 상경하니, 혜준 등이 자사를 마저 떠나매 홀연이 의지할 곳이 없어, 더욱 슬픔을 이기지 못하고, 양주 인읍 주현(隣邑州縣)과 복거(伏居) 사대부(士大夫)457) 등이 윤

453) 망주야(罔晝夜) : 밤낮을 가리지 않고 부지런히 어떤 일을 함.
454) 되차다 : 알아채다. 알아차리다. 알아듣다. 소리를 분간하여 듣다.
455) 초상입념기구(初喪入殮器具) : 사람이 죽은 때로부터 시신을 씻겨 수의를 갈아 입히고 염포(殮布)로 묶어서 관(棺)에 넣을 때까지 사용할 모든 기구와 물품.
456) 입념지례(入殮之禮) : 상례(喪禮)에서 입관(入棺)과 염습(殮襲)에 따르는 모든 의례.
457) 사대부(士大夫) : 선비(士)와 대부(大夫)를 아울러 이르는 말. 문무 양반(文武兩班)을 일반 평민층에 상대하여 이르는 말이다.

학사의 청명재덕(淸名才德)을 공경하여 그 유질함을 아니 염려할 이 없
으나, 순자사도 온가지로 고치려 하다가 못하니, 뉘 자사의 정성만 한
이 있으리오. 다만 문병자(問病者) 종일부절(終日不絶)하더라.

선시에 장소저 칼에 찔린 명맥이 겨우 이어 설처사 집에 숨어 옥 같은
기린을 생하매, 아이의 용모와 골격이 완연이 부친으로 한 판에 박은 듯
하니, 장씨 화란여생(禍亂餘生)으로 아자의 비상함을 행열(幸悅)하여 심
사를 위로하는 바 되었으되, 학사의 찬출 후로 더욱 염려하는 바는 그
적상(積傷)한 증(症)이 가볍지 않던 바를 근심하여, 노자 중석을 양주에
보내어 소식을 알아오되, 구태여 학사께 살았음을 통치 않고 순순(順順)
이 장사마의 서간으로써 평부를 뭇더니, 일일은 중석이 바로 설부에 나
와 학사의 환후 중함을 고하여, 혜준 등이 통읍(慟泣)하여 이 소식을 취
운산과 옥화산에 통하라 하던 바를 아뢰니, 장씨 청필에 차악하여 어린
듯이 말을 못하다가, 날호여 몸을 움직여 협사(篋笥)에서 두어 필 깁을
얻어 남의를 짓게 하고, 정·하·조 삼부에 통치 않으니, 쌍섬이 묻자
오대,

"소저 주군의 환후 위중하심을 삼부(三府)의 기별치 아니하시나이
까?"

소저 탄 왈,

"조부에 이 소식을 통하매 존고의 참통하신 심사 오죽하시며, 하부와
정부에서 알아도 유익한 일이 없으니, 부질없이 통하리오. 다만 너와
내 남의(男衣)를 변착(變着)하고 천리마(千里馬) 일필(一匹)씩 얻으면 양
주로 감이 더디지 않을까 하노라."

하고, 남의를 지으며 쌍섬을 재촉하여 저 입을 것을 지으라 하고, 설
처사를 청하여 하직 왈,

"소질이 숙부 택상의 머물러 윤부의 사기(事機) 되어 감을 보고자 하더니, 이제 윤군의 질양이 위독함을 들으매, 저의 유병한 곳이 천리 타향의 원적죄수(遠謫罪囚)로 한낱 권당(眷黨)이 없으니, 비록 망극한 일이 있어도 무식한 노자가 사리를 모르니, 그 시수(屍首)를 즉시 거두어 소장(素帳)458) 입념(入殮)도 예(禮)대로 못하올지라. 소질의 사생고락(死生苦樂)이 저에게 달렸으니, 제 만일 사망지환(死亡之患)이 없을진대, 구천(九天)이 잔명을 살펴 소질(小姪)이 죽지 않을 것이요, 혹자 악착한 일이 있어 화변을 당할지라도, 소질이 그 시체를 입념하여 초상이나 무한(無恨)이 차리고, 그 뒤를 좇는 것이 옳으니, 이런 때를 당하여 적은 염치(廉恥) 규문(閨門)의 낯가리는 예를 차리지 못하올지라. 이 말씀을 부모께 고하면 반드시 망령됨을 책하시고, 화교옥륜(華轎玉輪)의 위의를 차려서 보내시리니, 소질이 날개 없어 날지 못함을 슬퍼하는 마음으로, 어찌 즐거운 사람같이 천천히 행하리까? 이미 남의(男衣)를 이뤘으니 금일이 비록 저물었으나 명일 효신(曉晨)을 기다리지 못하여 하직을 고하옵나니, 숙부는 길이 안강하시고 소질의 유자를 아직 이곳에 두소서."

처사 대경 왈,

"현질이 이 어찌된 말이뇨? 사빈의 질양을 염려하여 양주로 가고자 할진대 나라도 호행하리니, 청춘 약질이 남복으로 천리발섭(千里跋涉)459)을 무사히 하리오. 결단코 되지 못할 의논인가 하노라."

소저가 창황(愴怳)히 일어나, 절하여 왈,

"차행(此行)은 일시도 더디지 못 하오리니, 숙부의 명을 위월코자 함이

---

458) 소장(素帳) : 장사 지내기 전에 궤연(几筵) 앞에 치는 하얀 포장.
459) 천리발섭(千里跋涉) : 천리나 되는 먼 길을 산을 넘고 물을 건너 길을 감.

아니라, 천자 명교 계셔도 이 일에는 가히 받들지 못하리로소이다."

처사 능히 개유치 못할 줄 알고, 급히 천리마를 주고, 서제(庶弟) 설강으로 소저를 따라 양주까지 데려다 주고 오라 하니, 설강이 수명하여 황혼에 설부를 떠날 새, 소저가 운환(雲鬟)460)을 풀어 운고(雲-)461)를 짜고, 청포(靑袍) 흑건(黑巾)462)을 갖추어 숙부를 배별하고, 유모를 당부하여 유자를 조심 보호하라 하고, 창황이 말에 오르니, 쌍섬이 역시 남복으로 따르고, 설강이 앞을 당하여 양주로 갈 새, 소저가 설강을 위하여 밤마다 점사(店舍)에 들어가 자는 체하나, 즉시 도로 깨어 주야 행하여 양주에 이르니, 차시 윤학사의 병세 날로 위악한지라, 노자 등이 순자사의 차려준 바 초종제구(初終諸具)를 내어 상변(喪變)을 대후(待候)하는지라. 한 술 물이 목을 넘지 못한 지 오일이니, 목 위에 실낱같은 명맥이 채 끊어지지 않았으므로 시신이라 치지 못하나, 수족(手足)과 일신(一身)에 한 조각 온기 없으니, 수학하던 아동 십여인이 날마다 모여 사부(師父)의 질환이 위극함을 슬퍼하고, 좁은 집에 인리향당(隣里鄕黨)이 가득이 모여 참연함을 마지않더니, 장소저 이에 다다라, 설강을 보아 왈,

"질의 처신이 심히 번거한지라. 아직 윤군의 노자 등도 알게 하고자 않나니, 숙시(叔氏)의 거동을 보고 우리 노주의 거동을 보면, 혜준은 영오한지라 모르지 않을 듯하니, 청컨대 숙시는 타처(他處)를 정하여 머물

---

460) 운환(雲鬟) : 여자의 탐스러운 쪽 찐 머리.
461) 운고(雲-) : 남자의 구름처럼 아름다운 상투머리. *고: 남자가 상투를 틀 때 머리털을 고리처럼 되도록 감아 넘긴 것.
462) 흑건(黑巾) : 복건(幞巾). 도복(道服)에 갖추어서 머리에 쓰던 건(巾). 검은 헝겊으로 위는 둥글고 삐죽하게 만들었으며, 뒤에는 넓고 긴 자락을 늘어지게 대고 양옆에는 끈이 있어서 뒤로 돌려 매게 되어 있다.

면, 질은 쌍섬을 데리고 바로 들어가리라."

설강이 대왈,

"원간 나의 외가가 차처에 삼십 리 정(程)에 있으니, 소저는 윤학사 환후를 각별 조심 구호하여 회소지경(回蘇之境)을 보소서."

장소저 탄 왈,

"인정이 그렇고자 않으리오마는, 사람의 사생이 재천(在天)하니 아무리 될 줄 모르리로소이다."

설강이 탄식하고 즉시 그 외가로 가거늘, 장소저 쌍섬으로 혜준을 불러 앞에 이르매, 이에 가로되,

"우리는 호주 사람으로서, 마침 이 곳을 지나더니, 도중에서 들으니, '윤학사 차처에 찬적하여 병세 위악(危惡)하다' 하니, 내 윤학사로 더불어 일면지분(一面之分)이 없으되, 인심에 추연하여 한 번 증후를 보고자 하나니, 너희 허락하랴?"

혜준이 장씨의 풍채 쇄연하고 용모 수려함을 보매, 저의 주모(主母) 장부인은 벌써 세상을 바린 지 삼년이므로, 장씨인 줄은 생각지 못하고, 천선이 하강하여 학사를 살리려 하는가 희출망외(喜出望外)하여, 연망(連忙)이 머리를 두드려 사례하고, 인도하여 병소에 들어오니, 장씨 가까이 나아가 이불을 열고 보니, 연화(蓮花) 같은 얼굴에 혈색이 돈감(頓減)하여 찬 옥 같고, 설(雪膚)부에 빙골(氷骨)만 남아 진하여 가는 거동이 위태하여, 상요(床褥)463)에 아주 몸을 버려 희미히 숨 있는 시신이 되었는지라. 소제 차경을 당하여는 눈물이 앞서기를 면치 못하나, 혜준 등이 괴이히 여길까, 가만히 제어(制御)하고 이윽이 곁에 섰으되, 학사 아무런 줄 모르는지라.

---

463) 상요(床褥) : 침상에 편 요라는 뜻으로, '잠자리'를 말함.

소제 혜오되, 윤군이 출천성효(出天誠孝)와 숙숙(肅肅)한 덕화며 빈빈한 예절이 공맹(孔孟) 이후 일인이라. 안회(顔回)[464] 지현(至賢)하시되 조요(早夭)하시고, 공자(孔子) 대성(大聖)이시되 백세를 누리지 못하시어, 춘추난세(春秋亂世)[465]에 철환사방(轍環四方)[466]하시어, 상가지구(喪家之狗)[467]에 비기는 욕(辱)을 보아 계시니, 수요궁달(壽夭窮達)[468]이 그 사람으로 가지 않으나, 윤군의 상모는 오복(五福)[469]이 관비(寬備)하며 수한(壽限)이 장원(長遠)할 듯한지라. 어찌 십칠 청춘에 비명원사(非命冤死)할 윤군이리오. 내 저를 위하여 원근을 혜지 말고 기특한 의자(醫者)를 만나, 혹자 약효를 보면 만행이요, 그렇지 못하여 마침내 자리에 일어나지 못하는 거조가 있을지라도, 나의 정성을 다하여 남은 한이 없게 한 후 저를 좇음이 또한 늦지 않으리라 하여, 혜준더러 물어 왈,

"이 곳에는 의자(醫者)가 없느냐?"

혜준이 대왈,

"전후의 쓴 약이 무수하오나 촌효(寸效) 없고, 상공이 금일까지 보전함이 도리어 이상하니이다"

하니, 장씨 언언이 슬픔을 이기지 못하나 천만 강인하여, 화평이 이르되,

"너의 상공의 환후를 보아는 실로 회소지경(回蘇之境)을 봄이 어려우

---

464) 안회(顔回) : 안자(顔子). 공자의 제자. 십철(十哲) 가운데 한 사람.
465) 춘추난세(春秋亂世) : 중국 주나라가 동쪽으로 도읍을 옮긴 기원전 770년부터 기원전 403년까지 약 360년간의 전란 시대.
466) 철환사방(轍環四方) : 수레를 타고 사방을 돌아다님.
467) 상가지구(喪家之狗) : 상갓집 개라는 뜻으로 행색이 남루하여 형편없는 사람을 비속하게 이르는 말.
468) 수요궁달(壽夭窮達) : 오래 삶과 일찍 죽음 그리고 빈궁(貧窮)과 영달(榮達)을 아울러 이르는 말.
469) 오복(五福) : 유교에서 이르는 다섯 가지의 복. 보통 수(壽), 부(富), 강녕(康寧), 유호덕(攸好德), 고종명(考終命)을 이른다.

나, 천리인사(天理人事)가 그대도록 조상(早喪)할 리 없으니, 나는 실로 깊은 염려를 두지 않나니, 여등(汝等)이 한 때도 떠나지 말고 좌우의 지키어 있으라."

혜준 등이 눈물을 뿌려 왈,

"상공 말씀이 마땅하시나, 우리 노야 적상하시기를 남달리 하여 계신지라. 이번 질환이 불의에 얻으심과 달라 본병이 깊으시던 것이니, 어이 회소(回蘇)하시기를 바라리까?"

장씨 다시 말을 않고 밖에 나와, 가만히 주역팔괘(周易八卦)를 인하여 학사 병후의 길흉을 점복(占卜)할 새, 장소저 본디 여자의 뛰어난 재주 있어 의술 점법을 해득하니, 비록 처음은 위악하나 나중은 회소지경(回蘇之境)을 볼 바요, 자기 남으로 이백 리를 행한즉 이인(異人)을 만나, 학사의 병근을 다 없이 하고 부부의 액운이 진하며 길운이 올지라. 중심에 환희하여 차일에 한 술 석반(夕飯)을 나오지 않고, 쌍섬으로 더불어 향남(向南)하여 갈 새, 혜준더러 수일 내 다시 옴을 이르고 정처 없이 나가니, 쌍섬 왈,

"소저 경사를 떠나신 후 한 그릇 죽음을 나오지 않으시고, 청수로 연명하시니 반드시 큰 질환을 이루실지라. 소저마저 병와(病臥)하시면, 주군의 환후를 뉘 구완하리까? 청컨대 촌점(村店)에 들어가 식반을 사 요기(療飢)[470]하소서."

소저 은전을 내어 섬을 주어 밥을 사 요기하라 하고, 탄 왈,

"나는 비록 먹지 않으나 관계치 않으니, 너는 부질없이 염려 말라."

쌍섬이 소저의 진식하지 않음을 보고 혼자 먹고자 뜻이 없어, 눈물을 흘리고 밥이 목을 넘지 않아 술을 사 요기하고, 소저를 모셔 밤새도록

---

470) 요기(療飢) : 시장기를 겨우 면할 정도로 조금 먹음.

남으로 행하니, 기구산곡(崎嶇山谷)471)의 무서운 호표(虎豹)와 흉한 독사(毒蛇)가 좌우에 가득하여, 사람의 자취를 보고 해코자 하여 달려들다가도, 소저 한 번 소리를 높혀 질퇴(叱退)한즉 감히 범치 못하는지라.

이미 밤이 진하고 날이 새어 반오(半午)에 미쳐는 쌍섬이 소저께 고하되,

"소저 다만 남으로 행하여 이곳에 오시니, 아지못게이다!472) 무엇을 바라는 일이 있으니까?"

소저 탄 왈,

"어찌 바라는 일이 있으리오마는, 대인이 전자 양주 안찰사를 하여 계실 제 들으니, 읍저에서 이백 리 밖에 남악산이 있고, 제일봉에 향운대란 누(樓)를 이뤄, 동서(東西)로 불사(佛舍)와 유도(儒道)를 분하여 동루(東樓)에는 역대 성자(聖者) 명현(名賢)의 화상을 봉안하고, 서루(西樓)에는 허다한 불상을 차례로 앉혀, 춘추로 크게 두 곳에 제향하고, 사람이 절박한 일이 있어 분향 축원하면 혹 영험(靈驗)이 잇다 하던 바라. 나의 정리(情理) 궁극하여 행여 향운대에 빌어 효험을 볼까 바라노라."

이리 이르며 남악산을 찾아 이르매, 산형이 수려하며 경물이 절승하여 봉만(峰巒)이 빼어나고 기화이초(奇花異草)가 성하여 향기로운 내 옹비(擁鼻)하니, 진실로 별유세계(別有世界)요, 봉내방장(蓬萊方丈)473)이라.

---

471) 기구산곡(崎嶇山谷) : 험한 산골짜기.

472) 아지못게이다! : '모르겠소이다!' '모를 일이로소이다!' '알지못하겠소이다!' 등의 감탄의 뜻을 갖는 독립어로 작품 속에서 관용적으로 쓰이고 있어, 이를 본래말 '아지못게이다'에 감탄부호 '!'를 붙여 독립어로 옮겼다.

473) 봉내방장(蓬萊方丈) : 봉래산(蓬萊山)과 방장산(方丈山)을 함께 이르는 말. 각각 중국 전설에 나오는 영산(靈山)인 삼신산(三神山) 가운데 하나로, 진씨황과 한무제가 불로불사약을 구하기 위하여 동남동녀 수천 명을 보냈다고 한다. 이 이름을 본떠 우리나라의 금강산을 봉래산, 지리산을 방장산이라고도 하며, 또 한라산을 중국 삼신산 가운데 하나인 영주산이라 이르기도 한다.

소저 향운대를 지킨 도사를 불러 분향 축원할 기구를 차리라 하고, 은전(銀錢)을 주매, 이윽고 수호군(守護群)이 나와 다 갖췄음을 고하고, 대중(臺中)에 들으심을 청하니, 장씨 몸 위에 이미 남복이 있음을 믿어 앙연(盎然)이474) 걸어 들어가, 먼저 역대 제현 화상에 배현하고, 인하여 차과(茶菓)를 베풀어 분향 축원할 새, 말로써 일컬은즉 혹자 들을 이 있을까 하여, 낭중(囊中)에 지필(紙筆)을 내어 윤학사의 수(壽)를 빌며 복을 청하여 화상 앞에 놓고, 고두배축(叩頭拜祝)하기를 마치매, 축사(祝辭)를 즉시 촉화(燭火)의 사르고, 다시 서루(西樓)에 들어가 또 갱반(羹飯)을 벌이고, 석가여래(釋迦如來)와 제불(諸佛) 나한(羅漢)475)께 백배빈축(百拜頻祝)476)하여 윤학사의 병을 거두고 수복(壽福)을 빌매, 정성이 천지신명이 감동할 바라.

날이 석양에 이르러 비로소 청축(請祝)하기를 그치고 객당으로 나오더니, 문득 밖으로서 일인이 추포갈건(麤袍葛巾)477)으로 구유장478)을 짚고 객당으로 들어오니, 의표(儀表) 탈속(脫俗)하여 학골봉형(鶴骨鳳形)이요, 선풍도골(仙風道骨)이라. 장소저 학사의 병을 위하매 소소염치(小小廉恥)와 잔부끄러움을 돌아보지 못하는지라. 차인의 거동이 결단하여 속류 아님을 알고, 학사의 병을 뵈고자 함으로 흠신 공경하여 예필(禮畢) 좌정(坐定)에, 소저가 먼저 몸을 굽혀 왈,

"소생이 절박한 사정을 인하여 금일 향운대에 분향 축원코자 이르렀

---

474) 앙연(盎然)이 : 당당(堂堂)히. 사물이나 감정 따위가 넘쳐 있는 모양.
475) 나한(羅漢) : 아라한(阿羅漢). 생사를 이미 초월하여 배울 만한 법도가 없게 된 경지의 부처.
476) 백배빈축(百拜頻祝) : 백번을 절하여 소원을 빔.
477) 추포갈건(麤袍葛巾) : 거친 베로 지은 두루마기를 입고 갈포(葛布)로 만든 두건을 쓴 차림.
478) 구유장 : 지팡이의 일종.

더니, 천만 의외에 선생을 배견(拜見)하니 결단하여 진세(塵世) 속류(俗
流)를 더럽게 여기실지라. 그윽이 생각건대, 진황(秦皇))479) 한무(漢武
帝)480)의 위엄으로도 마침내 신선을 만나지 못하였거늘, 소생은 연소
필부로 우연이 향운대에 와 존선(尊仙)을 구경할 때라. 이 가장 범연치
않은 일이니, 어찌 소생의 비루함을 부끄러워하여 선생의 한 번 교회(敎
誨)하심을 청치 않으리까? 아지못게이다! 고성대명(高姓大名)을 얻어
들으리까?"

기인이 희미히 웃고, 또 공경 왈,

"비인(鄙人)은 산야우맹(山野愚氓)이라. 감히 문달(聞達)을 바라지 못
하고, 천하에 오유(遨遊)하여 아침에 북해상(北海上)에 놀고 저녁에 동
정호(洞庭湖)를 찾으니, 자취 낙낙(落落)하여 성명을 이를 것이 없고,
법회(法號)도 없으니 다만 산야비인(山野鄙人)이라. 이제 귀인으로 더불
어 초면(初面)으로 대하나, 귀인의 당하신 바 우환이 가장 비상하심을
아나니, 역대 성현과 불상 앞에 분향 축원하는 정성이 또한 천지신기(天
地神祇)의 감동할 바니, 비인의 적은 환약(丸藥)이 아니라도 윤학사의
회소지경(回蘇之境)은 염려 없으려니와, 연(然)이나 본병(本病)의 근위
(根位)481)가 심상치 않으니, 병을 고치매 초두(初頭)482) 상한 것을 없
이 하여야, 백병을 스스로 스러지게 하리니, 귀인은 이 약을 가져가 학
사의 입에 갈아 드리소서."

---

479) 진황(秦皇) : 진시황(秦始皇). BC259~210. 중국 진(秦)나라 시황제(始皇帝).
　　재위 BC246~210.
480) 한무(漢武) : 한무제(漢武帝). B.C.156~87. 중국 전한(前漢) 제7대 황제. 재위
　　BC141-87.
481) 근위(根位) : 근본이 되는 것이 자리 잡고 있는 위치.
482) 초두(初頭) : 늑애초. 맨 처음.

이에 소매 안으로 좇아 세 낱 환약을 내니, 모양이 대명주(大明珠) 같고, 빛이 찬란하여 세상 환약과 내도한지라. 소저 천만 생각 밖 이인(異人)을 만나 영약(靈藥)을 얻으매, 천만 사례하니, 도인이 어서 돌아감을 재촉하고 인하여 간 곳이 없는지라. 소저가 크게 신기히 여겨 바삐 돌아오니, 이곳이 이백 리(里) 정도(程道)483)라, 어찌 일일지내(一日之內)에 돌아오리오. 작일(昨日) 석양에 남악산으로 행하여 우명일(又明日) 조조(早朝)에 돌아오니, 이는 밤을 혜지 않아 행함이라.

이날은 학사의 병세 위급하여 계명시(鷄鳴時)에 엄홀한 것을, 날이 밝도록 깨지 못하고 아주 혈맥이 그치니484), 혜준 같은 충의 노자가, 그 주인의 절명코자 하는 거동을 대하여 어찌 망극하지 않으리오. 가슴을 두드려 애읍(哀泣)하고, 인리(隣里) 제인이 잠깐 들어가 보고 하릴없다 하여, 초혼(招魂)485) 제구(諸具)를 대령하더니, 장소저 급히 혜준을 불러 묻되,

"네 상공 질환이 그 사이 어떠하시뇨?

혜준이 망극하여 유체(流涕) 대왈,

"시방은 하릴없사오니 초혼할 기구를 차리나이다."

장씨 이인의 주던 약을 믿고 왈,

"네 상공을 내 다시 들어가 보고 쓸 약이 있으니, 잡 사람을 병소의 들어오게 말며, 여럿이 지저귀지486) 말라."

---

483) 정되(程道) : 노정(路程). 목적지까지의 거리. 또는 목적지까지 걸리는 시간.
484) 그치다 : 계속되던 일이나 움직임이 멈추거나 끝나다.
485) 초혼(招魂) : 사람이 죽었을 때에, 그 혼을 소리쳐 부르는 일. 죽은 사람이 생시에 입던 윗옷을 갖고 지붕에 올라서거나 마당에 서서, 왼손으로는 옷깃을 잡고 오른손으로는 옷의 허리 부분을 잡은 뒤 북쪽을 향하여 '아무 동네 아무개 복(復)'이라고 세 번 부른다.
486) 지저귀다 : 새 따위가 계속하여 소리 내어 울다.

혜준이 수명하여 여러 사람을 치우고, 장소저 들어가 학사를 보니 만무생도(萬無生道)요, 진하는 명이 경각에 급하니, 비록 회생약(回生藥)을 얻어 왔으나 망망한 천수를 오히려 다 알지 못하고, 창황망극한 심사를 어찌 비할 곳이 있으리오마는, 뜻을 정하여 윤학사 살지 못하는 날이면, 자기 한가지로 목숨을 끊어 궁천극통(窮天極痛)을 모르려 하는 고로, 도리어 흉금(胸襟)이 철옥(鐵玉)이 되었는지라. 미처 삼다(蔘茶)도 달여 오지 못하여, 도인의 주던 환약을 청수(淸水)에 화(和)하여 학사의 입에 드리오니, 전일은 학사 한 술 물이라도 목을 넘기면 도로 거사려 능히 먹지 못하더니, 이 날은 약물이 연속하되 거스르는 일이 없어 순히 들어가는지라.

혜준은 창틈으로 엿보고 반드시 하릴없이 되었음으로, 전일 거슬려 토하던 기운도 없는가 여겨 더욱 통절하더라.

장소저 세 날 환약을 풀어 입에 드리오며, 학사의 얼굴을 자세히 살피매 점점 구슬 같은 땀이 면모(面貌)에 가득하여 베개에 흐르고, 얼음 같은 일신에 잠깐 온기 퍼지고, 찬 옥 같은 입시울[487]이 은연이 붉은 빛이 일어나니, 장씨 만분 행열(幸悅)하여 쌍섬을 데리고 베개 가에 앉아, 하늘을 우러러 학사의 회두(回頭)하기를 그윽이 빈축(頻祝)하고, 혜준 등은 창외에 서서 반일이 지나도록 아주 운명함이 없음을 도리어 괴이히 여겨, 혹자 사경(死境)을 면할까 죄는 마음이 대한(大旱)에 운예(雲霓)[488]로 비할 바 아니라. 날이 저물도록 학사 몸을 움직이는 바 없고, 온기 시각으로 좇아 낫는 듯하더니, 밤든 후 문득 학사 몸을 솟구쳐 놀라는 사람 같더니, 홀연 탄성 비읍하여 흐르는 눈물이 오월장수(五月長

---

487) 입시울 : 입술의 옛말.
488) 운예(雲霓) : 구름과 무지개를 아울러 이르는 말. 또는 비가 올 징조.

水)489) 같으니, 쌍섬이 곁에 앉았다가 불승경행(不勝慶幸)490)하고, 소저 소리를 화(和)히 하여 왈,

"명공(明公)491)이 무슨 연고로 이다지도 비애(悲哀)하여 병체를 상(傷)케 하시느뇨?"

학사 아무의 소리임을 깨닫지 못하여 희미히 답왈,

"꿈이 상시(常時) 같지 못하여 깨매 허사(虛事)되니, 어찌 슬프지 않으리오. 내 평생 엄안(嚴顔)을 모르오미, 골절에 사무치는 슬픔이 궁천지통(窮天之痛)이러니, 금일이 하일(何日)이관데, 꿈이 넋을 인하여 우리 선야야(先爺爺)의 존안(尊顔)을 반기뇨?"

언필에 병중 심사 약함으로 좇아 설운 것을 능히 참지 못하여, 소리를 내차492) 통곡하기를 마지않으니, 혜준 등이 창 밖에서 듣다가 큰 경사를 당한 듯, 거지(擧止) 실조(失調)함을 면치 못하여, 서로 하늘을 우러러 사례 왈,

"우리 노야 상석(床席)에 엄엄히 몸을 버리시어 말씀을 이루지 못하신지 월여(月餘)더니, 오늘날 슬퍼 통곡하심을 보건대 반드시 나으심이 분명토다. 이렇듯 깃거 방중에 들어와 학사께 문후하려 하거늘, 쌍섬이 지게 앞에 나아가 막아 왈,

"우리 상공이 본디 고요한 것을 취하시나니, 부질없이 지저귀지 말고 밖에 있으라. 우리 상공이 자연 낫게 하시리라."

혜준 등이 우기지 못하여 들어가지 못하나, 원간 학사를 구하는 상공

---

489) 오월장수(五月長水) : 오월의 장맛비.
490) 불승경행(不勝慶幸) : 기쁘고 다행함을 이기지 못함.
491) 명공(明公) : 듣는 이가 높은 벼슬아치일 때, 그 사람을 높여 이르던 이인칭 대명사.
492) 내차다 : 앞이나 밖을 향하여 힘껏 차내다.

의 성명도 모르고, 반드시 신선이 하강하여 구함인가 하더라.

학사 처절(凄切)히 애곡(哀哭)함을 긋지 아니하니, 장소저 학사로 더불어 성혼 사년이나 서먹함이 남 같아서, 윤부에 있을 때도 태부인과 유씨를 두려 학사로 은정이 절차(絶遮)함이 되었고, 또 태부인 칼에 찔려 본부로 돌아간 후는, 조금도 살아날까 여기지 않고, 당시 생존을 통치 않고 남과 다름이 없으니, 어찌 친후(親厚)한 뜻이 있으리오. 하물며 학사 예를 잡음이 남다름으로, 자기 남복으로 대(對)하여 그 병이 인사를 모를 때도 부끄러운 뜻이 없지 않던 바로, 그 정신을 차리기에 미쳐는 참괴하여, 저의 신명함이 기이한지라, '혹자 자기를 알아보는가.' 크게 불안하여, 그 통곡이 지리(支離)하여 그치지 아니함을 절민하여, 붙들고 위로 왈,

"몽사 비록 그러하여 심회 참절(慘切)하시나, 어찌 무고히 통곡하여 사람의 괴이히 여김을 취하며, 병회를 그대도록 손상케 하시나니까? 청컨대 물비관억(勿悲寬抑)[493] 하소서."

학사 그 말로 좇아 통곡을 그치나, 체읍(涕泣)함을 마지않고, 구태여 방중의 있는 사람을 차려[494] 보지 않더니, 날호여 향벽(向壁)하여 누으며 길이 느껴 왈,

"차신(此身)이 언제 죽어 아까 몽혼같이 선야야(先爺爺)를 모시리오. 비록 몽중이나 우리 대인이 불초를 사랑하여, 어루만져 무애하심과 보전키를 경계하시던 바는 한 일도 희미치 않되, 다만 장씨 내 병을 위하여 남악산 제현(諸賢) 제불(諸佛)에 분향(焚香) 빈축(頻祝)하여 오명(吾命을 잇게 함과, 태운 도인을 만나 회생약을 얻어 오고 구호함은 허사

---

493) 물비관억(勿悲寬抑) : 슬픔을 참고 억제함.
494) 차리다 : 기운이나 정신 따위를 가다듬어 되찾다.

(虛事)라. 옥인이 날 같은 박덕 필부를 만난 연고로 비명원사(非命寃死)하여 이칠청춘(二七靑春)에 아깝게 마친 지 삼년이라. 내 사람을 저버림이 아니 미친 곳이 없으니, 성례(成禮) 기년(耆年)에 돈연이 정의를 펴본 일 없고, 그 죽음을 당하되 마음과 같이 통곡을 쾌히 못하고, 또 관(棺)에 나아가 영결치 못하여 이 곳에 죄적하고, 초기(初忌)495)를 거년에 지나되 그 영연(靈筵)에 설제(設祭)함을 참예(參與)치 못하며, 금년의 또 대기(大朞)496)를 참예할 도리 없으니, 생전 사후에 그 성행숙덕(聖行淑德)을 한 조각이나 어이 갚음이 있으리오.”

언파에 상연(傷然) 오읍(嗚泣)하다가, 또 희허(唏噓) 탄 왈(嘆曰),

“시금(時今)의 경사(京師) 형세를 헤아리매, 대인이 교지(交趾)에서 돌아오지 못하시고, 우리 형제 남·양 이처(二處)에 분찬(分竄)하여 가사를 가음알 이 없으니, 대모와 양모를 봉양할 이 없는지라. 노년 조모와 외로우신 양모 탕잔(蕩殘)497)한 가사에 무엇으로써 의식지절(衣食之節)을 때에 미치게 하리오. 하물며 생자위(生慈闈)498) 참통하신 심사와 우리 형장의 남주에서 아스라이 천수만한(千愁萬恨)으로 촌장(寸腸)을 녹이시미 사람의 참지 못할 슬픔이라. 내 팔자 궁험기박(窮險奇薄)하여, 세상의 나매 부안(父顔)을 모르는 사람이 되고, 가변이 진실로 남이 알까 두려운지라. 절절이 가사를 헤아리매 실로 살 뜻이 없으니, 어느 겨를에 처실(妻室)의 참사(慘死)함을 비절(悲絶)하리오. 그러나 복아(腹兒)를 분산치 못하여, 한 사람이 죽으매 모자 이인이 목숨을 끊는 잦499)이

---

495) 초기(初忌) : 사람이 죽은 지 1년이 되는 날.
496) 대기(大朞) : 대상(大祥). 사람이 죽은 지 두 돌 만에 지내는 제사.
497) 탕잔(蕩殘) : 늑탕진(蕩盡). 재물 따위를 다 써서 없앰.
498) 생자위(生慈闈) : 친 모친. 생모(生母).
499) 잦 : 사물, 일, 현상 따위를 추상적으로 이르는 말. =일. 꼴. 것.

요, 그 원혼이 천대(泉臺)500)에 풀어지지 않으리니, 생각할수록 참담한지라. 아지못게라!501) 하씨는 생남지후(生男之後) 길이 무사함을 얻었는가. 산 사람은 자연 회합(會合)이 쉬우려니와, 사자(死者)는 불가부생(不可復生)이니, 한갓 천양지하(泉壤之下)의 서로 봄을 원하나, 내 무슨 낯으로 영백(靈魄)인들 보리오. 이처로 일컬어 슬퍼 함을 마지않더라.

화설, 장소저 그 병심이 허약

---

500) 천대(泉臺) : 저승.
501) 아지못게라! : '모르겠도다!' '모를 일이로다! '알지못하겠도다!' 등의 감탄의 뜻을 갖는 독립어로 작품 속에서 관용적으로 쓰이고 있어, 이를 본래말 '아지못게라'에 감탄부호 '!'를 붙여 독립어로 옮겼다.

명주보월빙 권지육십육

어시에 장소저 그 병심이 허약함을 인하여 이렇듯 함을 보매, 그윽이 민박(憫迫)하나, 저의 생도(生道) 있어 위증(危症)이 잠깐 없음을 본 후는, 자기 즉시 돌아가려 함으로 다시 말을 않고, 쌍섬으로 미죽(糜粥)을 시켜 온냉(溫冷)을 맞추어, 날이 밝은 후 학사의 진식(進食)하기를 청하니, 학사 비로소 머리를 들어 방중을 살피며, 혜준을 불러 자기 몸을 잠깐 붙들어 앉히라 하니, 장소저 혜준 등과 일방에 앉지 않으려 하여, 즉시 몸을 움직여 가려 하니, 학사 눈을 들어 장씨를 잠깐 보매, 놀랍고 괴이함을 이기지 못하여, 도리어 혜준을 들어오지 말라 하고, 양안(兩眼)을 정히 하여 숙시하기를 이윽히 하되, 그 몸 위에 건복(巾服)이 있고, 장씨 본디 신장이 육척을 지나며, 여자 유의는 잠깐 크던 고로, 남복 가운데 가장 예사로와, 일분도 소소(小小) 아녀자의 용용졸약(庸庸拙弱)한 거동이 없어, 영호특이(英豪特異)함이 남자 중에도 호걸이 될지라, 하물며 장씨 단검(短劍)에 찔린 시신이 되어, 그 부형이 치여(輜輿)에 실어 감을 자기 눈으로 자세히 보았고, 습렴(襲殮)에 친히 살피지 않았으나, 입관(入棺) 성복지시(成服之時)에는 모여 지내었으니, 평생에 단중함이 사람을 궁극히 의심치 않고 장공의 슬퍼함을 보았던 고로, 장씨를 치우쳐502) 살았다 하기를 못한데, 저 유생이 또 용모 기질이 장씨와 척호리(尺毫釐)503)도 다른 일이 없는 고로, 천만 의아하고 측량치 못하여 침음하기를 마지않다가, 날호여 장씨를 향하여 가로되,

"생이 병중 정신이 혼미하여 현사(賢士)로 더불어 전일에 익히 보던 안면 같되, 의희(依俙)하여504) 아무인 줄 알지 못하나니, 청컨대 현사는 고성대명(高姓大名)을 일러 생의 답답함을 없게 하소서."

장소저 나가려 하다가 마지못하여 도로 앉아, 짐짓 소리를 크게 하여 답하되,

"소생은 일찍 부모를 실리(失離)하여 지금 성명을 부지(不知)하니, 사람의 묻기를 당하여 대답할 것이 없는지라. 향리에 침몰하여 우맹(愚氓)으로 벗하니, 어찌 전자에 명공으로 상견함이 있으리오. 비루한 자취 명공의 병소에 이름이 불가하되, 공의 환후 위악(危惡)함을 듣고, 적은 의술로써 일분지효(一分之效)505)나 있을까 이에 이르렀더니, 명공의 기운이 재작일(再昨日)보다 잠깐 나음이 계시니, 행심함을 이기지 못하리로소이다."

학사 청파에 그 성음이 웅위한 가운데 장씨의 음성 같음을 더욱 경희하여, 정신이 황홀하매 어린 듯이 소저를 바라보고 말을 못하더니, 가장 오랜 후에 입을 열어 의기 현심을 사례코자 하다가, 지게 앞에 서있는 서동의 얼굴이 완연이 쌍섬이라. 비록 남의를 개착하였으나 어찌 모르리오. 번연(翻然) 대경(大驚)하며 중심의 혜오대,

"내 기운이 약하고 중심이 허하여 백주(白晝)의 귀신이 현영(現影)하

---

502) 치우치다 : 균형을 잃고 한쪽으로 쏠리다.
503) 척호리(尺毫釐) : 자(尺)의 눈금. 매우 적은 분량을 비유적으로 이르는 말. *호리(毫釐); 길이의 단위. 1호는 1리(釐)의 10분의 1로 약 0.303mm에 해당한다.
504) 의희(依俙)하다 : 거의 비슷하다.
505) 일분지효(一分之效) : 아주 적은 효험. *일분(一分); 아주 적은 양. 사소한 부분.

여, 이같이 주작(做作)함이 있는가? 장씨는 비록 죽었으나 쌍섬이 마저 죽었을 리 없으니, 귀신이라 일러도 노주(奴主) 남복(男服)으로 이에 오지 않을 것이요, 생인(生人)으로 이를진대 장씨는 살아있을 리 만무하고, 천리 애각(涯角)에 관산(關山)이 가리고 해수(海水) 막히니, 내 병이 중함을 경사에서 아득히 모를지라. 가히 측량치 못하며 알지 못할 일이로다."

이렇듯 사량(思量)하여 마음을 잡지 못하니, 묵묵침음(黙黙沈吟)하여 이슥하도록 말을 못하니, 장소저 저 거동을 보고 불평한 의사 가득하나 사색치 않고, 쌍섬을 명하여 학사를 붙들어 앉게 하고, 죽 그릇을 들어 권하니, 학사 문득 식사할 마음이 나는지라. 저의 권하는 대로 진식(盡食)하고 머리를 돌려 서동을 이슥히[506) 보다가 아무리 하여도 쌍섬밖에 나지 않음을 깨달아, 이에 미우를 씩씩히 하고 문 왈,

"비자(婢子), 무슨 연고로 변복하고 이곳에 왔느뇨? 곡절을 바로 고하라."

쌍섬이 학사의 안광이 제 낯에 찬란이 비추어, 황공전율(惶恐戰慄)하매 찬 땀이 옷에 사무치기를 면치 못하여, 지은 죄 없이 구송(懼悚)하기를 이기지 못하더니, 이같이 물음을 당하니 어찌 기망할 뜻이 있으리오. 황망이 대왈,

"부인을 모셔 일시 떠나지 아니하옵더니, 부인이 노야의 환후 위중하심을 들으시고, 미처 거교(車轎)를 차리지 못하여 남복으로 발행하시니, 소비 따라 이르렀나이다."

학사 청파에 쾌활함을 이기지 못하여 하나, 평생 침중(沈重)함이 희로(喜怒)를 가벼이 동치 않는지라. 즐거운 마음을 주리잡아[507) 다시 말을

---

506) 이슥히 : 얼마간, 상당한 시간이 흐르도록.
507) 주리잡다 : ①줄잡다. 생각이나 기대 따위를 표준 보다 줄여서 헤아려보다.

않고, 베개를 취하여 누우니, 장소저 쌍섬의 경설(輕說)함을 인하여 자기 정적(情迹)이 패루(敗漏)함을 그윽이 애달아, 학사 알지 못하여서 돌아가려 하던 것이 그릇 됨을 한하나, 사색치 않고 흑건을 숙여 묵연 단좌러니, 학사 고요히 누어 장씨를 바라볼 뿐이러니, 능히 무궁한 정을 금치 못하여 장소저를 나아옴을 청하고, 물어 왈,

"경사로부터 내려왔을진대 옥누항 소식을 모르지 않으리니, 대모와 자당의 존후를 자세히 알아 생에게 전할 듯하되, 어이 묵묵불언(黙黙不言)하여 생의 우민(憂悶)한 심사를 돌아보지 않으시느뇨?"

소저 양주로 내려올 때 창황하여 옥누항 옥화산 소식을 듣보지 않았으나, 설부 차환 소옥의 어미 옥누항에 있음으로, 자연 윤부 소식을 자주 들은지라. 학사의 마음을 경동치 않으려 함으로 나직이 대왈,

"첩이 구구히 투생하여 오늘날까지 세상에 머묾이 실로 완(頑)한지라. 노자 중석의 전함으로 좇아 명공의 환후 위악하심을 듣고, 미처 위의를 차리지 못하여 사람의 이목을 가려 남의로 천리를 발섭(跋涉)하니, 첩의 행신이 비루함은 백희(伯姬)508)의 죄인이라. 실로 군자께도 뵈올 안면이 없으니 가히 근본을 바로 고치 못하고, 군자의 질환이 차경하심을 기다려 돌아가고자 하는 고로, 옥누항 옥화산 존문을 전치 못하니 불초한 허물이 더욱 크도소이다."

인하여, 조부인 체휘 안강하심과 태부인 유부인이 무사히 지내므로써

---

②존절하다. 알맞게 절제하다.
508) 백희(伯姬) : 중국 춘추시대 魯(노)나라 宣公(선공)의 딸. 송나라 恭公(공공)에게 시집갔다가 10년 만에 홀로 됐다. 궁궐에 불이 났을 때 관리가 피하라고 했으나 부인은 한밤에 보모 없이 집을 나설 수 없다고 고집해서 결국 불속에서 타 죽었다. 『열녀전(烈女傳)』〈정순전(貞順傳)〉'송공백희(宋恭伯姬)' 조(條)에 기사가 보인다.

평부를 이를 뿐이라. 학사 장씨의 살았음을 측량치 못하되 곡절을 구태여 묻지 않고, 다만 몽사 맞음을 이상이 여기고, 부안(父顔)이 삼삼하여509) 비로소 새로운 회포를 억제치 못하는지라. 원간 학사 병중(病中) 인사를 모르는 가운데도, 부안(父顔)을 알지 못하는 지통이 돌같이 맺혔더니, 작야의 꿈을 인하여 그 부공의 한 없이 자애하심을 받고, 장씨의 살았음을 일러, 향운대에 분향 축원함과 태운도인을 만나 회생약(回生藥)을 얻어 옴을 보는 듯이 일컫고, 액운이 점점 진하고 길운이 가까움을 이르며, 몸을 보호하여 옥같이 함을 당부함이 강보적자(襁褓赤子)를 연애(憐愛)함 같이 하고, 천정(天定)한 운수와 팔자를 도망치 못하니, 자기 일찍 세상을 버림과, 학사 형제 다 부안(父顔)을 모름이 천수(天數)임을 일컬어 슬퍼 하니, 학사 야야를 붙들고 오읍(嗚泣)하다가 깨달으매, 인하여 병세 잠깐 나은지라. 스스로 일신이 경쾌한 듯하나, 여러 가지 근심과 부안을 영모하는 슬픔을 어디 비할 곳이 있으리오. 장씨를 죽었음으로 알았다가 오늘날 쾌히 생존함을 보매, 여천지무궁(如天地無窮)한 중정으로써, 그 기쁘며 즐거움이 또한 모양할 것이 없고, 자기를 위한 정성을 그윽이 감사하여 혜오되,

"세간에 어느 여자가 가부를 범연히 알리오마는, 장씨의 행사 같기는 가장 쉽지 아니하니, 내 어찌 수하(手下) 처자(妻子)라 하여 그 은혜를 알지 못하고, 음양을 변체하여 도로에 분주(奔走)하는 바를 책하리오."

의사 이에 미쳐는 장씨를 향한 정이 더욱 은근 위곡(委曲)하되, 그 살아난 곡절을 묻지 아니함은, 단검에 몸을 상해오던 일이 다시 언두(言頭)의 오름이 되어, 조모의 패덕을 들놓을까 두려워함으로, 그 다히510)

---

509) 삼삼하다 : 또렷하다.
510) 다히 : 쪽. 방향을 가리키는 말

말을 행여도 않고, 다만 이르되,

"인정이 친측 존문을 안 후는 버거 자식의 유무를 알고자 싶은지라. 전일의 부인이 회잉(懷孕)의 경사 있더니, 월수를 헤아린즉 아이가 벌써 세상에 남이 일월이 오랠 듯하니, 남녀 간 사망지화(死亡之禍)나 없나이까?"

장씨 대왈,

"유아는 거의 돌을 지냈고, 저의 작인이 범범(凡凡) 용속(庸俗)기를 잠깐 면하여 대단히 유흠(有欠)한 곳은 없을까 하나이다."

학사 아이 기특하단 말을 듣되, 장씨 남녀를 자세히 이르지 않으니, 다시 물어 왈,

"아이를 칭찬하나 남녀를 분명이 이르지 않으니 어이 이같이 몽롱하시뇨?"

장씨 잠깐 웃고, 비로소 남자임을 전하니, 학사 중심에 흔열함이 가득하여 부자의 천륜자애(天倫慈愛)로써 보고자 정이 급하나, 도로(道路) 험조(險阻)하니 어찌 데려올 길이 있으리오. 다만 장씨 곁에 있으매 무슨 중보(重寶)를 얻은 듯, 병심을 많이 위로함이 되는지라. 자연이 종일 문답하여 부부의 기색이 유열 화평하되, 한 자 불법(不法)의 말이 있지 않고, 한 조각 음황(淫荒)한 뜻이 있지 않아, 청정(淸淨) 개결(介潔) 함이 진정 명성한 군자와 철부성녀(哲婦聖女) 쌍 지음이 마땅하더라.

이러구러 사오 일이 지나매, 학사의 질양이 점점 차성(差成)하여 토혈을 그치니, 장소저 선단(仙丹)의 효험이 만분 신이함을 영행하여, 도사의 대은을 심곡에 새기나, 그 성명도 알지 못하니 그 덕을 갚을 길이 없음을 애달아 하되, 학사는 몽사로 좇아 밝히 앎이 있으나 구태여 장씨더러 묻지 않고, 일일은 문 왈,

"자(子) 이에 온 지 여러 날이로되 의복을 고치는 일이 없으니 그 어인 뜻이뇨?"

장씨 대왈,

"군자의 환후 오히려 소성(蘇醒)할 날이 멀었고, 첩이 이 곳에 오래 머물 일이 없을 뿐 아니라, 구완[511])하는 사이 자연이 틈을 얻지 못하여 옷을 고치지 못하였나이다."

학사 장씨의 살아 이의 왔음을 천만 행심하며 환열함이 형상할 곳이 없으나, 자기 중병지여(重病之餘)에 차성할 날이 아직 멀었고, 장씨 남복으로 있으니 그윽이 불쾌하여 부부의 여산중정(如山重情)을 편 일이 없더니, 언어 매양 돌아갈 뜻을 비침을 깃거 않아, 가로되,

"생이 이곳에 찬배(竄配)하매 한 낱 친척이 없고, 순자사 관아의 있을 때는 오히려 붕우의 정이 동기의 감치 아니하니, 일분이나 외로운 회포를 위로할 곳이 있더니, 당차시 하여는 순자사 그 모친 병환으로 아주 상경하였고, 친절한 자 없으니, 그대 이미 생의 병을 구코자 내려왔을진대, 급급히 돌아갈 일이 아니라. 생의 정배 기한이 다만 금년뿐이니, 아직 상경치 말고 머물다가 생이 환쇄하는 때 한가지로 올라감이 옳을까 하나니, 자는 다시 생각하여 보라."

장소저 정금(整襟) 대왈,

"군자의 말씀이 마땅하시나, 첩이 존당에 득죄한 사람으로, '군자 적소의 한가지로 가 있으라' 명령이 없는 후 이리 내려와 오래 머묾이 죄 위에 죄를 더하는 잦[512])이요, 유아는 표숙(表叔)의 집에 버리고 왔으니, 사세(事勢) 아니 가지 못할까 하나이다."

학사 청파에 미소왈,

"당초의 자를 아주 죽은 줄로 알았을 적도 통상한 심회를 참고 견뎠으

---

511) 구완하다 : 아픈 사람이나 해산한 사람을 간호하다.
512) 잦 : 사물, 일, 현상 따위를 추상적으로 이르는 말. =일. 꼴. 것.

니, 이제 산 낯으로 서로 보고, 뱃속에 들었던 아해 거의 말을 배우는 지경에 있음을 자세히 알았으니, 그대 비록 즉시 돌아간들 결연하여 못 견딜 바는 아니로되, 생이 외로운 심사 극하여 머물고자 함이러니, 존당 명령이 아님을 칭탁하여 부디 돌아가고자 할진대, 어찌 막으리오. 다만 존당이 자의 생존을 몰라 계시니, 자(子)가 이곳의 오며 아니 옴을 어찌 명하시리오. 말이 되지 못한곳에는 생이 실로 실소하나니, 자 범사를 존 당 처분대로 함이 있으니까?"

언필에 안모 씩씩하고 사기 열숙하여 다시 말에 뜻이 없으니, 장소저 가장 불안하여 능히 말을 못하고, 급히 돌아감을 임의로 못함을 애달아 하더라.

차일 오후에 설강이 이르러 학사의 환후 위경을 면함을 만분 행심하 고, 명일 돌아가려 함을 일러 소저의 행거를 의논하니, 학사는 일언을 않고 소저는 유유(儒儒)513) 난연(赧然)하여 아무리 할 줄을 모르는 거동 이라. 설강이 가장 괴이히 여겨 학사께 고왈,

"소생이 명일 상코자 하더니 소저의 거취(去就)를 어찌 하리까?"

학사 날호여 답왈,

"군이 장씨더러 물어 아무렇게나 하고 날더러 묻지 말라."

설강이 학사의 말이 몽롱하여 결단치 않음을 보고, 소저를 향하여 왈,

"상공 환후 오히려 소성(蘇醒)하실 날이 멀었으니 소저는 급히 돌아가 지 못하실지라. 청컨대 장부에 서간을 이 뜻으로 하시고, 아직 이곳에 머무르소서."

장씨 마지못하여 부모와 표숙께 서간을 올리고, 설강을 송별하여 '천 리장정(千里長程)의 무사히 득달하라' 하니, 설강이 흔연 사사하고 명일

---

513) 유유(儒儒) : 모든 일에 딱 잘라 결정을 내리지 못하고 어물어물한 데가 있다.

효신의 발행하니라.

장소저 서숙(庶叔)을 보내고 비로소 일습(一襲) 여의(女衣)를 이뤄 청사포(靑紗袍)514)와 흑사건(黑紗巾)515)을 벗고, 상토를 풀쳐 운환(雲鬟)을 꿰고, 자라상(紫羅裳)516)과 청나삼(靑羅衫)517)을 개착하여, 단장(丹粧)에 꾸민 것이 없고 봄을(寶物)이 없어, 처연(凄然)이 검소한 가운데 쇄락한 용안(容顏)이 더욱 수려하여, 추월이 옥누(玉樓)의 밝았으며, 금분화왕(金盆花王)518)이 조로(朝露)를 떨친 듯, 풍완호질(豊婉好質)과 설부옥태(雪膚玉態) 사람의 정신을 황홀케 하는지라. 학사의 침엄정대(沈嚴正大)함으로도 장소저 선풍이질(仙風異質)을 대함에는 은정이 샘솟 듯, 희기(喜氣) 춘풍에 알연(憂然)하고519) 애경하는 의사 무궁하여 와잠봉미(臥蠶鳳眉)에 경운화기(慶雲和氣)를 동하고, 단사백옥(丹砂白玉)520)이 영롱(玲瓏)하여 왈,

"건복이 장구(長久)치 못하여 도로 여의(女衣)를 찾으니, 여자 되미 쾌치 못하리로다."

소제 미소 왈,

"형세 위급함을 당하여 잠깐 남의를 개착한 바나 어찌 장구히 남자로

---

514) 청사포(靑紗袍) : 푸른 비단으로 지은 도포(道袍). 도포는 예전에 예복으로 입던 남자의 겉옷.
515) 흑사건(黑紗巾) : 검은 비단으로 만든 당건. 당건은 예전에 중국에서 쓰던 관(冠)의 하나로, 당나라 때에는 임금이 많이 썼으나, 뒤에는 사대부들이 사용하였다.
516) 자라상(紫羅裳) : 자주색 비단치마.
517) 청나삼(靑羅衫) : 푸른색 비단 저고리.
518) 금분화왕(金盆花王) : 금빛 화분 속에 피어 있는 모란꽃. 화왕(花王)은 모란꽃을 말함.
519) 알연(憂然)하다 : 소리가 맑고 은은하다.
520) 단사백옥(丹砂白玉) : 붉은 입술과 하얀 치아를 이르는 말.

처신하리까?"

학사 웃음을 띠여 좌우를 돌아보니, 쌍섬이 장외(堂外)에 있을 뿐이오. 방중이 고요하여 장씨밖에 타인이 없고, 병이 잠깐 덜함으로부터 연소 부부 일방(一房)에 상대하여 어찌 범연하리오. 이에 베개를 밀고 금금(錦衾)을 물리쳐, 단의침건(單衣寢巾)으로 장씨의 손을 이끌어 무릎을 연(連)하고 향시(香顋)를 접하매, 은정이 무르녹아 도리어 황홀함을 이기지 못하니, 장소저 진실로 불안 절민하여 급히 옥수를 빠히고자 하되, 중병지여(重病之餘)에 기운이 약하나 오히려 강맹한 용력이 없지 아니하니, 여자의 연연약질로써 어찌 학사를 당하리오. 오직 옥면이 취홍하며 거지(擧止) 황황(遑遑)하여, 가만히 가로되,

"군자 중병지여의 기부(肌膚) 수약(瘦弱)하시어 보기에 절민(切憫)커늘, 몸을 이같이 잇비하시어[521] 도로 위증(危症)을 얻으려 하시나니까?"

학사 잠소왈,

"내 근력을 헤아려 이렇듯 하여도 관계치 않을 줄 알되, 자의 남복이 심히 불쾌하여 정을 펴지 못하였나니, 자는 어찌 날로써 고승(高僧) 같기를 바라느뇨?"

장소저 크게 민울하나 하릴없더니, 야심하매 장씨를 붙들어 상요(床褥)에 나아가니, 소저 천만 가지로 막자르되[522], 학사 마침내 듣지 않고 일침지하(一寢之下)의 연니지락(連理之樂)[523]을 펼 새, 춘풍이 화란(和暖)하매 미개화(未開花)가 부치임을 면치 못하니, 장소저 여자 가운

---

521) 잇부다 : 힘들다. 피곤하다.
522) 막자르다 : 함부로 자르거나 끊다. 사정없이 막다.
523) 연리지락(連理之樂) : 부부가 화합하는 즐거움. '연리(連理)'는 연리지(連理枝) 곧 두 나무의 가지가 서로 맞닿아서 결이 서로 통한 것을 뜻하여 화목한 부부나 남녀의 사이를 비유적으로 이르는 말.

데 강맹(强猛)하되 능히 윤학사의 용력을 미칠 길이 있으리오. 부부 구정(舊情)을 이으매 은애(恩愛) 교칠(膠漆)에 지난지라.

차후 학사 연야(連夜)하여 화합함이 관저(關雎)의 시를 지음직 하니, 쌍섬이 크게 행열(幸悅)하고, 혜준 등이 비로소 학사를 구하던 사람이 남자가 아니요, 그 주모임을 깨달아, 즐김을 형용치 못하더라.

학사의 병후(病候) 잠깐 회두(回頭)하니, 학사 정배 죄인의 거처가 요란함을 깃거 않되, 근읍(近邑) 주현(州縣)이 글을 보내어 하례하더라.

학사께 수학하는 아이 중 일개 영걸기동(英傑奇童)이 있으니 성명은 한희린이라. 방년(方年)이 십일세에 그 풍광이 동탕하고 용모 수려하여 장유(張兪)524)의 맑은 것을 압두(壓頭)하고 이백(李白)의 호풍(好風)을 묘시(藐視)하되, 그 연기(年紀) 구세까지는 '천(天)'·'지(地)' 두 자를 모르는 바로, 발양(發揚)한 기운을 걷잡지 못하여, 마을 소아들과 싸우며 욕하기를 일삼던 바라. 희린의 부친의 명은 순이요, 자는 자청이니, 승상 한유의 일자로 문장 도행이 사림(士林)의 추앙함이 되었으되, 고집이 괴이하여 공명 현달을 구치 않고, 본향 양주에 은거하여 고요히 세월을 보내되, 한승상이 청백리(淸白吏)로 유명한 재상이라. 한 낱 아들의 가업(家業)을 염려하는 일이 없어, 그 집이 동해수(東海水)로 부신525)듯하여, 한순의 계활(計活)이 가장 넉넉지 못하되, 효렴이 안빈낙도(安貧樂道)하여 재물을 흙같이 여기고, 작록(爵祿)을 부운같이 알아 뜻이 높으되, 그 처 곽씨는 중무소주(中無所主)한 위인이라. 허랑(虛浪) 부박(浮薄)함이 심하고, 부귀와 권세를 크게 흠모하는 고로, 성정이 극히 구차

---

524) 장유(張兪) : 중국 송나라 때의 시인. 자를 소우(少愚), 호를 백운선생(白雲先生)이라 하였고, 〈잠부(蠶婦)〉라는 시가 유명하다. 저서에 『백운집(白雲集)』이 있다.
525) 부시다 : 그릇 따위를 씻어 깨끗하게 하다.

하여, 매양 사람을 만난즉 아무 것이라도 얻고자 하며, 달라 하기를 즐기고, 비록 천선 같은 사람이라도 빈한한즉 돈견(豚犬)같이 여기고, 우맹(愚氓)같이 용렬(庸劣)한 위인이라도 부요(富饒)한즉 높이 보기를 천상 옥황같이 아는지라.

한순이 그 인물의 망측함을 기괴(奇怪)히 여기나, 조강결발(糟糠結髮)526)의 대륜(大倫)을 폐치 않아, 강인(强忍)하여 부부지락(夫婦之樂)을 이루되 늦도록 자녀를 생산치 못하니, 한순이 매양 천지신명(天地神明)께 축원하여 한 낱 영자를 얻어 조선후사(祖先後嗣)를 절치 않음을 청하더니, 사십 후 곽씨 태신(胎身)의 경사 있어 일개 여아를 낳고, 또 명년의 희린을 낳으니, 자녀의 비상 특이함이 해중명월주(海中明月珠)라. 한순이 무자(無子)함을 슬퍼 하다가 옥녀(玉女) 기동(奇童)을 얻으니, 환행희열(歡幸喜悅)함이 비할 곳이 없더니, 세월이 '백구(白駒)의 틈 지남'527) 같아서, 여아 희주 십세요, 아자 희린은 구세라.

한순이 상법을 앎으로 아들과 딸을 비록 가르치지 않아도, 재주와 문장이 천하의 문인재사를 압두할 것이요, 오복(五福)이 완전한 상모라 하여, 나이 더 차기를 기다려 교학(敎學)하려 하더니, 불행하여 홀연 한공이 독질(毒疾)을 얻어 상요(床褥)에 위돈(委頓)하니528), 스스로 일어나지 못할 줄 알고, 희린을 앞에 나오게 하여 경계 왈,

"네 아비 명박하여 두 낱 자녀의 성혼을 보지 못하고 황양길(黃壤一)529)

---

526) 조강결발(糟糠結髮) : 고생을 함께 해온 아내와 관례(冠禮)를 행하고 처음 맞은 아내를 함께 이르는 말로, '본처(本妻)'를 비유적으로 표현한 말.

527) 백구(白駒)의 틈 지남 : 백구과극(白駒過隙). 흰 망아지가 빨리 달리는 것을 문틈으로 본다는 뜻으로, 인생이나 세월이 덧없이 빨리 흘러감을 이르는 말.

528) 위돈(委頓)하다 : 힘이 빠지다. 기진(氣盡)하다. 자리에 쓰러져 있다.

529) 황양길(黃壤一) : 황천길(黃泉一). 저승길. 죽어서 저승으로 가는 길.

흘 바야니530), 내 목숨은 족히 아깝지 않되, 너희 남매의 정리를 생각하면 참절한지라. 네 모친이 본디 형상 없는 위인이니 대소 범사의 네 스스로 헤아려 행하고, 어미더러 묻지 말며, 또 사람이 학문을 모르면 금수와 다르지 않으니, 어진 사부를 얻어 유학(儒學)을 힘쓰고, 누이를 고문벌열(高門閥閱)의 저와 같은 쌍을 얻어 배필을 삼고, 향리 촌부(村夫)에게 결혼치 말라."

또 소저를 당부 왈,

"내 이제 죽으매 네 모친이 주(主)한 소견이 다만 남의 부귀를 부러워할 따름이라. 아들은 제 스스로 가려 배필을 구하여도 부끄럽지 아니하거니와, 너의 신세 가히 위태롭지 아니하랴. 삼가고 삼가며 조심하여 비록 어미 말이라도 불사(不似)한531) 곳의 다다라는 괴로이 간하여 듣지 말라."

소저와 공자 야야의 유교(遺敎)를 듣고 실성(失性) 운절(殞絕)하여 인사를 차리지 못하니, 공이 스스로 어루만져 깨와 진정케 하고, 한 번 탄식에 두 번 느껴 눈물을 흘리고 엄연 장서(長逝)하니, 희린 남매의 궁천지통(窮天之痛)이야 어찌 이를 것이 있으리오마는, 집에 한 냥 은자와 한 필 깁이 없으니, 무엇으로 초상입념지구(初喪入殮之具)를 차리리오. 희린 공자 산발한 머리를 거두어 매고, 학당에 가 선비를 청하여 지필을 주며 문권(文券)을 만들어 달라 하니, 그 경색과 언사 참참(慘慘)한지라. 학교 제인이 위하여 몸을 파라 염장(殮葬)532)코자 함을, 눈물을 흘리고 문권을 만들어 주니, 희린이 문권을 가져 읍저(邑底)533)에 나아가

---

530) 바야다 : 재촉하다. 보채다.
531) 불사(不似)하다 : 닮지 않다. 격에 맞지 않다.
532) 염장(殮葬) : 시체를 염습하여 장사를 지냄.
533) 읍저(邑底) : 읍내(邑內)

사문(四門)에 종일 달아534) 제 몸을 팔고자 하되, 뉘 한승상의 종손(宗孫)을 종 삼으리오. 그 정경을 듣는 이 슬피 여기나, 문권 사어(辭語)를 실소(失笑)535)하여 아무도 살 이 없으니, 한공자 종일 두루 돌아 한 냥 은자를 얻지 못하고, 망극함이 천지 어둡기를 면치 못하여, 우연이 윤학사 머무는 곳에 나아가 문권을 드리니, 학사 채536) 보도 않고 즉시 문권을 소화하고, 희린을 붙들어 그 심사를 위로하며, 경사에서 정·하·석 삼인이 학사의 삼년 적거(謫居)에 지낼 것을 헤아려, 은자 수백 냥을 준 것이 오히려 있더니, 다 내어 한공자를 주어 장사 지내라 하니, 희린의 감은함이 골수(骨髓)에 사무쳐, 머리를 두드려 은덕을 백배 칭사한데, 학사 탄 왈,

"내 그대를 처음으로 보나 정사 참혹한지라. 어찌 수백 냥 은자를 아껴 영엄(令嚴) 상장(喪葬)을 때에 못하게 하리오. 모름지기 급히 돌아가 입념지구(入殮之具)를 차려 성복(成服)을 지내고, 비록 장월(葬月)537)이 다닫지538) 못할지라도, 바삐 양례(襄禮)539)를 지내고 내게로 돌아오면, 내 결단하여 그대로 하여금 불의예 빠지지 아니케 하리라."

희린이 체읍 사례하며 언언이 수명하고 빨리 돌아갈 새, 학사 그 상모의 비상함과 위인의 출류(出類)함을 흠애(欽愛)하여, 마침내 잊지 않을 뜻을 두어, 혜준을 한부에 보내어 초상입념지절(初喪入殮之節)을 도우라 하니, 한공이 원래 오대독신(五代獨身)으로 한낱 매자(妹者)도 없는

---

534) 달다 : 물건을 일정한 곳에 걸거나 매어 놓다.
535) 실소(失笑) :어처구니가 없어 저도 모르게 웃음이 툭 터져 나옴. 또는 그 웃음.
536) 채 : 채. 미처. 어떤 상태나 동작이 다 되거나 이루어졌다고 할 만한 정도에 아직 이르지 못한 상태를 이르는 말.
537) 장월(葬月) : 장례에 알맞은 달. 죽은 사람의 사주를 따른다.
538) 다닫다 : 다다르다. 어떤 수준이나 한계에 미치다.
539) 양례(襄禮) : 장례(葬禮). 장사를 지내는 일.

지라. 강근지친(强近之親)이 없고 성정이 고결(高潔) 단엄(端嚴)함으로,
향촌의 우맹지류(愚氓之類)를 사귀는 일이 없으니, 초상 성복을 다 내나
아무도 들이밀어 볼 이 없고, 다만 윤학사 극진히 고념(顧念)하여 그 영
궤(靈几)를 붙들어 향진(鄕塵)540)에 안장(安葬)케 하니, 희린 남매의 각
골감은(刻骨感恩)함은 이르지도 말고, 곽부인이 상(常)없는541) 인물이
로되 윤학사의 은혜는 감격하여, 함환결초(銜環結草)542)할 뜻이 있는지
라. 희린이 집을 떠나 상측(喪側)에 있지 못함을 슬퍼하나, 학문을 알지
못함이 큰 근심이 될 뿐 아니라, 윤학사 여러 번 부르매 어기오지 못하
여, 장후(葬後) 즉시 학사의 곳에 이르니, 학사 지성으로 교학(敎學)하
여 가르치는 도리 사랑하는 아우같이 하여, 한갓 문재(文才) 필법(筆法)
뿐 아니라 일신백행(一身百行)에 한 일도 무심히 보는 바 없어, 예(禮)
아니면 그 귀에 들리지 않고, 덕이 아니면 언두(言頭)에 올리지 아니하
여, 한공자의 과격(過激)하며 발양(發揚)한 거동 곧 보면, 정색하고 준
절이 책하여 온중정대(穩重正大)하기를 당부하니, 한공자 윤학사와 사

---

540) 향진(鄕塵) : 고향 땅.
541) 상(常)없다 : 보통의 이치에서 벗어나 막되고 상스럽다.
542) 함환결초(銜環結草) : '남에게 입은 은혜를 꼭 갚는다' 의미를 가진 '함환이보
(銜環以報)'와 '결초보은(結草報恩)'이라는 두 개의 보은담(報恩譚)을 아울러 이
르는 말로, '남에게 받은 은혜를 살아서는 물론 죽어서까지도 꼭 갚겠다.'는 보
다 강조된 의미가 담긴 뜻으로 쓰인다. 두 보은담의 유래를 보면, '함환이보'는
중국 후한 때 양보(楊寶)라는 소년이 다친 꾀꼬리 한 마리를 잘 치료하여 살려
보낸 일이 있었는데, 후에 이 꾀꼬리가 양보에게 백옥환(白玉環)을 물어다 주
어 보은했다는 남북조 시기 양(梁)나라 사람 오균(吳均)이 지은 『續齊諧記』
의 고사에서 유래한 말이다. 또 '결초보은'은 중국 춘추 시대에, 진나라의 위
과(魏顆)가 아버지가 세상을 떠난 후에 서모를 개가시켜 순사(殉死)하지 않게
하였더니, 그 뒤 싸움터에서 그 서모 아버지의 혼이 적군의 앞길에 풀을 묶어
적을 넘어뜨려 위과가 공을 세울 수 있도록 하였다는 『춘추좌전』〈선공(宣
公)〉15년 조(條))의 고사에서 유래하였다.

제지도(師弟之道)를 맺어, 지극한 정은 이르지도 말고 희린이 학사를 바라고 믿음이 적자(赤子)가 자모(慈母)를 우러름 같고, 두려워 하고 공경함이 엄한 부형 같아서, 날로 학문을 힘쓰고 행실을 수련 하매, 신기한 재주 수년지내에 만권서(萬卷書)를 가슴에 장한 바 되어, '칠보(七步)의 속재(俗才)'543)를 웃으며 팔진도(八陣圖)544)를 묘시하는, 문필을 겸하여 강하의 훤칠한545) 기량과 춘양(春陽)의 화기를 가져, 엄상(嚴喪)의 슬픈 것을 관억(寬抑)하고, 윤학사를 의앙하여 평생에 떠나지 말고자 하는지라.

학사를 매양 사부(師父)라 하니, 학사 희린의 나이 자가(自家)546)의 육년 아랜 고로 사부라 부르지 말고 사형(師兄)이라 하라 하니, 희린이 학사의 명을 좇아 사형이라 하더라.

곽씨 희린을 근심 없이 윤학사께 보내고 희주로 더불어 조석증상(朝夕蒸嘗)547)을 겨우 이으나, 간고한 형세 심하여 동대서걸(東貸西乞)548)을 면치 못하고, 한 낱 어린 비재(婢子) 있어 흐르는 물을 떠 오면, 조석 음식을 의지하여 익히는 바라. 시비(柴扉)도 점점 헐어지고 초옥(草屋)은 허소(虛疎)하여 사통오달(四通五達)하니 능히 몸을 가리지 못하는지라.

---

543) 칠보(七步)의 속재(俗才) : 일곱 걸음 만에 시를 지어 죽음을 면했다는 중국 위(魏)나라의 시인 조식(曹植 : 192~232)의 재주를 말함.

544) 팔진도(八陣圖) : 중국 삼국시대 촉한(蜀漢)의 정치가 제갈량(諸葛亮; 181-234)이 창안했다고 하는 진법(陣法).

545) 훤칠하다 : 막힘없이 깨끗하고 시원스럽다.

546) 자가(自家) : ①자기 자체. ②자기의 집

547) 조석증상(朝夕蒸嘗) : 아침저녁으로 올리는 제사. 증상(蒸嘗)은 제사(祭祀)를 뜻하는 말로, '증(蒸)'은 겨울제사를, '상(嘗)'은 가을제사를 말한다.

548) 동대서걸(東貸西乞) : 동에서 꾸고 서에서 빈다는 뜻으로, 여러 곳에서 빚을 짐을 이르는 말. ≒동추서대(東推西貸)·동서대취(東西貸取)·동취서대(東取西貸).

　희주 소저 향촌 강한(強悍)한 인심을 두려워하는 고로, 일간 방사에 고요히 처하여, 극열(極熱)을 당하여도 연고 없이 머리를 내밀지 아니하니, 인리향당(隣里鄕黨)이 한공이 딸이 있음을 들었으되 얼굴을 구경한 사람이 없더니, 한공의 초기(初忌) 날 희주 모친과 희린으로 더불어 날이 밝도록 통곡하매, 인가 최추관의 비자가 잠깐 구경하고, 정신이 황홀하여 제집에 돌아가 만구(萬口) 칭선하니, 최추관 자는 본디 향리의 천비(賤鄙)한 가문이나, 용력과 무예 타류에서 잠깐 나으므로 요행 연무청(鍊武廳)에 참예(參預)하여 무과(武科)를 응하나, 어찌 즉시 벼슬에 나아감을 얻으리오마는, 최음의 집이 호부(豪富)하여 누만 금을 쌓았는 고로, 경사의 탐재(貪財)하는 재상가에 금백을 드리고 작직(爵職)을 도모하여 겨우 항주 추관(秋官)549)을 지내고, 연기 삼십에 한 낱 자녀도 없이 금현(琴絃)550)이 단절하니, 최음이 저의 문호 낮음을 생각지 않고, 한갓 은금을 자세(藉勢)하여 후취(後娶)를 구하는 뜻이 명문거족의 색덕이 겸비한 여자를 구하는지라. 어느 집이 천금 옥녀로써 최음 같은 무부(武夫)로 쌍 지으리오. 저마다 구혼함 곳 들으면 실소(失笑)함을 마지않고 허혼치 아니하니, 최음이 저와 같은 가문에는 입장치 않으려 하는 고로, 여러 세월을 천연하더니, 저의 시녀 한소저 칭찬함을 듣고 외람한 의사 그윽이 일어나, 한승상의 손서(孫壻)가 되고자 하는 고로, 양주 읍저 남문 안에 있는 매파 오춘랑을 불러, 금은옥보(金銀玉寶)를 한부 곽부인에게 가득이 보내고, 온 가지로 곽씨를 달래어 허혼을 받으라 하니,

---

549) 추관(秋官) ; 형조(刑曹)를 달리 이르는 말.
550) 금현(琴絃) : '거문고의 줄'이란 뜻으로, 부부 가운데 한쪽 편을 이르는 말. 즉 부부가 서로 화락하는 것을 금슬지락(琴瑟之樂)이라 하는데, 이는 거문고와 비파가 좋은 화음을 이루는 것에 비유한 말로, 거문고와 비파는 '부부'를 대유(代喩)한 표현이다.

춘낭이 본디 말씀이 흐르는 듯하여, 사람을 어르녹이는지라551). 진주보옥(珍珠寶玉)과 금은필백(金銀疋帛)을 무겁게 가져 와 곽부인께 드리고, 최추관의 여옥지모(如玉之貌)와 여류풍신(如柳風神)을 일컬으며, 금은진보(金銀珍寶)를 물같이 쓰며 노비 전택이 수를 혜지 못하고, 부귀 공후 귀택에서 더함을 흐뭇이 고하여, 한공의 삼기(三忌) 지나기를 기다려 소저로써 최가에 속현(續絃)함을 청하니, 곽씨 금은에 넋을 잃고 매파의 유수지변(流水之辯)이 무궁히 일컫는 말에 정신이 현란하여, 부러워하는 침이 마를 듯, 하 기쁘고 기특하니, 어찌 그 문지비천(門地卑賤)함을 몽리(夢裏)에나 생각하리오. 반드시 한공의 정녕(精靈)이 도와 여아를 최가 같은 일부(一富)552)에게 인연을 이루게 함을 헤아려, 흔연히 금주보옥(金珠寶玉)을 받고 일어(一語)에 쾌허하여, 재기(再忌)553) 지난 후 성례함을 이르니, 매파 대열하여 즉시 돌아가 최음에게 회보하니, 추관이 대열하여 매파를 상사하여 돌아 보내니라.

곽씨 금보를 가지고 들어와 여아를 보고 형상 없이 즐김이 미칠 듯하니, 희주 대경 차악하여 눈물을 뿌리고 사리로 간하나 곽씨 들을 리 없어, 금백에 심혼을 다 빼앗기고 손을 꼽아 한공의 재기(再忌) 여러 달 가렸음을 근심하니, 소제 한심하여 급히 희린을 불러와 차사를 이르니, 공자 역경하여 천만 가지로 간하여, 모친을 붙들고 최음의 근본이 천함과 부친 삼기 전 혼인 의논이 불가함을 고하니, 곽씨 처음은 못 된 성을

---

551) 어르녹이다 : 그럴듯한 말로 꾀어 마음을 움직이다. '어르다+녹이다'의 형태. *어르다. 어떤 일을 하도록 사람을 구슬리다. *녹이다; 홀리다. 유혹하여 정신을 차리지 못하게 하다.

552) 일부(一富) : 갑부(甲富). 첫째가는 큰 부자.

553) 재기(再忌) : 사람이 죽은 지 2년이 되는 날. 이날 지내는 제사를 대상(大祥)이라 하고 대상을 지냄으로써 삼년상을 마친다.

내어 자녀를 짓두드리며, 너희 나를 죽이고 임의로 하라 하더니, 희린과 소제 스스로 죽고자 하니, 그 중에 좀꾀를 생각고 공자와 소저의 말을 옳이 여겨 듣는 듯이, 최가에 금은을 도로 보내고 퇴혼 하렸노라 하니, 희린 남매 깃거 하는지라.

곽씨 최부 양낭(養娘)554)을 불러 가만히 저의 심사를 이르고, 혼인을 결단하여 지내려 하되 아직 자녀의 말을 우기지 못함을 일컫고, 한공의 삼기 후 추관이 무지모야(無知暮夜)에 허다 가정(家丁)을 거느려 여아를 급히 데려가면, 순히 내어주마 하고, 공자와 소저 듣는 데서는 퇴혼하는 사어(辭語)로 금백을 주어 보내니, 희린은 비로소 마음을 놓아 윤학사께로 가고, 소저는 모친의 잔꾀 없음을 아는 고로 여차 무상한 계교를 모르고, 흉적의 환(患)을 염려치 않더니, 최음이 원래 후취함이 하루가 바쁜 고로, 곽부인의 계교로 좇아 혼야(昏夜)에 삼사십 가정을 데리고, 횃불을 낮같이 밝히고 창검을 각각 손에 들어, 최음은 도적인 체 하고 한 부 시문을 깨뜨리고 들어가니, 곽씨는 맞춘 일이라 놀라지 않고, 아시녀(兒侍女) 연환이 소저 곁에 누었더니, 함성을 듣고 전일 부인이 최부 시녀와 맞춘 일을 들었던 고로, 웃고 가로되,

"반드시 최추관이 소저를 모시러 오는도다."

하거늘 소저 이 날 마침 옷을 입은 채 누었더니, 차언을 듣고 심혼이 산비(散飛)하여 미처 연유를 묻지 못하고, 한 번 뒷문을 열치매 몸을 뛰여 내다르니, 곽씨 극한 둔골(鈍骨)이라 여아를 능히 잡지 못하고, 얼핏하는 사이 소저 헐어진 담 틈으로 나가니, 곽씨 행여 여아 죽을까 망극하고, 또 최음이 소저를 다리러 왔다가 공환(空還)할까 크게 애달아, 소리를 높혀 이르되,

554) 양낭(養娘) : 시녀(侍女).

"여아 뒷문으로 내달아 도망하였으니 빨리 찾아오라."

최음이 차언을 듣고 오히려 믿지 않아, 안으로 들어가 후정까지 세세히 살핀 후, 가정을 명하여 일시에 산곡과 암혈(巖穴)까지 아니 뒤여본 곳이 없으되, 마침내 한소저의 그림자도 보지 못하니, 크게 실망하여 밤이 진토록 찾다가 못하여, 하릴없어 제 집에 돌아가 시녀를 보내어 곽부인을 사람 속인 죄로 욕하라 하니, 최음의 비자가 본디 한공의 집이 측량없이 빈한함을 업신여기는지라. 여럿이 무리 지어 한부의 나아가 곽씨를 욕하되,

"늙은 과모(寡母) 음흉하여 딸을 거짓 다른 곳에 두고, 우리 댁 재물을 취하려 노야에게 청하여, 무지모야에 세찬 가정을 데리고 들어와 딸을 데려 가라 하더니, 그 소저 어디로 가뇨? 이제 얻어내면 모르거니와 그렇지 않으면, 관정(官廷)에 고장(告狀)까지 하여도 곽부인을 굿기555)도록 하리라."

하니, 곽씨는 분한 줄도 모르고 제 잘못하여 딸을 잃으니, 혹자 이런 일을 남이 알까 두려 설움과 참절함을 다 잊고 화순히 빌어, 실로 딸을 다른 데 판 일이 없음을 발명하니, 그 거동이 가소로운지라. 최가 비자들이 욕설을 그치지 아니타가, 중심에 우습기를 마지아니하여 이윽고 돌아가니, 곽씨 희린더러도 차마 바로 이르지 못하여, 다만 야래(夜來)에 도적이 들어, 여아 급히 피코자 뒷문으로 내닫더니 간 곳이 없다 하니, 희린 공자 창황이 집에 돌아와 곡절을 자세히 알고, 몸소 두루 찾아보려 하되, 곽씨 마침내 곡절을 이르지 않고, 한결같이 은닉하니, 공자 아무런 줄 모르고 통상함을 이기지 못하여, 원근을 불계(不計)556)하고

---

555) 굿기다 : 고생하다. 궂은일을 당하다. 죽다.
556) 불계(不計) : 헤아리지 않음. 따지지 않음. 수를 세지 않음.

소저를 찾아보려 하더니, 곽씨 딸을 잃고 애달프고 뉘우쁨557)을 이기지 못하여 용심(用心)함을 과히 하매, 성질(成疾)하여 증세 비경(非輕)하니, 희린이 능히 누이를 찾지 못하고 모병(母病)을 구호하여 해 바뀌되, 곽씨 차성치 못하고, 희주 사생 존망을 알 길이 없으니, 희린이 역시 심려를 허비하여 의형이 환탈하고 풍광이 수약(瘦弱)하여, 옷을 이기지 못할 듯하니, 곽씨 아들의 위태함을 겁하매 스스로 참통(慘痛)함을 참고, 겨우 식음을 나와 병이 하리기를 바라되, 능히 몸을 움직이지 못하고, 여아의 화용월태(花容月態) 안중에 삼삼하며, 낭음봉성(朗音鳳聲)이 이변(耳邊)의 머물러, 주야 칼을 삼킨 듯함을 이기지 못하나, 공자 보는 데는 좋은 사색을 작위(作爲)하더라.

한소저 희주 최적을 피하여 혈혈일신(孑孑一身)이 지향 없이 산상으로 치달아, 희미한 월하(月下)에 길을 찾지 못하더니, 한 낱 여승이 푸개558)를 메고 청녀장(靑藜杖)을 짚어 바위 위에 섰다가 한씨를 보고, 웃으며 가로되,

"빈도 이곳에서 소저를 기다린 지 오래된지라. 청컨대 내 등의 잠깐 업히소서."

한씨 만사 숙성(夙成)하나, 나이인즉 십삼 충년이라. 일찍 방 밖을 나는 일이 없다가, 불의에 고봉산로(高峰山路)의 간신이 오르며, 이고(尼姑)를 만나니, 행여 사람이 아니고 귀신인가 가장 놀라 말을 못하니, 니고 웃고 소저를 들쳐 업으며, 발이 땅에 붙지 않게 달리니, 소저 놀랍고 두려움을 이기지 못하여 정신을 차리지 못하더니, 한 곳의 다다르며 원

---

557) 뉘우쁘다 : 후회(後悔)스럽다. 뉘우치는 생각이 있다.
558) 푸개 : 포개(鋪蓋). 짐보따리. 중국어차용어.

촌(遠村)의 계성(溪聲)이 들리고 흉흉(凶凶)한 강수(江水) 앞을 임하였는
지라. 이고 배를 언덕에 매었다가 소저를 업은 채[559] 선중(船中)에 오
로며 선인(船人)을 재촉하여 배를 저으라 하니, 소제 비로소 사람인 줄
깨달아 자기를 데려가는 연고를 물으니, 이고 대왈,

"빈도는 경사 남문 밖 벽화산 취월암 월청이고러니, 사부 혜원이 양주
태생(胎生)이라. 연년(年年)이 그 생일 곧 당하면 제자들이 돌려가며 양
주에 내려가, 향운대라 하는 대에 분향 축원하여 내세(來世)를 제불(諸
佛)께 닦는 바이더니, 금년이 차례 빈도에게 당하여 이리 내려올 제, 사
부 당부하여 한소저를 구하여 산사로 오라 하니, 빈도 향운대의 다녀오
는 길에 소저를 모셔 가려 이 바위 위에 낮부터 서있더니이다."

한씨 비록 일시 적화를 피하여 최가의 욕을 면코자 하나, 아주 멀리
갈 의사는 없는지라. 사정을 베풀어 모친의 혈혈 비절한 정사와, 자기
부친 삼년 안에 멀리 갈 의사 없으니, 도로 집으로 가기를 청한데, 월정
이 개유 왈,

"소저 천의를 모르시나니까? 이제 만일 도로 들어가시면 대화를 만나
시리니, 적은 사정을 참고 길운을 기다리소서. 빈도 결단하여 소저께 해
로운 사람이 아니요, 사부 운화산 활인사로 옮고, 취월암에 빈도와 동류
수십 인이 있으니, 잠깐 가 머무르신 즉 유광(流光)[560]이 훌훌하니 수
삼년 춘추를 얼마 하여 보내리오."

한씨 크게 슬퍼하나 하릴없어 월청을 따라 취월암에 이르러 고요히
머물새, 월청의 대접이 극진하고 암중에 만권서(萬卷書)가 있어, 월청은

---

559) 채 : 이미 있는 상태 그대로 있다는 뜻을 나타내는 말.
560) 유광(流光) : 흐르는 물과 같이 빠른 세월을 비유적으로 이르는 말. ≒유수광
　　음(流水光陰).

박고통금(博古通今)561) 하고 문재유여(文才有餘)한 고로, 한소저를 가르쳐 사오월이 못하여서, 한씨 문장이 강하(江河) 같고 재주 기이하여 초사(楚辭)562)의 공교함을 웃으니, 원간 침선수치(針線繡致)와 여공지사(女工之事)의 선능(善能) 기묘(奇妙)함은 그 모친의 가르치지 않았으나, 남의 제작을 보아 스스로 깨달은 바요, 문학은 월청에게 배워 노사숙유(老士宿儒)를 압두할 바라. 의사 환열하여 세념을 끊었으되, 영친(寧親)563) 사모지정(思慕之情)이 간절하여 조운석월(朝雲月夕)에 참참(慘慘)한 비회를 비할 곳이 없고, 산사에서 해를 바꾸어, 부친 삼기(三忌)를 지내지 못함을 더욱 통절하는 바로되, 관억함을 위주하여 세월을 보내고, 니고의 의식을 허비치 않으려 수치(繡致)를 착실히 하여 시상(市上)에 화매(貨賣)한즉 값을 많이 받으니, 월청은 가장 민망하여 소저의 수고로움을 일컬어, 천금 약질을 가쁘게564) 말라 하더라.

차시 상명이 윤학사의 찬적을 푸시고 태자소부(太子少傅)로써 홍문관태학사(弘文館太學士)를 겸하여 급히 부르시는 은사(恩賜) 내리시매, 양주 일읍이 진동하고, 전유(傳諭)하는 사관이 학사의 돌아가는 위의를 갖추어 적소의 이르니, 윤학사 오히려 상요를 떠나지 못하여 기거를 못하는 즈음이러니, 정배를 푸시는 사명이 계심과 태자소부로 징소(徵召)하시어 바삐 옴을 재촉하시는 사관을 보내어 계심을 들으매, 번연 대경하여 신색(身色)이 찬 재 같음을 면치 못하니, 이는 자기 정배 기한이 금

---

561) 박고통금(博古通今) : 고금(古今)을 널리 통하여 앎.
562) 초사(楚辭) : 중국 초나라 굴원(屈原)의 사부(辭賦)를 주로 하고, 그의 작품을 이어받은 그의 제자 및 후인의 작품을 모아 엮은 책. 전한의 유향(劉向)이 16권으로 편집하였다고 하며, 후한 때에 왕일(王逸)의 〈구사(九思)〉를 더하여 모두 17권이 되었다.
563) 영친(寧親) : 부모를 뵙기 위해 고향집에 돌아감.
564) 가쁘다 : 힘에 겹다. 숨이 몹시 차다.

년까지거늘, 지레 사하심이 필유묘맥(必有妙脈)함을 헤아려, 혹자 양모(養母)의 패도(悖道)와 악행이 발각함인가 놀람을 이기지 못하니, 심신을 정치 못하는지라. 장소저 민망하여 나직이 위로 왈,

"이제 사명이 내렸으니 군자 거리낀 일이 없어, 쉬이 환경하시어 존당과 자안(慈顔)에 봉배(奉拜)하심이 구하여 얻고자 하여도 쉽지 못한 경사거늘, 하고(何故)로 이다지도 실색하시니까?"

학사 탄왈,

"인정이 제 몸이 영귀하는 것을 아니 즐길 이 없고, 적지(謫地) 고초를 깃거할 바 있으리오마는, 생의 남 다른 심사는 흉억(胸臆)에 맺혔나니, 이제 성주의 사명과 외람한 작직(爵職)으로 부르심이 계셔도 실로 기쁨을 알지 못하는 바는, 아등의 불초 무상함이 조모와 자당께 한없는 불효를 끼쳐, 아등으로써 대모와 자정이 무궁한 심려를 허비하시고, 너른 집에 외로이 머무시어 한 날 자손도 시봉할 자 없다가, 아등이 은사를 입사와 기한 전에 돌아감이, 범연히 이를진대 흔행(欣幸)타 할 것이로되, 그 가운데 반드시 묘맥(妙脈)이 있어, 괴이한 누얼(陋孽)이 자모와 대모께 돌아가리니, 생의 마음이 어찌 편하리오."

언파에 겨우 몸을 일으켜 관소(盥梳)하고 향안을 배설하여 교지를 듣자오매, 사관을 청하여 서로 볼 새, 학사의 수패(瘦敗)함이 옥부(玉膚)에 빙골(氷骨)만 남아, 수정 같은 격조와 세류 같은 신채 더욱 쇄연(灑然) 청고(淸高)하여 풍편에 부칠 듯, 맑고 고은 것이 태과(太過)하여 반점 진태(塵態)의 무든 것이 없으니, 사관(使官)은 신진명사 임찬이라. 전일 윤학사를 본 일이 없던 고로, 그 선풍이질(仙風異質)을 항복하여, 이에 상교를 전하여 바삐 옴을 재촉하시던 바를 전하고, 명일이라도 발정(發程)함을 고하니, 학사 부복하여 듣잡고 분향 배례한 후, 사관을 대하여 가로되,

"누인(陋人)의 정배 기한이 금년까지거늘, 성은이 여천(如天)하시어 지레 정배를 푸시고 청현화직(淸顯華職)으로써 징소(徵召)하시니, 누인 (陋人)이 불승황공 하여 아무리 할 바를 알지 못하오니, 명공이 누인을 위하여 비록 순설(脣舌)이 수고로우나, 천문의 은사 급히 내리신 연고를 이르라."

원래 교지(敎旨) 내에 다만 양주 찬적이 원억하며, 누명이 억매(抑昧)565)함을 베풀었을 뿐이요, 전후 곡직을 일컫지 않아 계시고, 유씨로써 양주에 정배함을 이르지 않아 계신 고로, 학사 그간 사고를 알지 못하여 사관더러 이같이 무름이라.

사관이 몸을 굽혀, 대왈,

"소생은 오직 상교를 받자와 이의 내려오니, 명공의 누명 신설하신 곡절은 자세히 알지 못하되, 다만 조보(朝報)566)를 인하여 잠깐 알매, 의열현비 윤부인이 정·진 이부(二府)의 참화를 구하시어, 여차여차 격고 등문 하시매, 정·진 이부 화란이 바뀌어 복경이 되고, 간인의 악사 발각하매 구몽숙 등이 죄에 나아가고, 신묘랑이란 요괴를 잡아 엄형추문(嚴刑推問)하매, 명공 곤계 누얼이 옥같이 벗어진가 하나이다."

학사 청파에 자기 헤아린 바와 같음을, 더욱 경해(驚駭) 차악(嗟愕)함을 이기지 못하는지라. 즉시 홍문관 하리를 불러 연일 조보를 다 들이라 한대, 하리 대왈,

"소인 등이 조보를 다 가져오려 하옵더니 상의 위명(威命)이 계사 조보를 가져가지 말라 하시고, 다만 서간만 맡기시더이다. 학사 즉시 서간

---

565) 억매(抑昧) : 억울(抑鬱)하고 애매(曖昧)함.
566) 조보(朝報) : 조선 시대에, 승정원에서 재결 사항을 기록하고 서사(書寫)하여 반포하던 관보. 조칙, 장주(章奏), 조정의 결정 사항, 관리 임면, 지방관의 장계(狀啓)를 비롯하여 사위의 돌발 사건까지 실었다.

을 찾아보니, 삼위 표숙의 서찰이라. 대개 쓰였으되,

"매제 일양 무양하여 괴로운 질병이 없으니 현질의 만행이라. 하물며 성은이 빛을 더하시어 현질 등의 누명이 거울같이 벗어지고, 청현화직 (淸顯華職)567)으로 전유사관(傳諭使官)을 보내시니 인신의 감은골수(感恩骨髓)할 바라. 모름지기 바삐 돌아와 위로 성은을 갚삽고, 아래로 매제의 바람을 위로하라."

하였고, 금평후 부자와 하공 부자의 서간이 왔으되, 다만 옥누항 존문을 일컫지 않아, 학사의 환쇄(還刷)함을 깃거 쉬이 상경함을 기다리노라 하였을 뿐이라. 학사 여러 서찰을 보나 조모와 두 자정의 일자 서찰을 못 얻어 보니, 울울한 심회 측량없어 하리(下吏)더러 묻되,

"여등의 도리 나를 데리러 오매 본부 서찰을 맡아 옴이 옳거늘, 옥누항에 이리 옴을 고치 않아, 일자 서찰을 맡아옴이 없으니 어인 도리뇨?"

하리 황공 대왈,

"조승상 노야 관부에서 분부하시되, 옥누항에 양주 내려감을 비록 고하여도 급히 서간을 써 줄 리 없고, 행거를 일시도 더디지 못하리니 바로 가라. 하시므로 일종(一終) 568) 상위 명대로 하였나이다."

학사 심리의 표숙의 처사를 애달아하나, 능히 하릴없어 하리의 죄를 삼지 못하고, 옥누항 소식을 알 길이 없어 절민하여, 사관더러 가로되,

"누인(陋人)이 명공을 대하여 친당 소식을 물음이 가치 않되, 천리 관산의 애각(涯角)이 가리고 해수(海水) 즈음치니569) 피차 성식(聲息)570)을 자주 통치 못하고, 생이 여러 달 중병에 인사를 버려 경사에 노복을

---

567) 청현화직(淸顯華職) : 청직(淸職)과 현직(顯職)의 영화로운 직위.
568) 일종(一終) : 한결같이. 끝까지 변함없이.
569) 즈음치다 : 격(隔)하다. 사이를 두다. 가로막히다.
570) 성식(聲息) : 소식(消息). 멀리 떨어져 있는 사람의 사정을 알리는 말이나 글.

보낸 일이 없는 고로, 조모와 자모의 평부를 전연이 모르니, 명공 존택
(尊宅)이 옥누항과 지근(至近)한지라. 혹자 소생의 집 소식을 들음이 있
느냐?"

사관이 유부인 정배 마련함과 그 질양이 위악함을 알되, 윤학사의 마
음을 경동치 않으려 다만 몸을 굽혀 대왈,

"소관이 우미하여 명공의 뜻을 알지 못하고, 옥누항 자세한 소식을 알
아다가 전치 못하니, 뵈옵기 심히 무안하도소이다. 영존당 태부인과 자
위 부인의 평문(平聞)은 우연히 알기로 근간 질환이 떠나지 않으시다 하
더이다."

학사 더욱 경황하여 몸이 경각에 날아 조모와 자정께 배알하고, 그 환
후의 증세를 살펴 약의 당제(當劑)571)를 이뤄, 소성(蘇醒)하심을 보고
싶은 마음이 모양하여572) 견줄 곳이 없으니, 성상이 비록 전유사관을
보내지 않았어도 돌아갈 뜻이 급한지라. 사관을 대하여 가로되,

"누인이 천문의 은사를 얻은 후 이의 지류(遲留)할 연고 없고, 친환
(親患)이 계심을 들으니 몸이 날개 없어 일일지내(一日之內)에의 상경치
못함을 한하나니, 어찌 여러 날 천연하여 발행치 않으리오. 명일 오후에
떠나고자 하노라. 누인이 불초 죄인으로 허물이 호대하고, 지은 죄 중한
지라. 비록 성주의 후은을 입어 죄를 사하시나, 생이 염치(廉恥)에 고관
화직(高官華職)을 띠어 금의(錦衣) 인신(印信)을 더럽히지 못하리니, 사
관은 홍문 하리와 소사부(少師部) 하리를 거느려 명일 조신(早晨)의 행
하소서."

사관이 대왈,

---

571) 당제(當劑) : 어떤 병에 딱 들어맞는 약.
572) 모양하다 : 형용하다. 말이나 글, 몸짓 따위로 사물이나 사람의 모양을 나타내다.

"소생이 성교를 받자와 이의 이르렀으니, 부디 명공으로 한가지로 갈 소이다."

학사 왈,

"누인이 아니 가려 하면 명공 말이 옳거니와 내 뜻이 상경키의 다다라 는 일일이 여삼추(如三秋)니 어이 성교(聖敎)를 지완하리오. 다만 외람 한 작위를 황공하여 받들지 못하나니, 사관은 먼저 행하라."

임한림이 말로써 윤학사의 마음을 돌이키지 못할 줄 알고, 하직고 먼 저 읍저로 들어가니, 이 날이야 새 자사 풍신이 처음으로 도임하였는지 라. 즉시 윤학사께 나아와 뵈고 팔진경찬(八珍瓊饌)573)과 난양 호주(壺 酒)로써 큰 상을 받들어 학사께 하저(下箸)함을 청하니, 학사 과도히 대 접하는 바를 깃거 않아, 두어 가지 과실을 맛보고 술을 접구(接口)치 못 함을 일컬어 즉시 상을 물리고, 자사를 공경함이 지극하니, 자사가 도리 어 불안하여 오래 앉았지 못하고, 즉시 돌아가니, 학사 자사를 보내고 혜준으로 하여금 한공자를 불러 오라 하니, 희린이 누이를 잃고 모병이 중함으로 전일같이 학사의 곳에 못 있고 집에 돌아왔더니, 이 날 혜준이 이르러 학사의 명으로 급히 부름을 듣고 총총히 학사께 배견하매, 학사 집수 왈,

"우연이 그대를 사귀어 피차 정의 골육동기 아님을 깨닫지 못하여, 평 생에 떠날 뜻이 없는지라. 내 이제 천문의 은사(恩赦)를 입사와 환경하 니, 그윽이 생각건대 그대 비록 영선대인(令先大人) 삼기(三忌)574)를 지 내지 못하였으나, 이곳에 마침내 있음직하지 않고, 그대 기상이 향리에

---

573) 팔진경찬(八珍瓊饌) : 아주 잘 차린 음식상에나 갖춘다고 하는 여덟 가지 진귀 한 음식.
574) 삼기(三忌) : '삼년상(三年喪)'을 달리 이르는 말.

침몰하여 창하에 울적한 서생이 되지 않을 듯하니, 만일 그대 뜻이 나를 떠나지 말고자 하거든, 영자당(令慈堂) 부인을 모셔 나와 한가지로 상경함이 하여(何如)오?"

희린이 윤학사를 좇아 천만리 애각이라도 따를 뜻이 있고, 떠날 마음이 행혀도 없던 바에, 학사 한가지로 상경함을 이르니 불감청(不敢請)이언정 고소원(固所願)야라. 연망(連忙)이 배사 왈,

"소제 사형장(師兄丈)밖에 바라는 사람이 없는지라. 소제 외롭고 슬픈 인생이 사형 우러름이 태산북두(泰山北斗) 같으니, 사형이 비록 따르지 말라 하셔도, 소제 따라감을 애고(哀告)할 형세라. 이렇듯 이르심이 소제의 심폐를 밝히 살피심이나, 다만 한 푼 노재(路資) 없고 일필 말이 없으니, 무슨 기구로 천리 장정(長程)을 발행하리까?"

학사 왈,

"내 이미 그대 형세를 모르지 않으니 어찌 행거를 그대더러 차리라 하리오. 오직 영당 태부인께 명일 발행할 바를 고하고, 영선인(令先人) 송추(松楸)[575]를 수호(守護)할 사람을 얻어 사시향화(四時香火)를 의탁하고 가게 하라."

희린이 순순 수명하고, 하루(下淚) 왈,

"누이를 잃은 지 해 바뀌었으나, 마침내 사생존망(死生存亡)을 모르고, 이제 고향을 떠날진대 누이를 생전에 상봉키 어려울까 하나이다."

학사 탄 왈,

"그대 정사 여러 가지로 비상하거니와, 액회 괴이하여 영매(令妹)를 실리하니, 이 또 슬퍼하여 미칠 것이 아니라. 화복이 재천(在天)하니 인

---

575) 송추(松楸) : ①'무덤'을 비유적으로 이르는 말. ②산소 둘레에 심는 나무를 통틀어 이르는 말. 주로 소나무와 가래나무를 심는다.

력으로 못할 바라. 비록 이 곳을 떠나나 경사는 사람이 모이는 곳이니, 혹자 영매 소식을 얻어 들음이 이곳도곤 나을까 하나니 그대는 무익한 염려를 허비치 말라."

희린이 사례하고 즉시 집에 돌아와 곽부인께 상경할 바를 고하니, 곽씨 윤학사의 말인즉 사지라도 거스를 뜻이 없어, 울며 왈,

"윤학사는 우리 모자에게 천지 같은 은혜를 끼쳐 지성으로 살 도리를 지휘하니, 그 명령을 어찌 거역하리요마는, 다만 여아의 거처를 모르고, 이곳을 떠난즉 더욱 찾을 길이 없을까 슬퍼하노라."

공자 위로 왈,

"소자 매저(妹姐)를 실리한 후 즉시 찾고자 하되, 태태 환후로 슬하를 떠나지 못하여 누월의 천연함이 된지라. 다만 저저는 복록완전지상(福祿完全之相)이니 수화중(水火中)도 위태함이 없을지라. 길운을 만나면 자연 상봉할 도리 있을까 하나이다."

곽씨 주견 없는 인물이라. 아들의 위로하는 말을 또한 그리 여길 뿐 아니라, 본디 경사에서 생장한 바라. 향촌 간고(艱苦)를 견디지 못하다가, 윤학사가 상경할 거마를 차려 한가지로 가기를 결단함을 만심환희하더라.

윤학사 장소저와 의논하여 상경할 행리(行李)를 차릴 새, 희린의 모자를 데려가며 한효렴의 목주를 또한 경사로 옮기려 하매, 행량(行糧)과 노마(奴馬)가 적지 않을 것이로되, 소저와 쌍섬 등의 타고 온 말이 있을지언정, 일냥 은자도 없으니 아무리 할 줄 알지 못하여, 장소저 가만히 일필(一匹) 능라(綾羅)를 얻어 채색을 난만히 취하여, 서왕모(西王母)[576] 요지연(瑤池宴)[577]을 모양하여 그리며, 한고조(漢高祖)의 낙양

---

576) 서왕모(西王母) : 중국 신화에 나오는 신녀(神女)의 이름. 불사약을 가진 선녀

(洛陽)578) 남궁연(南宮宴)579)을 또 형용하여 그리매, 화법의 신기함이 만고무가보(萬古無價寶)라. 정히 그리기를 마쳐 쌍섬을 주어 읍저(邑底) 근처의 호부(豪富)한 집에 가 팔아오라 할 즈음에, 학사 들어와 그림을 앗아 보고, 화법의 비상함과 재주의 신이함이 실로 자기라도 이에 더할 것이 없으니, 심하의 아름다이 여김을 마지않되 사색치 않고, 미소왈,

"생의 생계 궁박한 연고로 자(子)가 궁극히 생각하도다. 자의 화법은 비상하거니와 여자의 수적(手迹)을 방외(方外)에 냄이 불안토다. 생이 성상의 작직을 받잡지 않으려 하기로, 각읍 영송(迎送)을 받지 않으매, 부인과 희린의 행도 범사에 심히 구간(苟艱)하도다."

소저, 일껏580) 넌지시 하려 한 것이, 학사의 보게 됨이 심히 부끄러워, 다만 대답하되,

"행중에 양재(糧財) 곤핍하기로 인하여 미한 재주를 시험함이로소이다."

이에 쌍섬이 가지고 동닌(洞隣)의 다니며 팔려 하니 인연하여 살 이 없더니, 마침 양주 동린(洞隣)에 기직(棄職) 복거(伏居)한 설시랑이 있으니, 수세 된 일 소교 있어 기화명월(奇花明月)같이 귀중하더니, 천하의 이름난 보배와 기진이보(奇珍異寶)의 희귀한 것과 지어 명화(名畵)부

라고 하며, 음양설에서는 일몰(日沒)의 여신이라고도 한다

577) 요지연(瑤池宴) : 중국 전설상의 선계(仙界)인 요지(瑤池)라는 못에서 열린다는 신선들의 연회.

578) 낙양(洛陽) : 중국 하남성(河南省) 서북부에 있는 성 직할시. 화북평야(華北平野)와 위수(渭水) 강 분지를 있는 요지로, 농해철도(隴海鐵道)가 지난다. 광산 기계·트랙터·방적 따위의 공업이 활발하며, 부근에서 목화가 많이 나고 석탄·금속 자원도 풍부하다. 예로부터 여러 왕조의 도읍지로 번창하여 명승고적이 많다

579) 남궁연(南宮宴) : 남궁(南宮)에서의 잔치. 한 고조가 천하를 통일한 한 후 공신들을 모아 논공행상(論功行賞)을 행하고 잔치를 베푼 곳. 낙양(洛陽)에 있다.

580) 일껏 : 모처럼 애써서.

치581)의 것이라도 다 사는 고로 동린에 유명하더니, 이 날 쌍섬이 그림
을 가지고 팔 곳을 얻지 못하여 정히 민망하더니, 설시랑 집 양낭이 지
나다가 보고 탐혹히 반겨, 쌍섬을 데리고 들어가 저희 부인께 고하니,
그 부인이 그림을 가져 오라 하여 보고 과혹(過惑)하여, 수세 여아의 보
기를 위하여 재보를 아끼지 않고 백금을 주고 사거늘, 섬이 값을 받아
가지고 돌아와 설시랑이 여아를 주려 사던 바를 고하니, 소제 혜준을 주
어 날이 밝기를 기다려 마필을 사고, 행량(行糧)을 보태라 하니, 준이
수명이퇴(受命而退)하여, 동류를 대하여 소왈,

"우리 노야 홍문관 태학사와 태자소사를 겸하시니 작위 숭고하신지
라. 상명이 사관을 보내사 역마로 돌아옴을 재촉하시니, 행거(行車) 향
하시는 바의 각 읍 주현이 십리 밖에 와 영송할 것이거늘, 노야 고집하
심이 벼슬을 사양하시고, 제읍(諸邑)이 행냥을 도와도 일절 밧지 않으시
니, 부인이 능히 부영처귀(夫榮妻貴)를 알지 못하시어, 매양 간고를 면
치 못하시니 어찌 애달지 않으리오."

하더라.

명일 사관이 여러 날 하리를 거느려 역마를 대후하여 학사의 발행함
을 재촉하고, 본읍 자사가 연석(宴席)을 열어 윤학사를 전별하려 할새,
학사 혜준의 말 사옴을 기다려 능히 자기까지 탈 말이 있음으로 역마(驛
馬)를 사양하고, 한 날 시동으로 말고삐를 들려 초초히 길에 오르고, 장
부인 거교와 한공자 모자의 행거가 일시에 발하되, 위의 가장 소조(蕭
條)하여 부려영요(富麗榮耀)한 것이 없을 뿐 아니라, 희린 모자는 효렴
의 송추를 하직하며, 희주의 사생을 지금 알지 못하고 고향을 떠나, 윤
학사가 차려주는 거마에 실려 누대 사위(嗣位)를 모셔 상경하는 심사 크

---

581) 부치 : -붙이. 어떤 물건에 딸린 같은 종류라는 뜻을 더하는 접미사

게 비창한지라. 희린 모자 약간 전토로써 인리(隣里)를 아주 맡겨 조선 묘전에 향화를 아주 끊지 말라 하고, 윤학사를 따라 가는 마음이 범연한 남으로 알지 않아, 친형제 골육과 같더라.

차설 윤학사께 수학하던 아동 수십 인과 제읍 주현(州縣)으로부터 인리 향당(鄕黨)이 십리 밖에 와 학사를 전별하매, 저마다 눈물이 떨어져 소매를 적심을 면치 못하더라.

명주보월빙 권지육십칠

차설 윤학사에게 수학하던 아동 수십 인과 제읍 주현으로부터 인리향당(隣里鄕黨)이 십리 밖에 나와 학사를 전별하매, 저마다 결연(缺然)한582) 눈물이 떨어질 뿐 아니라, 수학하던 유(類)는 체읍타루(涕泣墮淚)하여 부형을 이별함 같으니, 학사 그 정사를 어여삐 여겨 제아(諸兒)를 어루만져 좋이 있으라 하고, 그 중 부모와 강근지친(强近之親)이 없어, 혈혈무의(孑孑無依)하여 타문에 자닝히 의식(依食)하는 아동 육인을 거느려 가되, 마필이 없는 고로 근신한 노자를 명하여 선로(船路)로 데리고 오라 하고, 제읍 주현과 인리향당을 대하여 멀리 와 송별하는 후의를 칭사할 새, 홍자사는 연석 기구를 베풀어 아중(衙中)으로 학사를 청하되 들어오지 않음으로, 십리 밖 선중(船中)에 차장(遮帳)을 가리고, 금수포진(錦繡鋪陳)을 이뤄 잔치를 배설하고 풍악을 진주(進奏)하며, 일등 미창으로 가무를 시켜 한 번 윤학사의 즐김을 요구하고, 소읍(所邑) 주현과 향당 사태우(士大夫)는 분분이 잔을 날려, 각각 취(醉)키에 이르러 저마다 홍장기녀(紅粧妓女)로 병좌하여 유희 낭자하되, 윤학사는 기운이 씩씩하며 안모 정엄하여, 옥 같은 용화는 추월(秋月)의 광채를 거두

---

582) 결연(缺然)하다 ; 무엇인가 모자라거나 빠진 것이 있는 것 같아 서운한 마음이 들다.

어 상풍(霜風)이 열렬한 것을 띠었고, 일신 위의(危疑)는 늠름(凜凜)이 성현 여풍이 있어, 일소일어(一笑一語)와 행동거지에 예의를 심사(深思)하니, 창녀의 음악한 교태와 탕자의 경박한 취흥을 기괴(奇怪)히 여기는지라. 숙연이 무릎을 쓸고 홍자사를 향 왈,

"소생은 불초 죄인이거늘, 요행 천문의 은사를 얻음도 생각지 못한 바라. 기한 전 환쇄키를 당하여 황공 전율함을 이기지 못하는 바에, 지주(知州)의 과도한 후정이 누인을 전별하는 거조가 이같이 요란하니, 생이 더욱 불안함은 이르지도 말고, 천성이 우졸(迂拙)583)하여 창악을 대함이 사갈(蛇蝎) 같은지라. 이제 장녀(壯麗)한 풍류와 공교한 노래 생의 마음을 어지러일 뿐이요, 즐거운 줄 알지 못하니, 자사는 생의 우졸함을 웃지 말고, 풍악을 물리치라."

여러 창녀가 천교만태(千嬌萬態)로 각각 재주를 다하여, 학사의 선풍 옥골을 우러러 한 번 가차하기나 바라는 마음이 대한(大旱)의 운예(雲霓)584) 같더니, 이 말을 듣고 아연 실망하여 변색 패흥하고, 홍자사가 학사의 단엄 정대함을 더욱 항복하여 풍악을 물리치며, 창녀를 데리고 즐기는 흥이 백장이나 높았던 무리 개용(改容) 치경(致敬)하여 의관을 바로하며, 주배(酒杯)를 사양하여 다만 학사를 종용이 이별하는 회포를 펼 뿐이라.

학사 행거(行車)가 바쁨을 일컬어 제인을 작별하고, 총총이 상마(上馬)하니, 시동이 고삐를 잡되, 홍문관 하리와 소사부 하리 학사의 명을 위월치 못하여 가까이 나아옴은 못하나, 사이를 띠워 호위하고 사관이 영광을 도우며, 제읍 주현이 상교를 받들어 지영지송(祗迎祗送)하니, 일

---

583) 우졸(迂拙/愚拙) : 어리석고 못남.
584) 운예(雲霓) : ①구름과 무지개를 아울러 이르는 말. ②비가 올 징조.

로(一路)에 영광은 사람이 구지부득(求之不得)이로되, 학사 진정으로 각
읍의 영송(迎送)하는 차담(茶啖)585)을 드리나, 언언이 불효 죄인임을 일
컬어 일물을 받지 않고, 행역(行役)에 구치(驅馳)하매 본디 쾌소(快蘇)
치 못한 증세 발하여, 일일 먹는 것이 수(數) 종586) 미음이라. 사관에게
청하여 길을 천천이 감을 이르고, 소저는 발행 후로 곽씨와 딴 점에 들
어 상견치 못하고, 학사는 존당 환후로 심려하여 바삐 상경코자 하나,
근력이 부쳐587) 행할 길이 없어, 하루 수십리(數十里)식 행할 적이 많
더라.

익설(益說)588) 만세 황야 장사왕의 강장한 세를 염려하시어, 흉적의
작난(作亂)이 어느 지경의 갈 줄 몰라, 손확이 패군함을 들으시고 용체
숙식이 편치 못하시어, 윤광천으로 대원수를 삼아 흉적을 멸하라 하여
계시나, 광천이 십칠 소년으로 이두(李杜)589)를 묘시하는 문장재화는
독보하나, 군려지사(軍旅之事)는 소여(疏如)할까 깊이 염려하시더니, 장
사로 좇아 첩음이 여러 순 오르니, 광천이 단독 일신으로 손확에게 사화
를 피하였다가, 신기한 재주와 너른 덕화로써 피란한 백성을 모아 사졸
을 삼고, 지혜로 흉적을 주멸하고 천고 요음발부(妖淫潑婦)590)를 촌참
함을 들으시매, 천심이 만심환희(滿心歡喜)하시더라.

---

585) 차담(茶啖) : 손님을 대접하기 위하여 내놓은 다과(茶菓) 따위.
586) 종 : 종지. 간장·고추장 따위를 담아서 상에 놓는, 종발보다 작은 그릇.
587) 부치다 : 모자라거나 미치지 못하다.
588) 익설(益說) : 고소설에서 새로 이야기를 시작할 때 쓰는 '화설(話說)' '화표(話表)' '각설(却說)' 따위와 같은 화두사(話頭詞).
589) 이두(李杜) : 중국 당나라 때 시인 이백(李白: 701-762)과 두보(杜甫: 712~770)
590) 요음발부(妖淫潑婦) : 요사스럽고 음란하며 무지막지한 여자.

설표(說表)591), 선시에 유교아 장사왕의 말을 듣고 분연이 칼을 춤추며 왕에게 달려들어, 대매(大罵) 왈,

"내 무슨 일 무륜(無倫)타 하느뇨?"

하고, 칼을 번득이는 곳에 장사왕의 머리 마하(馬下)의 떨어지는지라. 윤참모 마상에서 교아의 시부난륜(弑夫亂倫)함을 보매 영웅장부지심(英雄丈夫之心)이나 도리어 무서워 마음이 서늘한지라. 이어, 교아 머리를 돌이켜 윤참모를 향하여, 이르되,

"역추(逆酋) 광천아, 네 적이나 인심일진대 나의 옥모화용을 무심하기로, 장사왕에게 개적(改籍)하여 은애 교칠(膠漆) 같되, 그 한 말이 분하여 파리같이 죽였나니, 하물며 너 같은 놈을 이르랴. 아무 때라도 네 머리는 내 손에 베이기를 면치 못하리라."

참모 그 말을 더욱 통완하여, 목전에 왕을 뱀을 보니, 자기 비록 왕을 베이려 하던 바나, 계집의 독수 그대도록 흉참함을 분해하여, 급히 보궁(寶弓)에 비전(飛箭)을 먹여 교아의 달아나는 곳을 향하여 쏘매, 가슴을 맞혀 살이 결린592) 채, 공중에서 내려지거늘, 참모 그 죄상을 이르며 개적하던 연유를 묻고자 하되, 그 입으로 좇아 숙모의 패덕이 들어날 바를 짐작하고, 헤아리되,

"극악 발부를 잡아 죽임도 만군이 다 보는 바니, 나 혼자 앎이 아니라. 차녀가 장사왕에게 개적하고 죽지 않았음으로, 정씨 애매함은 얼음이 티 없으며 옥이 좋음 같으리니, 가히 신설할 조각이 되는지라. 유녀를 요란이 다스려서는 조모와 숙모의 흔극(釁隙)593)을 나토는 잦이니,

---

591) 설표(說表) : 고소설에서 새로 이야기를 시작할 때 쓰는 '화설(話說)' '화표(話表)' '각설(却說)' 따위와 같은 화두사(話頭詞).
592) 결리다 : '결다'의 사동사. 풀어지거나 자빠지지 않도록 서로 어긋매끼게 끼거나 걸치다.

차라리 급히 죽여 제 죄를 정히 하리라.”

의사 이에 미쳐는, 교아의 머리를 베고, 사졸로 하여금 그 수족을 베어 왕의 머리와 한가지로 도중(道中)에 달라 하고, 적군을 분부 왈,

“여등이 불행하여 흉적의 거느린 바 되었으나 기실은 남도 백성이니, 우리 성주의 신자(臣子)라. 생령(生靈)의 도륙(屠戮)이 자닝하여 너희 죄를 사(赦)하나니, 이미 적의 부처가 다 죽었는지라. 남토를 진정한 잦이니 다시 병혁을 근심할 바 아니라. 모름지기 안심하고 각각 집을 찾아 부모처자를 반기고, 금년은 벌써 어겨졌거니와, 명년이나 농업을 다스려 생업을 착실히 하라.”

허다 군졸이 머리를 두드려 성덕을 칭송하고, 장사왕의 패망함을 추연(惆然)할 이 없으니, 그 인심 잃음을 알리러라.

참모 일전(一戰)에 장사국 장수와 사졸 죽인 것이 만여 명이라. 피 흘러 내가 되고 주검이 쌓여 뫼를 이뤘는지라. 초에 송진 군졸 죽인 보수(報讐) 족하고, 평생 절치 통완하던 교아를 친히 죽이매, 마음이 쾌활하여, 석양에 성각으로 더불어 운봉관을 내려와 ‘안민(安民)’ 두 자를 써 성문에 붙이고, 형급을 위하여 형합과 한가지로 만창성에 가 있으라 하고, 사졸을 무애하여 편히 쉬게 하니, 덕이 널리 행하여 간악 시포(猜暴)한 무리라도 감격치 않는 이 없는지라. 사졸이 참모 바람이 각각 부모를 위한 정성 같고, 그 덕화를 감은골수하여, 서로 이르대,

“부모는 여희고 살려니와 이번 전사(戰事)는 윤참모 아니런들 아등이 속절없이 죽었을지라. 참모의 은덕을 생세에는 다 갚을 길이 없으니 지하에 함환결초(銜環結草)하리라.”

하여, 송성(頌聲)이 날로 더하더라. 윤참모 손확의 명을 역하여 도망

---

593) 흔극(釁隙) : 흠극(欠隙). 흠. 틈.

하였던 바를 상소 청죄하고, 또 장사(長沙)를 탕멸(蕩滅)함을 주(奏)하
여, 사졸 수인을 황성으로 보내고, 임성각으로써 남토 관액(關阨)을 다
취하여 각각 지키게 하고, 순히 항(降)하는 자는 사(赦)하고 항(降)치 않
으면 벌죄(伐罪)하여, 위엄과 덕화가 날로 새로우니, 남토 인심이 흡연
(翕然) 귀순하여 참모의 위덕을 감열(感悅)치 않을 이 없으니, 수고로이
병혁을 동(動)치 않아 오십여 성과 육십여 관을 얻고, 남주 추관 오세웅
을 참하니, 원래 오세웅이 장사왕으로 더불어 불궤지심(不軌之心)594)이
있고, 친척의 정분이 각별한 고로, 반역을 도모하매 쾌히 베고, 대군을
거느려 회수(淮水)를 건너 장사국에 들어가니, 부원수 장운이 참모의 계
교로 궁실에 불을 지르고, 백화성을 취하며, 손확을 구하여 옥중을 면케
하였는지라. 참모 먼저 성문에 안민(安民)하는 방을 붙여 황황한 인심을
진정하고, 국중 옥리(獄裏)에 누년(累年) 죄인 삼백여 인을 다 사(赦)하
여, 죄의 유무를 다시 묻지 않고, 다만 인의예지(仁義禮智)를 가르쳐 작
죄치 말라 하며, 부고(府庫)에 썩는 재물과 미곡을 내어, 농업을 폐하여
기황(饑荒)한 백성을 진휼(賑恤)하며, 각각 생업을 권장하여 명년 농장
(農場)과 종자를 다 주고, 저자를 버려 매매케 하나, 길거리에 요란히
싸우는 일이 없게 하고, 불인포악(不仁暴惡)한 유를 다 모아 현언(賢言)
으로 교유하매, 인인이 다 그 덕화를 탄복 감열하여 불효자 효순하며,
형제 불목자(不睦者)가 뜻을 고쳐 형우제공(兄友弟恭)하고, 부부 상힐
(相詰)하던 무리 행실을 수련하여 부화처순(夫和妻順)하며, 남녀가 각각
소임을 차려 선비는 학(學)을 힘쓰고, 전야 농부와 강촌 어부도 각각 소
임을 차리고, 부녀들은 침선방적(針線紡績)하여 구고를 봉효(奉孝)하고
승순가부(承順家夫)하며 자녀를 거두어 기한(飢寒)에 괴롭기를 면하고,

---

594) 불궤지심(不軌之心) : 반역을 꾀하는 마음.

인심이 순후하여 한갓 동기 친척을 돈목(敦睦)할 뿐 아니라, 빈곤자를 자뢰(資賴)하고, 인리상화(隣里相和)하여 밤에 문을 닫지 않고, 흘린595) 것을 줍지 않더라.

참모 유화성에서 송군 전망한 장졸의 시신을 찾을 길 없어, 추연하여, 성각으로 하여금 백여 군을 거느려 유화성의 가, 들에 버려져 있는 백골을 거두어 새끼로 싸 무드라 하니, 전망(戰亡)한 사졸 수천여 인의 머리와 몸이 뫼같이 쌓였으니, 성각이 그 백골을 다 좋은 뫼에 묻기를 칠팔일에 마치고, 참모 백화성에 들어가 손확을 보고 청죄하여, 장령을 어겨 도주함을 사죄(謝罪)하니, 확이 토목(土木)이나 제 용병을 그릇하여 사졸을 무수히 죽이고, 패군하여 적진에 생금(生擒)되는 욕을 보고, 국가 대사를 그릇 만들었거늘, 참모는 일신을 뛰어 내달아, 일전(一戰)에 적을 탕멸하고, 인심을 진정하여 위덕이 남토에 덮였으니, 저는 중년(中年) 무부(武夫)로 용맹한 이름을 얻었던 바, 저 십칠세 소년을 감히 앙망치 못함을 참괴함이 욕사무지(欲死無地)하고, 참모를 죽이려 하던 일이 비로소 뉘우쁨이 측량없어, 도리어 참모 앞에 머리를 두드려 그릇함을 칭죄(稱罪)하며, 감히 대원수인 체를 못하여 참모를 상장(上將) 섬기듯하고, 자기는 작죄한 사람 같으니, 참모 확을 붙들어 불감(不堪)함을 재삼 일킫고, 초에 송군이 목숨을 보전한 자는 투항하였던 고로, 두루 찾아 손원수를 모시라 하고, 회수를 건너 유화성에 이르러 제전(祭奠)을 갖추어 전망 장사 군졸에게 제문 지어 설제(設祭)하니, 그 문(文)의 처절비황(凄切悲況)함이 인심을 감동하더라.

제파(祭罷)에 참모 운봉관에서 잠깐 접목하매, 전망 장사 군졸이 모여 은덕을 칭사하여, 백골이 뫼에 묻힘을 얻고 제전을 흠향하여 원이 풀림

---

595) 흘리다 : 부주의로 물건 따위를 엉뚱한 곳에 떨어뜨리다.

을 일컬으니, 참모 호언(好言)으로 위로하매, 장사 군졸이 다 하직하여 구천야대(九泉夜臺)[596]에서 보은할 바를 일컫는 소리에 스스로 놀라 깨니, 일몽(一夢)이라.

참모 용수암에 가 정소저를 보고자 하여 위의를 떼쳐두고, 두어 하리로 더불어 영선강을 건너 도관에 들어가 두루 살펴, 도인의 거처를 보고자 하나 그림자 묘연하니, 하릴없어 용수암에 나아가니, 정씨 남씨로 더불어 편히 있으나, 화가에서 기다릴 바를 생각고 민망하여, 홍선을 보내어 긴급한 사고로 돌아가지 못하니 수삼삭 후 감을 기별하매, 화공 부부 결연하나 위력으로 데려오지 못하여, 다만 양찬(糧饌)만 풍비히 차려 보내고 쉬이 돌아옴을 당부하였으니, 정씨 남씨더러 왈,

"내 이제는 용수암에 있을 일이 없으되 현제를 위하여 강공을 기다림이라."

남씨 왈,

"소제 도인의 말을 믿고 바라나 숙부 기척이 없으니 괴이토소이다."

정언간(停言間)에 참모 밖에 이르러 홍선을 부르니,

"정씨 남씨를 잠깐 치우고 참모를 청하여, 예필에 먼저 승패를 물으니, 참모 흉적 탕멸함을 이르고, 문 왈,

"재 이곳의 머묾이 강참정이 남경 태수로 내려옴을 기다린다 하더니, 일망 전 강공이 남경 태수로 이곳을 지났거늘, 어찌 남소저를 아니 보내고 암자의 머무시느뇨?"

소제 대왈,

"강공의 행차 이곳 지남을 일일 영대(슈待)[597]하되, 종내 소식을 들

---

596) 구천야대(九泉夜臺) : '땅 속 무덤'이라는 말로 죽은 뒤 넋 돌아가는 곳을 이르는 말.

지 못하고 벌써 지나다 하니, 이제는 남씨의 바람이 그쳐졌는지라, 부득
이 도로 화부로 갈소이다."

참모 그 알지 못하여 따라가지 못함을 애달아 하여, 하리(下吏)로 하
여금 '남경 태수 행차 어디까지 갔는가?' 운교역에 가 소식을 알아 오라
하니, 이윽고 회보 왈,

"강태수 유질(有疾)하여 즉금 운교역의 그저 계시더이다."

정씨 청필의 대열하여 남씨에게 전하고, 바삐 용수암에 머무는 소유
를 고하라 하니, 남씨 급히 서간을 닦아 홍섬을 운교역으로 보내니, 윤
참모 강태수 산사(山寺)로 올 줄 알고, 자기 자취 산사에 이른 바를 알
게 않으려 즉시 돌아갈 새, 유교아 죽인 바를 재삼 일컬어, 부인의 살인
누명을 쾌히 벗음을 행희(幸喜)하니, 정소저 그 악착히 죽음을 흉히 여
기더라.

이때 남경 태수 강공이 유질하여 운교역에서 조병(調病)하더니, 하리
일봉 서간을 드려 왈,

"밖에 한 서동이 이르러 이 서간을 노야께 드리라 하더이다."

강공이 받아 피봉을 보매 '질녀 상서'라 하였고, 필획이 희주의 수적
이라. 반갑고 슬픔을 이기지 못하여 바삐 떼어 본즉, 만편에 슬픈 설화
첩첩하여, 이가(離家) 삼년이로되 그 부친이 돌아오지 않았는 고로, 감
히 살았음을 고치 못하여 지금 산문(山門)에 유우(留寓)하였음을 고하였
는지라.

강공이 희주를 자기 집에서 길러내어, 각별한 정이 친녀의 감치 않아
매양 잊지 못하더니, 남경으로 올 적 남부를 지나는 고로 질녀를 보고
자, 남부의 들려 시녀를 불러 물으니, 노비가 위씨의 강포를 두려워하는

---

597) 영대(令待) : 기다리게 함.

고로, 다만 일야간(一夜間) 소저를 실리(失離)하여 아무리 찾아도 간 곳을 알지 못함으로 대하니, 강태수 분완 통해함을 이기지 못하나, 자기 매랑(妹娘)이 세상을 버린 지 오래고, 위부인만 있으니 타문에 와 요란이 노비를 다스려 간정을 묻지 못하고, 분을 참고 즉시 운교역으로 향할새, 영리한 하리 십여 인을 명하여 방방곡곡이 사람을 만나거든 석정 포정사(布政使) 남공의 일녀 남소저 거처를 물으라 하되, 남소저 화부의 있을 적 같지 않아, 영선강을 건너 깊은 암자에 있음으로, 강공의 찾는 하리를 만나지 못함이러라.

태수 운교역에서 일망(一望)을 머물러 종시 질녀의 거처를 듣지 못하니, 참절 비상한 회포를 형상치 못하여, 매양 탄식 왈,

"희주의 생존을 내 생전 알지 못하면 구천타일(九泉他日)[598]의 매제를 볼 낯이 없고, 흉중(胸中)에 맺힌 슬픔이 죽어도 명목(瞑目)지 못하리로다."

하더니, 희주 소저의 살아있다는 서간을 보매 기쁨이 망외(望外)라. 신상 질양이 경각에 나은 듯, 환열 쾌희(快喜)함을 모양치 못하여, 즉시 서간 가져온 서동을 부르라 하니, 홍선이 진전(進前)하매 문 왈,

"너는 뉘 집 서동이며, 남소저 무양하냐?"

선이 대왈,

"소인은 경사 윤태우 댁 서동이오. 남소저는 우리 주인 정부인과 한가지로 계신 지 삼년에 대단한 질고(疾苦) 없이 지내시나이다."

공이 소저를 보고자 마음이 일시 급하여, 병체를 붙들려 수레에 올라 용수암을 향할 새, 홍선을 압서 길을 인도하라 하고, 하리를 재촉하여 수레를 바삐 몰아 영선강을 건널 새, 하리를 명하여 일승(一乘) 채교(彩

598) 구천타일(九泉他日) : 죽은 훗날.

輪)를 가져 오라 하고, 빨리 용수암에 이르러 산사로 들어가니, 소저 표숙(表叔)의 이르심을 듣고 반가운 정이 과하여, 비회 새로이 요동하매 수루(垂淚)함을 깨닫지 못하니, 정소저 위로 왈,

"현제 갈 곳을 정치 못하여 주야 비절하다가, 이제 영숙(令叔)이 이르러 관사로 데려가고자 하시니 진실로 영행한지라. 어찌 지난 바를 생각고 과도히 슬퍼하리오."

언파에 몸을 일으켜 다른 방으로 옮고, 강공을 청하여 남씨를 보게 할새, 숙질이 대하여 피차 반가움이 죽었던 사람을 봄 같고, 소저의 비창한 심사 형언할 길이 없어, 예필에 숙부 옷자락을 붙들어 오열체읍(嗚咽涕泣)하니, 공이 소저의 슬퍼함을 대하여, 망매(亡妹)를 생각고 참상함을 이기지 못할 뿐 아니라, 소저 변복하여 교교미려(嬌嬌美麗)하던 희주바뀌어 풍채 쇄락(灑落)한 남자가 되었음을 보고 경문 왈,

"이가(離家) 삼년에 유리(流離)하여 규녀의 자취 산문의 머무는 형세는 묻지 않아 알려니와, 변복하여 여화위남(女化爲男)함은 하사(何事)요?"

소제 체읍 대왈,

"소질의 명도 기구하여 어려서 자모를 여희고 숙부모 은양(恩養)을 힘입사와 겨우 보전함을 얻었더니, 한 번 장사에 내려오매 오세웅 적자의 흉한 욕이 급함으로, 마지못하여 집을 떠나게 되었으되, 심규약녀(深閨弱女) 동서를 분간치 못하니, 어디를 향할 곳이 있으리까? 정히 착급할 즈음에 정숙렬 같은 은인을 만나, 구활 대은을 입어 능히 일명을 끊지 않고, 규문의 낯가리는 예를 갖추지 못해 음양을 변체하였나이다."

태수 오세웅의 욕이 급하던 바를 물으며, '정숙렬이 뉜고?' 물은데, 소저 계모의 극악 간흉턴 바를 직고치 못하여, 다만 오세웅이 위력으로 자기를 데려가려 하거늘, 계모더러 이르지 않고 밤을 당하여 집 문을 내다르매, 공교히 금평후 정공의 여아 정숙렬을 만나, 서로 의지하여 삼년

을 화부에서 지낸 바를 고하며, 또 정소저 여화위남(女化爲男)하여 화공
의 여서 됨을 일컫지 않더라.

공이 소저의 말을 들으매, 어찌 위씨의 흉심을 생각지 못하리오. 분연함
을 이기지 못하나, 남의 부녀를 질욕치 못하여 말을 않고, 날호여 탄 왈,

"누를 한하며 무엇을 탓하리오. 도시 매제 일찍 세상을 버려 두 낱 골
육으로 하여금 '육아(蓼莪)의 통(痛)'599)을 끼치니, 생각할수록 어찌 통
상치 않으리오. 연이나 네 보전함을 얻어 목숨을 끊지 않음이 만행이라.
이제 우숙이 남경으로 향하는 길이 바쁘니, 너를 금일 운교역으로 데려
가, 수일 후 내 강질(强疾)하여 관사로 갈지라. 이제 채교 올 것이니 남
복이 불가하나 미처 옷을 고치지 못할 것이니, 운교역에 가 여복을 개착
하리니 돌아가게 하라."

"소제 정소저 떠남이 결연하나, 매양 한가지로 있지 못할 것이요, 당
차지시(當此之時)하여는 정소저가 자가를 아무리 주체할600) 줄 몰라 하
는 바라. 자기 저를 따라 그 심려 끼침이 무궁한 고로, 호언으로 서로
심회를 일렀으므로, 숙부께 고왈,

"소질이 숙부의 남경 태수로 내려가신다 말씀을 듣잡고 기다리던 고
로 산사의 와 있는지라. 화부에서는 마침내 소질이 여자임을 알리지 못
하였으니, 숙부 화공으로 교계(交契) 심후하시나, 소질의 근본을 이르지
마소서."

강공 왈,

"화평장을 벌써 찾아 보아 일야를 지내었으니 다시 가 볼 일도 없거니

---

599) 육아지통(蓼莪之痛) : 어버이가 이미 돌아가시어 봉양할 길이 없는 효자의 슬
픔. 『시경(詩經)』《소아(小雅)》편 〈곡풍(谷風)〉장 가운데 있는 '육아(蓼莪)'
시에서 온 말.
600) 주체하다 : 짐스럽거나 귀찮은 것을 능히 처리하다.

와, 어찌 규녀의 말을 외인더러 이르리오."

남소제 사례하고, 강공이 이윽한601) 후 암중(庵中) 외실로 나가며, 왈,

"이제 채교 올 것이니 비록 행리(行李)를 차릴 것이 없으나, 금일 갈 줄 알라."

소저 수명하고, 공이 나가며 즉시 채교 왔다 하는지라. 남소저 정소저로 더불어 눈물을 뿌리며, 정부인 손을 잡고 왈,

"소제 금일까지 보전하였다가 표숙을 만나 돌아감은 저저의 대은이니, 이른바 생아자(生我者)는 부모시고 구생자(求生者)는 저저(姐姐)라. 생세에 이 은혜를 다 갚을 길 없으니, 심사 베는 듯 하도소이다."

정소저 남소저를 집수(執手) 탄 왈,

"우연이 서로 만나 한가지로 있은 지 삼년에, 심담(心膽)이 상조(相照)하여 말을 발치 않아도 마음을 모를 바 아니라. 첩의 어린 뜻이 그대로 더불어 평생 떠나고자 않나니, 나를 사랑하여 버림 즉하지 않거든, 장래라도 나와 동렬(同列)이 되어 일생을 한가지로 있어, 형제지의를 맺고자 하나니, 영표숙(令表叔)도 결단하여 남경에 오래 계시지 않을 것이오. 영대인이 금명년간(今明年間)에 서경으로서 돌아오시리니, 첩이 그 사이 혹자 환쇄하는 일이 있어도, 소저의 종신대사(終身大事)602)를 도모하여 영대인 허락을 얻고 말리니, 후회(後會) 없지 않은지라. 소저는 첩을 괴이히 여기지 말라."

남소저 정소저의 뜻을 알았는지라. 말이 이에 미쳐는 머리를 숙이고 능히 답지 못하나, 평생을 정부인과 한가지로 지냄을 그윽이 원하더라.

공이 날이 늦음을 일러 소저의 돌아감을 재촉하니, 남씨의 떠나는 정

---

601) 이윽하다 : 시간이 얼마간 흐르다. *이윽고 : 얼마 있다가.
602) 종신대사(終身大事) : 평생에 관계되는 큰일이라는 뜻으로, '결혼'을 이르는 말.

과 정씨의 보내는 정이 피차 다름이 없어, 임별에 두 소저 서로 손을 잡고 주루(珠淚) 연락(連落)하여 동기를 상리(相離)함과 다르지 않고, 암중 니고 등이 정·남 이소저의 남복을 보나, 묘원의 밝음으로 좇아 여자임을 알아, 그 선풍이질(仙風異質)을 흠앙(欽仰) 선복(羨福)하다가, 돌아감을 훌훌하여 잃은 것이 있는 듯하고, 태수 묘원을 불러 은금 오십 냥과 백 깁 수삼 필을 주어, 비록 월여지간(月餘之間)이나 남소저를 머물게 함을 일컬으니, 묘원이 백배 고두(叩頭)하여 주 왈,

"빈승이 소저의 천향 옥질을 아껴 오래 모시기를 원하되, 이제 영화로 이 돌아가시나 결연함을 다 못 아뢰옵는데, 이 같은 상급을 받자오니 황공하여 고할 바를 알지 못하나이다."

공이 또 홍선을 명하여 왈,

"네 범사를 진심하여 진정 비자같이 소저 받드는 공이 적지 않은지라. 무엇으로 너의 공을 갚으리오. 질녀가 종내(終乃)에 잊지 않으리니, 약소하나 아직 의자(衣資)나 도우라"

하고 황금 십여 냥과 촉단(蜀緞) 수삼 필을 주니, 선이 황감하여 감히 사양치 못하여 받고 사례하더라.

강태수 소저의 채교를 앞세워 운교역에 돌아와, 수일 머물러 남경으로 갈 새, 소저 비로소 홍군취삼(紅裙翠衫)[603]으로 여복을 고쳐 숙부를 따라 남경으로 가니라.

이적에 정씨 남소저를 이별하고 화부로 돌아오니, 화공이 반겨 소왈,

"현서로써 동상을 삼은 지 삼재(三載)에 하루도 떠난 적이 없다가, 금번에 수순(數旬)을 기약하고 나가, 문득 한 번 가매 수월을 즈음치니,

---

603) 홍군취삼(紅裙翠衫) : 붉은 색 치마와 비취색 저고리.

우리 부부의 훌훌 결연(缺然)하던 심사 어이 측량하리오. 아지못게라!
손환의 종군한 유(類)에 친척을 만나 영당 존문을 자세히 앎이 있느냐?
손환이 용병을 무상히 하여 허다 군장 사졸이 도륙하매, 한 싸움에 대패
하였더니, 윤광천의 재모 비상하고 덕화(德化) 숙숙(肅肅)하여, 흉적(凶
賊)을 쾌히 탕멸하고 남토를 진정하여, 백성의 송덕하는 소리 가득하니,
진정 남아의 사업이라. 윤광천의 풍류 신광과 문장 재화가 세대에 독보
타 하되, 내 이 곳의 적거한 지 여러 일월인 고로, 윤광천의 등양전(登
揚前)이라, 그 얼굴을 보지 못하였나니, 현서의 성명이 저로 더불어 형
제항 같은지라 친척이냐?"

정소저 화공의 이같이 물음을 당하니, 중심에 우습기를 이기지 못하
되 사색치 않고, 대왈,

"윤참모는 소생의 친족이라. 금번의 서로 만나매, 제 소생을 책하여
머리를 움치고 아무데도 나다니지 않음을 일컬어, 경사 소식을 저는 남
주서 자주 들음이 있는 고로, 윤참모의 전언을 인하여 친당이 안강하심
과 일개 무사함을 잠깐 알았나이다."

화공이 소왈,

"현서의 도학은 윤광천이 아무리 기특하고 안고(眼高)하여도 나무라
할 일이 없거니와, 대개 너무 단중하여 일분도 장부의 쾌활 호방한 품도
가 없으니, 광천 같은 자는 반드시 출발(出拔)하고 쾌대(快大)할지라.
현서의 남달리 고요함을 답답이 여김이 괴이치 않으리라."

하고, 인하여 손환의 패군함과 참모의 승전함을 일컬어, 윤참모를 한
번 구경코자 하는지라. 정소저는 다만 들을 따름이요, 구태여 여러 말
않고, 참모의 풍신 재덕도 각별 칭찬치 않아, 아무 때라도 참모 돌아가
기 전에 화부에 올 것이므로, 화공이 그 기특함을 황홀이 여겨, 장부 위
풍과 영준 기습(氣習)이 자기 유(類)가 아닌 줄 흠복케 하여, 타일 빙화

소저로 그 배필을 삼아도, 화공 부부 그 서랑의 출인 비범함을 기뻐함
이, 자기를 서랑으로 알 적도곤 더하게 하려 함이러라.

　이러구러 또 일삭이나 되고, 윤참모의 어진 덕과 특이한 재주 남토를
진정하매, 백성이 태평 일월을 다시 보아 즐김을 마지 않으며, 참모를
송덕하여 우러르는 정성이 효자 부모를 바람 같고, 참모의 수복을 축원
함이, 저마다 그 자손이 만당하며 복록이 구전(俱全)하여 천세를 누리라
하더라.

　홀연 황성으로 좇아 조서(詔書) 내려, 윤참모의 기특함이 만고에 희한
(稀罕)함으로, 투현 질능(妬賢嫉能)하는 소인의 당이 미워하여, 구몽숙
간인(奸人)이 손확 불인(不人)을 꾀와 윤참모를 해(害)하라 한 연고로,
손확이 참모를 죽이려 하다가 잃음이 되었으니, 방방곡곡이 그 자취를
심방하여 남정 대원수를 탁배(擢拜)하시는 명을 전하고, 대장(大將) 금
인(金印)을 주어 장사 흉적을 탕멸케 하라 하시고, 또 윤참모께 각별이
위유(慰諭)하시는 글을 내리오사, 전일 그 불효 죄명을 쾌히 신백함을
일러 계시며, 남주 삼년 찬적이 원굴(寃屈)함을 일컬으시어, 손확의 망
측불인(罔測不仁)함을 생각지 말고, 장사왕으로 접전하여 적신(賊臣)을
주멸(誅滅)하고 대공을 세워 개가승전곡(凱歌勝戰曲)으로 돌아오라 하시
어, 군신지간 엄한 것을 버리고 가인부자(家人父子)같이 은혜를 베푸시
고, 황금 인수(印綬) 남정대원수제로도총병(南征大元帥諸路都總兵) 윤광
천이라 새겨 교지와 함께 이르니, 참모 향안을 배설하여 조서를 듣자온
후, 북향 사은하고, 오히려 대원수 인신(印信)을 받지 않으니, 부원수
장운과 장졸이 다, 참모의 재주로써 상장(上將)이 되지 못함을 애달라
하던 바라,

　금번 특별한 성의(聖意) 계사 윤참모에게 은영을 보이시고, 대원수 금

인을 보내어 계심을 만심 쾌열하여, 장원수 금인을 받들어 참모께 차기를 청하여 왈,

"손원수 이미 패군장(敗軍將)이 되어 죄중에 복(伏)하고, 명공이 한낱 군사를 거느림이 없이 스스로 덕화(德化)로 인하여 약간 사졸이 모인 바 되어, 흉적의 간담을 꺾어 쾌히 파적하니, 명공의 신무(神武)와 덕망(德望)이 남토 백성을 탕화에서 건저내고, 위로 성주의 침좌간(寢坐間) 근심을 덜어, 국가에 대공을 세웠으니, 비록 성지(聖旨) 아니 계서도 명공의 웅재대략으로 매양 참모사의 낮은 작위 받음을, 삼군 사졸의 마음이 불쾌함을 이기지 못하던 바라. 이제 상명이 명공으로써 대원수를 배(拜)하시어, 금인을 보내어 계시니, 명공이 상명을 순수하고 사졸의 마음을 돌아보아, 인수를 바삐 차고 복색을 고침이 마땅하거늘, 어찌 더디 하시느뇨?"

참모 금인을 공경하여 받아 상 위에 놓고, 가로되,

"장군의 이르는바 마땅하시나, 생이 벌써 흉적을 주멸하였고, 승패는 병가의 상사라. 손원수 비록 일시 용병을 그릇하여 패하였으나, 이 또 국가 불행하여 아까운 장졸을 많이 죽이실 때니, 홀로 손원수의 탓이라 못할 것이요, 사죄에 몰아넣음이 가치 않으니, 손원수를 두고 내 어찌 대장 인수를 차리오."

장원수 참모의 말씀이 겸퇴(謙退)함을 주(主)함이나 사리의 만만 가치 않음을 일컫고, 사졸이 연성 왈,

"우리 장군이 천고 무쌍한 재주로써 대공을 세우시되, 매양 참모사의 낮은 인수(印綬)를 요하(腰下)에 빗기 찼으니, 뵈올 적마다 애달은 마음이 극하매, 정히 천문에 격고(擊鼓)하여 참모의 공로를 주하고, 대원수 금인을 원한 지 오래더니, 천재 밝히 살피시어 우리 주공(主公)이 흉적을 탕멸한 줄 모르시대, 상장인수를 보내시어 사졸을 총령(總領)케 하시

니, 어찌 대원수 금인 차심을 일시나 지완(遲緩)하실 바리이까?"

참모 장원수와 군졸의 말이 이 같음을 보매, 자기 대원수 인을 차지 않음이 짐짓 겸퇴하는 덕을 나타내고자 하는 듯하여 좋지 않은 고로, 부원수와 군졸을 대하여 왈,

"내 장사를 탕멸한 첩음(捷音)을 연하여 주문하고, 장령(將令)을 어기어 도주하였음을 청죄하였으니, 수삼일(數三日) 내에 다시 성교 계시리니, 천문의 광명정대하신 상명을 보아, 죄재(罪者) 벌을 받고 공자(功者) 상을 받자오리니, 수삼일 잠깐 참음이 무엇이 어려우리오. 하물며 장령(將令)의 엄숙함은 군명(君命)에 더하거늘, 내 장령을 어지럽힌 바라. 죄를 헤아리매 아무리 파적(破敵)하였어도 사문(赦文)을 얻지 못하였으니 어찌 대원수 금인을 받자오리오."

원수와 사졸이 참모의 뜻이 이 같음을 보고, 다시 성교 내리심을 기다리고 말을 않더라.

윤참모 차일에야 비로소 경사 소식과 조보를 보매, 정·진 이부에서 참화에 빠졌던 바를 경해(驚駭)하나, 필경이 무사하여 그 저저(姐姐)의 격고등문(擊鼓登聞) 한 공으로써 화를 돌이켜 복을 삼았으니, 다시 염려 없으되, 다만 흉장(胸臟)이 뛰노는 듯, 만심이 차악한 바는, 타사(他事)가 아니라, 세월 비영과 신묘랑의 초사로써, 조모와 숙모의 한없는 과악이 세세히 드러남을 들으매, 장부의 철석심장(鐵石心腸)과 중산지중(重山之重)으로도 부끄럽고 애달음이 낯을 깎고 싶은지라. 기운이 불평함을 일컬어, 차일 석식(夕食)을 받지 않고, 일찍 누워 하염없이 가변을 슬퍼 눈물이 베개의 사무침을 면치 못하고, 태복과 군석이 저주를 행하여, 조모와 숙모가 참혹한 병인이 되었음을 비영 등의 초사(招辭)에 고하였으니, 더욱 초조황민(焦燥惶憫)하여 지금은 그 환후 어떠하시며, 뉘 있어 시탕(侍湯)을 가음알604)리요?

하여, 천 가지 슬픔과 만 가지 근심이 일신을 태산으로 지지른605) 듯
하여, 능히 체읍함을 참지 못하니, 어느 겨를에 정숙렬의 신루(身累) 벗
음과 자기 형제 불효 죄루(罪累) 벗은 기쁜 의사 나리오. 종야 한 잠을
이루지 못하고 누수 베개에 괴이더니, 신조(晨朝)에 장원수 들어와 병을
묻고, 그 심사를 지기(知機)하여 효의를 감탄하되, 그런 일을 알은 양하
여 외인에 이를 바 아닌 고로, 다만 이르대,

"유씨 장사왕에게 개적(改籍)하여 사람의 생각지 못할 흉역을 도모함
이, 그 죄상이 만사(萬死)라도 속지 못할지라. 이미 명공의 칼 아래 그
머리를 베이매, 일로 좇아 정부인의 살인 누명이 거울같이 벗었음을 알
았거니와, 그 전에 경사에서 정부인 누명을 신설(伸雪)하여, 이제 천자
조명을 내리시어 장사 일도(一道)606)에 두루 찾아 만일 생존함이 있거
든, 각 읍이 그 행차를 영송(迎送)하여 경사까지 올라오게 하라 하시니,
명공이 아니라도 각 읍이 진경하여 정부인 거처를 듣보려니와, 장군이
어찌 무심함이 이 같아서 정부인 생존을 알려 아니하느뇨?"

참모 장탄(長歎) 왈,

"아등은 불효 죄인이라. '천하(天下)에 무불시저부모(無不是底父
母)607)거늘, 사제 숙모를 감화치 못하고, 생이 또한 노년 조모를 지성
으로 효도치 못하여, 허다 변괴를 이루니, 진실로 맑은 세상에 천일(天
日)을 이고 나지 못할 부끄러움이라. 장군은 소제 집으로 연혼지가(連婚
之家)일 뿐 아니라, 외람히 아등을 지기로 허함을 입어 금난지교(金蘭之

---

604) 가음알다 : 관장(管掌)하다. 어떤 일을 맡아 다스리다.
605) 지지르다 : 무거운 물건으로 내리누르다.
606) 일도(一道) : 행정 구역의 하나인 도(道)의 전부.
607) 천하(天下) 무불시저부모(無不是底父母) : 천하에 옳지 않은 부모는 없다.
『소학(小學)』〈가언(嘉言)〉편에 나오는 말.

交)608) 있는지라. 소제 등의 불초 무상함을 모르지 않으리니, 이러므로 소제 심곡에 사정을 고하는 바라. 소제 조모 혹자 목강(穆姜)609)의 인자한 덕이 있지 않으실지라도, 아등이 현효(賢孝)하면 어찌 가변이 그 지경의 미치리오. 도시 소제 등의 무상함이거늘, 세상이 간사(奸邪)하여, 일이 되어 감을 보아 형세 굳은 자를 붙들고, 잔폐한 자를 더욱 해하는지라. 만일 불측한 비배(婢輩)의 무복(誣服)을 실(實)하여610), 조모와 숙모로써 간험한 곳에 미루어 집에 편히 머물지 못하게 하는 일이 있으면, 이는 아등이 조모를 해하는 잢611)이라. 그 사이 사기(事機) 아무리 될 줄 모르고, 천문의 결사를 채 알지 못하니, 이 심사를 어디 비할 데 있으리오."

언파에 상연(傷然) 타루(墮淚)함을 마지않으니, 장원수 위하여 추연함을 이기지 못하여, 낯빛을 고치고 출천대효를 탄복하여, 위로 왈,

"형 등의 탈속지행(脫俗之行)과 출천지효(出天之孝)는 하늘이 감동할 바라. 어찌 가변을 진정치 못할까 근심하리오. 형의 집 비자의 초사(招辭)612) 비록 영존당 태부인과 유부인께 유해하나, 세상이 형과 사빈의 출천대효를 아는 바라. 결단하여 무상한 비자의 초사를 사실로 여겨 태부인과 유부인을 조금도 해코자 않으리니, 형은 훤칠한613) 대장부라. 소소(小小) 곡절(曲切)을 다 생각하여 설설(屑屑)이614) 슬퍼 말라."

---

608) 금난지교 (金蘭之交) : 친구 사이의 매우 두터운 정을 이르는 말.
609) 목강(穆姜) : 중국 진(晉)나라 정문구(程文矩)의 아내. 성은 이(李)씨, 자(字)는 목강(穆姜). 전처 소생의 네 아들을 자신이 낳은 두 아들보다 더 사랑하여 훌륭하게 키웠다.
610) 실(實)하다 : 사실을 삼다. 사실로 여기다.
611) 잢 : 사물, 일, 현상 따위를 추상적으로 이르는 말. =일. 꼴. 것.
612) 초사(招辭) : 조선 시대에, 죄인이 범죄 사실을 진술하던 일. =공초(供招).
613) 훤칠하다 : 성질이나 일 처리가 반듯하고 야무지다.

참모 체읍 부답이러니, 임성각이 월산성에 갔다가 돌아와 참모의 슬퍼함을 보고, 가만히 장원수더러 물어 경사 소식을 알고, 비록 참모의 통절함을 민망이 여기나, 그 불효 누얼(陋孽)을 쾌히 신백함을 영행하여 하더라.

첩음(捷音)을 보하러 갔던 사람이 주야를 헤지 않고 촉행(促行)하여, 윤참모 흉적을 탕멸하고, 백성을 덕화로 교유하여 남토가 크게 진정함을 주하니, 상이 대열하시어 금자어필(金字御筆)로 조서를 내리오사 윤원수의 재덕을 크게 칭찬하시고, 인심을 진정한 후 바삐 돌아옴을 재촉하시며, '정숙렬의 거처를 찾아 원수 회군지시(回軍之時)에 한가지로 오되, 각 읍이 그 부부의 행차를 영송(迎送)하여 도로에 광채를 보이라.' 하시고, 유녀의 죄상이 천지에 관영(貫盈)하여 한 번 죽음이 그 죄를 속지 못함을 이르시며, 윤원수에게 상장(上將) 복색을 보내시며, '처음 손원수 가졌던 청룡검(靑龍劍)을 찾아, 부원수 이하의 위령자를 선참후계(先斬後啓) 하라.' 하시고, '님성각의 공로 중(重)함으로써 회군지시에 지휘사(指揮使)를 삼았다가, 황성에 올라와 다시 상작을 밧게 하라.' 하시고, 황야의 쥐고 계시던 자금선(紫錦扇)을 옥선초(玉扇貂)가 달린 채 보내시어, '윤원수를 주라.' 하시며, 손확은 용병을 그릇하여 패군장이 될 뿐 아니라, 초에 윤원수를 죄에 몰아넣어 죽이려 하던 용심이 극악하니, 마땅히 그 곳에서 처참 효시할 것이로되, 윤원수의 현심으로써 장사에서 죽임을 추연하여 할 것이니, '함거의 실어 와 천문의 죄를 온전케 하리라.' 하시고, 참모를 구하여 갔던 도사를 찾아 국가 주석(柱石) 고굉지신(股肱之臣)을 살린 공을 갚게, '성명을 알아 들이라.' 하여 계시니, 장사 군졸이 즐기지 않는 이 없고, 부원수와 임성각이 상장(上將) 복색

---

614) 설설(屑屑)이 : 자잘하게, 구구하게.

과 금인을 받들어, 함께 참모의 입기를 청하니, 참모 사양함이 가치 않아, 부득이 상장 융복을 갖추고 대원수 금인을 요하의 차매, 부원수 재배하니, 부장이 상장께 뵈는 예를 차리고, 사졸이 흔흔 대열하여 서로 이르대,

"이제야 우리 주공의 벼슬이 재덕(才德)에 차다."

하여, 쾌활함을 마지않더라.

윤원수 이미 남토를 진정하매 오래 머물 일이 없어 쉬이 돌아가려 할새, 조모와 숙모의 환후를 염려하여 몸이 장사에 있으나 마음인즉 경사에 다 가 있으니, 일시나 유(留)함이 절박한지라. 바삐 회군할 날을 가려, 겨우 십여 일이 격하매, 화부의 가 한 번 화공을 보고 또 정숙렬을 보아 돌아감을 재촉하고, 성은의 과도하심을 전코자 할 새, 운봉관에서 화부 수삼일(數三日) 정되(程道)니, 화부로 가는 길에 월출산이란 뫼가 있으되, 산형이 수려하고 풍경이 절승타 하는지라. 원수 잠깐 월출산 경치를 유완코자 하여 위의를 다 떨치고, 유생의 복색으로 두어 서동을 데리고 일필 청려(靑驢)를 비스듬히 타고 몰아 월출산으로 향할 새, 임성각더러 왈,

"내 화평장을 잠깐 가 보고 가려 하나니, 가는 길에 월출산 풍경이 기특다 하니, 한 번 유완하여 처황(悽惶)한 심사를 부치고자[615] 하나니, 그대는 모름지기 뒤를 좇아오라."

성각이 대왈,

"소생은 봉계성에 잠깐 다녀, 원수 뒤를 좇아 반일을 사이 띄어 가리니, 원수는 먼저 행하소서."

원수 즉시 청려를 채쳐, 양 서동을 데리고 속행(速行)하여 월출산으로

---

615) 부치다 : 바람에 날리다. 부채 따위로 바람을 일으키다.

나아가매, 과연 산형이 빼어나고 기이하여, 화목송죽(花木松竹)과 기화
이초(奇花異草) 있어, 은연한 향내 옹비(邕飛)하[616]는지라. 원수 청녀에
내려 고봉 산로를 걸어 올라갈 새, 제일봉 남녘에 큰 바위가 평상(平床)
같고, 완연한 석침(石枕)이 있어 사람이 누어 쉴 곳이요, 또 북녘 송하
(松下)에 백옥 같은 바위 있어, 집채만 한 바위 위에 한 사람이 옷을 거
꾸로 입고, 다리를 거두추고[617] 솔가지를 꺾어 뒤뭉쳐[618] 베개를 삼아
누었으니, 그 거동이 누연(陋然)하여[619] 걸인 같고, 그 바위 험악하여
남녘 바위와 내도하여, 사람이 누었으되 견시자(見視者)로 하여금 심히
괴롭고 편치 않아 보이되, 기인이 괴로운 줄 모르고 콧노래를 간간이 부
르며, 사이사이 옷을 훔쳐 기슬(蟣虱)[620]을 잡아 죽이고, 자주 머리를
긁적여 주접[621] 든 형상이 심하더니, 이윽하여 잠을 깊이 드는 듯한지
라. 두 서동이 바라보고 그 누악(陋惡)한 형상을 대소하거늘, 원수 기구
(崎嶇)한 바위 위에서 세류(細柳) 가지를 베고, 잠을 익히 드는 것을 이
상히 여겨, 곁에 나아가 자세히 보매 기인이 낯 위에 더러운 진흙을 꺼
멓게 칠하고, 발발창창(--蒼蒼)한[622] 누더기를 거꾸로 입었으나, 그
용모와 모양이 아무리 보아도 진세인(塵世人)과 같지 않아 크게 비상하

---

616) 옹비(邕飛)하다 : (향기 따위가) 물씬 풍기다.
617) 거두추다 : 걷어들다. 추켜들다.
618) 뒤뭉치다 : 아무렇게나 마구 뭉치다.
619) 누연(陋然)하다 : 더럽다.
620) 기슬(蟣虱) : 서캐와 이를 아울러 이르는 말.
621) 주접 : ①여러 가지 이유로 생물체가 제대로 자라지 못하고 쇠하여지는 일. 또
는 그런 상태. ②옷차림이나 몸치레가 초라하고 너절한 것.
622) 발발창창(--蒼蒼)하다 : '발발하다'와 '창창(蒼蒼)하다'를 합친 말. 옷 따위가
심히 낡아 갈기갈기 찢겨지고 거무튀튀하여 더럽다. *발발하다; 헝겊 따위가
삭아 손대기가 무섭게 절로 찢어지다. *창창(蒼蒼)하다; 빛이 어둑하다. 거무
튀튀하다.

되, 헌 옷을 입고 기슬이 편만하여 낯 위에 기어오르는지라. 원수 나아
가 앉아 그 낯에 오로는 기슬 사오십 개를 잡아 땅에 던지고, 그 깨기를
기다리더니, 이윽고 자던 사람이 깨어 눈을 떠 보다가, 원수 곁에 앉아
낯에 기는 기슬을 잡아 버림을 알고, 문득 발연(勃然) 대로(大怒)하여
몸을 뒤틀며 중얼거려 꾸짖되,

"나는 잠잘 제 아무나 곁에 와 몸을 만지작거린즉, 본디 화증 나 못
견디거늘, 엇던 못 생긴 자식이 와서 나를 제 아비라 하고, 자는 곁에
와 어리게 낯을 만지는다? 사람이 오래 사니 방귀찌623) 같은 거동도 보
리로다. 원수 그 꾸짖는 말이 이 같되 조금도 노(怒)치 않고 반드시 이
인(異人)임을 깨달아, 그 누운 앞에 공순히 예하고 가로되,

"속자(俗子)가 용우하여 눈이 있어도 태산을 알아보지 못하였는지라.
선생 면모에 누슬(陋蝨)624)이 침노함을 보고, 망녕되이 숙침하시는 곳
에 나아와 기슬(蟣蝨)을 잡아 없이 함이 그릇하였거니와, 선생이 소년을
만나 어질게 가르치지 않으시고, 어찌 이다지도 책하시느뇨?"

기인이 눈을 도리어 감고 가로되,

"어리고 반질반질625)도 생겼도다. 내 너로 더불어 일면지분(一面之
分)이 없거늘, 누가 앞에 와 절하라 하관데 부질없는 예배(禮拜)를 수고
로이 하며, 무엇을 어질게 가르치라 하느뇨? 세인(世人)이 저마다 부훈
모교(父訓母敎)를 들어 자라나니, 너는 여부 어디로 쫓겨 가 죽었관데
나를 네 아비라 하고 너를 가르치라 하는다?"

원수 그 욕설이 참혹함을 듣고, 탄 왈,

---

623) 방귀찌 : 방귀와 똥을 함께 이르는 말로, 더러운 행동이나 물건을 낮잡아 일컫
   는 말. 찌: 어린아이의 말로, '똥'을 이르는 말.
624) 누슬(陋蝨) : 더러운 이(蝨).
625) 반질반질 : 빤질빤질. 성품이 매우 빤빤스럽고 유들유들한 모양.

"소생이 존전에 당돌이 나아오기를 그릇하였으나, 어찌 선생이 사람의 부모를 들놓아 질욕하기를 이같이 하느뇨?"

기인이 홀연 대소 왈,

"너는 네 아비 중한 줄 알관데, 거친 질욕함을 싫게 여기는다? 원간 네 뉘 자식이며 네 아비 살았느냐?"

원수 그 말이 해괴함을 한심하되, 결단하여 범범(凡凡) 속인이 아님을 알고, 고개를 숙이고 다시 말을 않으니, 기인이 일어나 앉으며 문 왈,

"내 아까 네 아비 유무를 물었거늘 어찌 대답치 않느뇨? 원간 너는 아비를 모르는 것으로 부자천륜을 정(定)치 못하였는다? 그렇거든 나로써 호부(呼父)하여라."

원수 하 어이없어 날호여 가로되,

"많이 취하여 계시니 술이 깨시거든 말씀하사이다."

기인이 귀 먹은 체하고 가로되,

"날더러 술 깨거든 '아비로 말하마.' 하니, 천하에 아비 못 얻어 궁극한 인생도 있도다. 나는 가난하고 주접 들어, 비록 내 자식이 있다 일러도, 부자의 정을 펼 길이 없으니, 네 날더러 아비라 말고, 장사 부요지지(富饒之地)에 부요한 집이 많으니, 네 눈으로 가려 의젓한[626] 사람을 얻어 아비로 칭하고 다니라."

원수 그 언사를 망측하여 다만 가로되,

"사람이 내 부모를 공경하는 이는 남의 부모를 질욕치 않나니, 선생이 어찌 해참한 욕설을 그치지 않으시나이까?"

기인이 미소왈,

"원간 너도 부모 중한 줄 아느냐? 또 묻나니 네 아비 귀터냐? 네 아내

---

626) 의젓하다 : 말이나 행동 따위가 점잖고 무게가 있다.

더 중터냐?"

원수 그 언사 괴함을 더욱 측량없이 여겨, 대왈,

"천하 만물에 부자중의(父子重義)는 비할 것이 없거니와, 선생도 부모와 내상(內相)627)이 계실 것이니, 경중(輕重)을 가히 의논하리러니까?"

기인이 눈을 들어 원수를 이윽히 보다가 소왈,

"그 깐628)에 말만 잘 배워 제 한아비 같은 어른을 책바칠629) 줄은 잘 안다만, 이러나저러나 네 아비 얼굴은 어떠하며, 네 아내 용모는 어떠 하관대, 아비 보고 싶은 줄은 모르고 아내는 그리 못 잊어 보고자 하는다?"

원수 차언에 다다라는 옥면(玉面)에 가득이 슬픈 빛을 띠어, 가로되,

"선생이 비록 온 가지로 소생을 욕하시나 노(怒)하온 줄 알지 못하고, 말씀이 부형의 얼굴을 물으시기에 당하여는, 소생의 심담(心膽)이 붕렬(崩裂)함을 깨닫지 못하나니, 이 몸이 어서 죽어 지하의 선인을 모시고자 한들 미치리까?"

기인이 소왈,

"죽으면 네 아비를 볼까 싶으냐? 그렇거든 내 칼을 주리니 자문이사(自刎而死)하여 여부(汝父)를 반기라."

이리 이르며 호호히 웃다가, 가로되,

"네 아비 어데 갔기에 저리 못 보아 하나냐? 하 보고 싶거든 네 아비 얼굴 그린 것이나 주랴?"

원수 심사 새로이 녹는 듯한 바에, 비록 차인의 말을 믿지 못하나, 화상이나 주렸노라 말에 황홀하여 연망이 절하고, 가로되,

---

627) 내상(內相) : 아내를 달리 이르는 말.
628) 깐 : 일의 형편 따위를 속으로 헤아려 보는 생각이나 가늠.
629) 책바치다 : '책(責)+바치다'의 형태. '책망을 바치다'는 뜻으로, 아랫사람이 웃 어른을 책망한다는 말.

"선생이 만일 선친의 화상을 두어 계실진대, 소생으로 하여금 모셔 돌아가게 하시면 은혜를 생세(生世)에 다 갚지 못하리로소이다."

기인이 도로 누우며 기지개를 켜고, 이르되,

"내 본디 사람이 부모를 못 보아 하는 이는 화상을 낳아630) 주나니, 네 일 년만 내 하부(下部)631)에 손을 대고 있으면, 윤명천의 화상을 낳아 주리라."

원수 그 말이 무지(無知)함을 겨루지 않아 오래 말을 않다가, 또 빌어 왈,

"선생이 만일 선인의 화상(畵像)을 두어 계실진대, 소생을 아주 주기는 어려워 못 주실 것 같으면, 소생이 자주 나아가 배현(拜見)케나 하소서."

기인이 소왈,

"네 아비 화상을 너는 귀히 여긴들 내 무슨 정으로 그리 기특하관데, 있을진대 내어 놓지 못하리오. 잡말 말고 내 하부의 손을 대고 있으면, 화상을 낳아 주리라."

원수 저로 더불어 말하매 대답이 욕설이니, 다시 개구(開口)함이 무익하되, 혹자 선친의 화상이 저에게 있는가, 아쉽게 바라는 정리를 비길 데 없어 기인의 곁에 앉았더니, 기인이 소왈,

"내 하부에 손을 대어 네 아비 화상 낳아632) 가기는 토심(吐心)겨워633) 못할쏘냐? 네 원간 어떤 놈의 아들인다?"

원수 해연이 여겨 부답하니, 기인이 소왈,

---

630) 낳다 : 낳다. 배 속의 아이, 새끼, 알을 몸 밖으로 내놓다.
631) 하부(下部) : 아래쪽 부분. 여기서는 남자의 사타구니를 말한다. *하문(下門); 여자의 음부(陰部)
632) 낳다 : 배 속의 아이, 새끼, 알을 몸 밖으로 내놓다.
633) 토심(吐心)겹다 : 불쾌함이 지나쳐 견뎌내기 어렵다. *토심(吐心); 남이 좋지 아니한 낯빛이나 말투로 대할 때에 일어나는 불쾌한 마음.

"네 아비 성명 이르기 그대도록 참괴하여 못할쏘냐? 네 아비 사람 죽이는 도부수(刀斧手)더냐? 소 죽이는 백정(白丁)[634]이냐? 흥리(興利)하는 대괴(大賈)냐? 노략질하는 적한(賊漢)이냐? 바로 이르라."

원수 고개를 돌려 못 들음같이 부답하니, 기인이 대소왈,

"제 아비 성명도 모르는 산금야수(山禽野獸)의 것이, 세상의 출류(出類)한 것이 도리어 이상토다. 연이나 네 아비 윤명천인 줄 모르니, 오늘날로부터 내게 배워 앎이 어떠하뇨? 네 바로 이르라. 마음에 귀함이 네 아비 명천공이 더하냐? 네 아내 정숙렬이 더 귀하냐? 네 마음에 어느 것이 더 중할 듯싶으냐? 바로 이르라."

원수 저의 욕언을 다 책망할 것이 아니요, 선인(先人)의 별호를 익히 앎을 보니 반드시 선인의 친절한 벗임을 깨달아, 본디 도사의 무리 희롱함이 여차함을 들은 지 오랜 고로, 혹자 태운도인인가 의심하여, 다시 절하고 공경하여 가로되,

"선생이 어찌 시생배(侍生輩)[635]를 희롱만 하시고 말씀을 명정(明正)이 않으시나이까? 청컨대 존성대명(尊姓大名)[636]을 이르소서."

기인이 소왈,

"너는 네 아비 성명도 모르는 것이 내 성명은 알아 무엇 하려 하느뇨? 이러나 저러나 네 아비는 벌써 백골이 향진(鄉塵)에 버렸고, 네 아내는 살아 너로 더불어 유자생녀(有子生女)하며 백수해로(白首偕老)할 것이니, 중하며 크게 여김도 괴이치 않으나, 아비 화상이 죽은 아비 화상이

---

634) 백정(白丁) : 소나 개, 돼지 따위를 잡는 일을 직업으로 하는 사람.
635) 시생배(侍生輩) : 시생과 같은 무리. *시생(侍生); 어른을 모시는 사람이라는 뜻으로, 말하는 이가 자기를 문어적으로 낮추어 이르는 일인칭 대명사.
636) 존성대명(尊姓大名) : 존귀한 성과 어마어마한 이름이란 뜻으로, 남의 성과 이름을 높여 이르는 말.

라 무슨 대사리오. 어서 가 정숙렬을 보라. 자식이 비록 현효(賢孝)하여
도, 어버이 자식 향한 정만 같지 못하나니, 네 아비 화상을 부디 보고자
하거든 날을 따라오라.”

하고, 일어서며 왈,

“나를 업어 갈쏘냐?”

원수 대왈,

“행인이 웃지 않을진대 모셔 가옴이 어찌 괴이하리까?”

기인이 대소하고 하산하니, 원수 걸어 종후(從後)하여 한 곳에 다다라
한 정자가 있으되, 광활 화려하고 정묘(淨妙)하니 진세간(塵世間) 같지
않더라. 소사(小舍)에 들어가니, 정결하여 옥난(玉欄)을 향한 듯하니,
원수 중심에 기이히 여기나 저의 오르라 하기를 기다리되, 도사 다시 본
체 않고 죽침(竹枕)을 내와 잠을 또 깊이 드는지라. 원수 날이 저물어
가대 민망이 여기는 일이 없어, 고요히 중계(中階)의 서서 절박히 바라
는 바는, ‘행여 그 부친의 화상이 저 도사에게 있는가?’ 죄는 마음이, 대
한(大旱)에 운예(雲霓)로 비길 바 아니라. 출천대효와 무궁한 정성으로
써 엄안(嚴顔)을 알지 못하는 지통(至痛)이 오내분붕(五內分崩)[637]하는
지라. 금일 요행이 도사를 만났으니, ‘이인의 기특함이 모르는 가운데
선인의 화상을 이뤘는가?’ 새로이 비황(悲況) 처절(悽絶)한 회포를 지향
치 못하더니, 가장 이윽한 후 도사 잠을 깨어 원수의 그저 서 있음을 보
고, 그 인물을 온 가지로 시험코자 하여, 이에 미우를 찡기고 도동(道
童)을 명하여 가로되,

“진세 사람이 가까이 서 있으매, 내 마음이 편치 않은지라. 여등이 저
중계의 선 사람을 밀어 내어 보내라. 두 동자(童子)가 비록 도사의 말을

---

637) 오내분붕(五內分崩) : 오장(五臟)이 무너져 흩어짐.

거스르지 못하나, 윤원수의 만고 무쌍한 풍류(風流) 신채(身彩)를 보매, 가벼이 등을 밀어 내지 못하여, 다만 원수의 곁에 나아가 고 왈,

"사부의 명이 이렇듯 하시니, 원컨대 귀인은 인하여 돌아가소서."

원수 도인을 향하여 왈,

"소생의 비루(鄙陋)한 위인이 선생 면전의 용납함을 얻지 못하려니와, 소생의 구구한 정성이 선생의 한 번 교회하심을 듣잡고자 하옵나니, 복망(伏望) 선생은 여차 심사를 돌아보소서."

도사 눈을 감고 반향(半晑)이나 있다가, 저 같은 정성을 보매 기특히 여겨, 문득 띠를 도도고 낯빛을 정히 하여, 중계의 내려 원수를 향하여 공순히 절하고, 왈,

"산야(山野) 폐인(廢人)이 감히 원수를 희롱코자 함이 아니라, 중산(重山)의 무게와 강하(江河)의 깊이를 보고자 함이라. 원컨대 원수는 산인(山人)의 광망(狂妄)한 죄를 사(赦)하라."

원수 연망이 도사를 붙들어, 천만 사례 왈,

"선생이 어찌 존중하신 체위로써 소생을 향하여 과례를 하시나니까? 소생이 황공함을 이기지 못하나이다."

도사 팔 밀어 원수의 오르기를 청하여, 왈,

"폐인이 어리고 광망하여 원수에게 죄 얻음이 많거늘, 원수 조금도 허물치 않아 이렇듯 공경하니 감격함을 이기지 못하노라."

원수 허리를 굽혀 칭사하고, 도사의 먼저 오르심을 재삼 청하여, 도사 원수의 손을 잡고 한가지로 당의 올라 방석을 밀어 좌를 정한 후, 도사 홀연 안색이 척척(慽慽)하여 왈,

"산인(山人)의 성명은 화천이라."

하더라.

명주보월빙 권지육십팔

어시에 도사 홀연 안색이 척척(慽慽)하여 왈,

"산인(山人)의 성명은 화천이라. 일찍 심산(深山)의 도사를 따라 적은 도학을 배우고, 감히 공명 현달을 바라지 못할 뿐 아니라, 세념(世念)이 삭연(索然)함으로[638] 인간 흥황(興況)을 알지 못하고, 사해에 오유(遨遊)하여 천하 명승지지(名勝之地)에 자취 아니 미친 곳이 없어, 복거(伏居)할 곳을 얻어 정(定)치 않았는지라. 무륜(無倫) 무식(無識)하여 일무 가취(一無可取)로되, 나이 어려서 외람히 영선대인(令先大人) 명천공으로 더불어, 죽마(竹馬)를 이끌어 피차 정의(情誼) 골육에 넘은지라. 연기(年紀) 이륙(二六)까지는 하루도 떠난 적이 없이 학문을 공부하더니, 생의 명도 기구하여 삼오(三五) 전에 부모를 여의고, 종천지통(終天之痛)[639]을 품으매 예사 사람같이 즐겁지 못하고, 부질없는 상법을 배우매, 나의 상모 결단코 현달할 골격이 아닌 줄 깨달아, 만일 상모의 빈천함을 생각지 않고, 역천(逆天)하여 과갑(科甲)을 응한즉, 혹자 득의함이 있어도 필유화망(必有禍亡)이요, 가산을 이뤄 처실(妻室)을 취(娶)하여

---

638) 삭연(索然)하다 : 흥미가 없다.
639) 종천지통(終天之痛) : 세상이 끝날 때까지 영원히 가는 슬픔이라는 뜻으로, 부모의 초상이 남을 이르는 말.

도 분명 자녀를 두지 못하여, 천연(天然)한 중의 팔자라. 이러므로 입신(立身) 취처(娶妻)에 마음을 두지 않아, 산야 폐인 되기를 자구(自求)함이라. 비록 신체발부(身體髮膚)를 상해와 중이 된 일은 없으나, 신세와 팔자는 중도곤 나은 일이 없는지라. 영선대인이 나의 인륜을 폐기함과 심신(心身)에 자취를 감춤을 책하되, 나의 굳은 뜻은 사백(舍伯)도 개유치 못하신 고로, 영선(令先)의 말씀이 옳은 줄을 알되, 능히 듣지 못한지라. 영선은 조달영귀(早達榮貴)하여 작위(爵位) 이부천관(吏部天官)640)이 되고, 물망과 청덕이 조야(朝野)를 기울이고, 상총이 융융하시나, 영엄이 마침내 너무 좋고 이상이 맑아 진태(塵態)에 물들지 않아, 수한(壽限)이 장원(長遠)치 못함이 괴이치 않고, 선풍도골(仙風道骨)로써 공명(功名)이 넘치매, 국사로 몸을 마쳐 청명(淸名) 죽절(竹節)을 만대에 빛낸 바라. 도시(都是)641) 천수의 정한 것을 벗어나지 못하고, 군의 형제 초년이 험난하여 세상의 나매 부안(父顔)을 알지 못하고, 가변이 괴이하여 허다 풍파 일어나니, 영백(靈魄)이 어찌 지하에서 느끼지 않으시리오.”

말을 마치며 길이 희허 탄식하니, 원수 청파의 백련(白蓮) 같은 용화(容華)의 누수(淚水) 뜻들어642) 능히 인사를 정치 못하니, 도사 추연 왈,

“군의 슬퍼함을 보매 아심이 새로이 비상한지라. 과연 영엄의 화상(畵像)을 이룸은 다른 일이 아니라, 영엄이 석년 금국을 향할 때, 내 헤아리건대 다시 살아 돌아오지 못할지라. 현계(賢契)643)의 형제 세상의 나

---

640) 이부천관(吏部天官) : 조선 시대에 '이조 판서'를 달리 이르던 말. 육조(六曹)의 판서 가운데 으뜸이라는 뜻이다.
641) 도시(都是) : 도무지.
642) 뜻들다 : 뚝뚝 떨어지다.
643) 현계(賢契) : 문인(門人). 제자, 친구의 아들 등을 존중해 일컫는 말.

도, 부안(父顔)을 알지 못함이 종천극통(終天極痛)이라. 나의 의사 궁극
하여 영엄의 얼굴을 그렸다가 현계 등을 주고자 하여, 영엄의 금국 향하
는 길에 서로 만나 일야를 지내고 정회를 펼 새, 영엄이 연당(年當) 삼
십에 아들을 보지 못함을 슬퍼 하며, 흥지의 가 다시 생환치 못할 바를
스스로 지기(知機)하거늘, 내 영자당(令慈堂) 태부인이 현계 형제를 쌍
생하실 줄 이르며, 각각 조강이 정가와 하가의 날 줄 미리 알게 하고,
또 화상을 내어 현계 인사 안 후 화상을 돌려보내련노라 하니, 영엄이
가장 깃거 화상 아래 친필로써 쓴 것이 있으니, 현계 등은 알지 못하나,
내 어찌 벌써 돌아 보내지 않았으리오마는, 군가(君家)의 변괴 층출(層
出)하여 안한(安閑)할 때 없으니, 중대한 화상을 어지러운 때의 전하여
혹자 상할까 염려하여, 지금 천연(遷延)함이라. 이제 군이 날을 좇아오
면 화상을 뵈리라."

　설파에 일어나거늘, 원수 이 말을 들으매 부친 화상 뵈옴이 천양지하
(天壤之下)644)에 부자상견(父子相見)함 같으나, 새로운 지통을 이기지
못하여 옥면에 가득한 비색(悲色)을 띠고, 도사를 좇아가매, 동산을 넘
어 수간 당사를 지었으되, 단청 채색이 휘황하고 높기 우러러 뵈는지라.
도사 원수로 더불어 당상에 오르매, 도사 벽상에 봉안(奉安)하였던 화상
을 내어 한 번 펼치매, 의연이 생기 유동(流動)하여 윤명천이 살아 돌아
온 듯한지라.

　원수 꿇어 한 번 우러러 보매 눈물이 앞을 가리오고, 기운이 엄애(奄
碍)645)하여 정신이 아득하고, 수족이 얼음 같아서 아무런 줄 모르는지
라. 도사 놀라고 감창하여 역시 눈물을 내리고, 좌우로 약물을 나와 구

---

644) 천양지하(天壤之下) : 이승과 저승의 아래.
645) 엄애(奄碍) : 갑자기 기운이 막혀 정신을 잃음.

호하니, 오랜 후 원수 잠깐 인사를 차려 일어나 앉으니, 도사 그 손을 잡고 위로 왈,

"영엄이 일찍 기세하심이 인자의 지통이나, 차역 천명이라, 슬퍼 하나 미칠 길 없고, 일생일사(一生一死)는 저마다 면치 못하나니, 영엄이 임종시까지 충의를 빛내어, 그 돌아감이 후세의 유전(遺傳)할 바요, 영백이 구천야대(九泉夜臺)의 충신열사의 뒤를 좇아 옥청선대(玉淸仙臺)646)에 즐기나니, 현계 어찌 새로이 이다지도 과훼(過毁)하여 성병(成病)하려 하느뇨? 하물며 영선(令先)의 후사(後嗣)가 빛나 현계와 효문 같은 아들을 두매, 문호를 창대(昌大)하며 조선을 현양(顯揚)하리니, 현계는 모름지기 회포를 널려 스스로 관억하라."

원수 일어나 두 번 절하고 고두 읍체 왈,

"연숙(緣叔)647)이 의견이 다닫지648) 않은 일을 거울같이 비추시어, 가친의 화상을 연질(緣姪)649) 등이 미처 세상의 나지 못하여서 그려두어, 오늘날 소질(小姪)을 만나 뵈려 하심이 속인의 생각지 못할 원려(遠慮)라. 연질(緣姪) 등이 엄안(嚴顔)을 알지 못함을 주야 통절 비원하옵는 바러니, 연숙의 은덕으로 선인의 화상을 배알(拜謁)하오니 친안(親顔)을 아옵는 듯 한지라. 연질의 불초 무상함이 일찍 선생을 찾아 뵈옵지 못한 연고로, 가엄의 화상을 늦게야 뵈오니, 하면목(何面目)으로 입어세(立於世) 하리까?"

도사 재삼 위로하고, 원수 다시 정신을 수습하여, 부친 화상을 다시

---

646) 옥청선대(玉淸仙臺) : 옥청궁(玉淸宮)에 있는 신선들의 누대(樓臺). *옥청궁(玉淸宮); 도교에서 옥황상제가 산다고 하는 궁전.
647) 연숙(緣叔) : 아저씨라고 부를 만한 친지.
648) 다닫다 : 다다르다. ①목적한 곳에 이르다. ②어떤 수준이나 한계에 미치다.
649) 연질(緣姪) : 조카뻘 되는 친척.

뵈오매, 과연 친필로 화공(公)의 후의(厚意)를 칭사(稱謝)한 말이 화상 아래 쓰였고, 화법의 기이함이 볼수록 찬란한 정화(精華)가 고요하니, 원수 여할(如割)한 심사를 지향치 못하여, 화상 앞에 부복하여 흐르는 눈물이 벽해(碧海)를 보태며, 읍읍탄성(泣泣歎聲)하여 효자의 망극한 회포를 이를 것이 없으니, 도사 날이 저물어 감을 일러, 붙들어 왈,

"현계 전일 영엄의 화상을 못 보았을 때도 능히 견뎠나니, 어찌 무익한 슬픔을 과도히 하느뇨? 그만하여 폐사(弊舍)에 나아가 일야를 지내고자 하노라."

원수 그 말을 좇아 날호여650) 화상을 향하여 재배하고 물러날 새, 화상을 봉안한 곳이 이다지도 휘황(輝煌)하여, 자기 집에 모셔도 다시 더할 것이 없음을 보매, 도사를 더욱 감은각골 하더라.

도사 원수를 데리고 초사(草舍)로 돌아오며, 동자를 명하여,

"님성각이 월출산에 와 윤원수 간 곳을 알지 못하여 방황하리니, 네 데려 오라."

도동이 수명하여 월출산으로 가거늘, 또 동자를 명하여 은보암 이고 (尼姑)더러 석반을 갖추어 오라하고, 원수로 더불어 종용이 담화할 새, 원수 왈,

"저 적 낙청산 도관을 보오니 황연이 비어 인적이 없으되, 오히려 청총마(靑驄馬) 두 필이 마구에 매였더라 하고, 소생을 구하는 사람이 전하거늘, 자세히 생각하매 영선강을 건넘도 선생의 조화시던가 하옵나니, 소생과 임성각이 전자에 그 말을 탔더니이다."

도사 미소왈,

"정씨의 신명함이 벌써 현계 몸에 급한 액이 있을 줄 알고, 화부를 떠

---

650) 날호여 : 천천히.

나 현계를 구코자 하되, 다만 남씨를 데리고 도중에 방황하여, 아무 도
관붙이651)를 얻고자 하거늘, 내 과연 용수암을 가르치고 영선강을 건너
게 하였는지라. 낙청산 도관은 내 구태여 있으려 지음이 아니라, 후래에
내 제자 무리 그 곳에 데리고 있고자 함이오. 옥설마(玉雪馬)는 정히 임
자를 못 얻어 하는 바로써, 산야 도인의 탈 것이 아니라. 그러므로 마구
에 매고 와 정부인이 현계를 구할 제 타게 하고, 현계와 임성각이 장사
왕과 접전할 때 타게 함이니, 현계 이제란 다시 그 말을 내게 돌아 보내
지 말라."

원수 언언이 사사하여, 다시 정씨를 가르쳐 자기를 살려냄을 일컬으
니, 도사 소왈,

"내 비록 용우하나, 실로 세속 사람의 적은 일도 다 은혜를 일컬어 칭
은하는 바를 듣고자 않나니, 현계는 날로써 영엄의 고우(古友)라 하거
든, 이런 말을 다시 말라."

원수 도사의 진정을 알고, 능히 여러 번 칭사치 못하여 다른 말을 하
더니, 도사 소이문왈(笑而問曰),

"현계 정부인의 취한 바 화씨를 어찌코자 하느뇨?"

원수 화씨의 곡절을 알지 못함으로, 대왈,

"선생의 이르심이 어찐 말씀이니까?"

도사 소왈,

"현계 오히려 알지 못하였도다. 원간 평장(平章)652) 화모는 현명한
재상이라. 그 성품이 너무 강직 청고함으로 사람의 미워함이 되어, 애매

---

651) 붙이 : 어떤 물건에 딸린 같은 종류라는 뜻을 더하는 접미사.
652) 평장(平章) : 문하평장사(門下平章事). 고려 시대에, 중서문하성에 둔 정이품
　　　벼슬.

한 누얼653)을 실어 장사의 찬적하나, 그 여자 현계에게 연분이 있는지
라. 다만 화씨는 장사(長沙)에 있고, 현계는 남주 적객(謫客)으로 신취
(新娶)의 흥황(興況)이 사연(辭然)할 것이므로, 내 그 천연을 이룰 길이
없음을 개연(慨然)654)하여, 여차여차 도서(道書)로 화공을 격동하고,
정숙렬을 연(連)하여 권하여, 화가의 사위 되었다가 화씨를 현계에게 천
거하여 동렬을 빛내게 한지라. 차고로 정부인이 권도(權道)로 화가 동상
이 된 지 삼년이요, 현계의 성씨를 의지하여 윤광은이로라 하니, 현계
화공을 찾아 보면 그 애서를 자랑하는 바 정숙렬이니, 일장 웃음을 도우
려니와, 부인의 어진 뜻과 연분이 중함을 생각하여, 경사에 돌아가 남공
이 석정으로써 환경함을 기다려 남씨를 삼취(三娶)하고, 버거655) 화씨
를 사취(四娶)하여 절대(絶代) 숙완(淑婉)을 사양치 말라."

원수 도사의 말을 들으매, 정숙렬의 언간(言間)의 '화가 자서항(子壻
行)을 의지하여 만만불사(萬萬不似)한 거조 있어라.' 하던 바를 비로소
깨친지라. 화란 가운데 부인의 처변(處變)이 신능하여, 사람의 생각지
못할 의사 있음을 아름다이 여기고, 또 본 뜻이 숙녀미색(淑女美色)을
백이라도 사양할 마음이 없으되, 짐짓 침음 양구의 왈,

"소생이 비상화란(非常禍亂)하고 만사 비창(悲愴)하여 수회(愁懷)를
도을 뿐이요, 번화를 취할 마음이 없으니, 정씨 괴이한 거조를 행하여
화씨를 취한 바 되여도, 소생은 숙녀 미색을 깃거 아니하나이다."

도사 미미히 소왈,

"현계 비록 내외를 달리하여 나를 속이나, 나는 실로 현계의 마음을

---

653) 누얼 : 누얼(陋−). 사실이 아닌 일로 뒤집어쓴 더러운 허물. 얼; 겉에 들어난
    흠이나 허물. 탈.
654) 개연(慨然) : 억울하고 분하게 여김.
655) 버거 : 다음으로, 둘째로.

밝히 아나니, 현계는 부질없는 말을 말고 남·화 양가 숙녀를 취하고 실중의 번화를 도우라."

인하여 정소저 남씨를 구하던 바를 본 듯이 이르니, 원수 부인을 낙청산 도관에 가 보았으되, 남씨를 그같이 구함과 화씨를 취한 곡절을 모르다가 자세히 듣고, 새로이 행사를 기특히 여겨 하되, 부친의 화상을 배견하고 비통한 심사를 이기지 못하여, 실로 흥황이 적은지라. 길이 탄식하고 대왈,

"선생이 소질로써 심회를 은닉하는가 여기시나, 소질의 본뜻인즉 울적한 서생으로 일처만 지켜 장부의 기상이 없음을 우습게 여기나, 당차시 하여 소질의 가변이 남이 알까 두려운지라. 일처도 분수상니(分手相離)한 지 세월이 오래고, 사제의 기품이 강맹치 못한데, 천리 타향의 죄수로 그 몸이 무양(無恙)한 지 자주 성식(聲息)을 통치 못하니, 비창한 심사를 비할 곳이 있으리까? 여러 가지 회포 어지러우매 번화를 취할 마음이 풀어질 뿐 아니라, 선생의 은덕으로 선인의 화상을 배견하오나 한 말씀 앎이 없으니, 남 다른 지통을 어찌 고하리꼬?"

도사 원수의 진정이 이러함을 더욱 감창하여, 위로 왈,

"영제(令弟) 효문은 세류기질(細柳氣質)656)이요, 빙청옥결(水淸玉潔)657)이라. 아시로부터 세간의 희한한 변고를 겪으매, 그 상함이 무궁하여 깊이 병을 이루니, 만일 속세 범범한 약을 쓸진대 어찌 그 병이 차성함을 얻으리오마는, 그 재실 장부인의 기특한 정성이 천지를 감동하여 거의 쾌소할 지경이 되었을지라. 장부인이 수년 전에 영존당의 칼에 찔리는 환을 당하되, 오히려 명맥이 상치 않고, 그 때 비몽간(非夢間)에

---

656) 세류기질(細柳氣質) : 가지가 가는 버들과 같이 부드럽고 연한 기질.
657) 빙청옥결(水淸玉潔) : 얼음처럼 맑고 옥처럼 깨끗함.

영엄이 여차여차 이름이 있는 고로, 회생단을 가져 장부에 나아가, 밖에 서동배 있거늘 주어 드려 보내고 즉시 돌아온 바라. 장사마 나의 근본을 알지 못하여 가장 찾고자 하다가 못하고, 선약(仙藥)으로 장부인 환후를 구하매 능히 사경을 면하고, 또 복중의 귀인이 보전함을 얻어, 옥 같은 영재 세상의 낫나니 어찌 현계 등의 사속(嗣續)이 선선치 않으리오. 그대 형제 이제 다소 액경(厄境)이 다 지나갔나니, 모자 형제 단원(團圓)하고 부자 부부 단합하여 만사 무흠하리라. 또 하부인은 십생구사 하여 액을 지내고, 비상간고(備嘗艱苦)를 무수히 겪었으나, 오히려 경사를 떠나지 아니하였거니와, 장부인은 영제(令弟) 병이 중하여 양주 적소에서 거의 죽게 되었거늘, 빈도 열부의 지극한 정성을 감동하여 회생단을 주고, 이리이리 가르치고 왔으니, 장부인은 당세 성녀철부(聖女哲婦)라. 수천 리 발섭(發涉)을 어려워 않고, 영제의 사질(死疾)을 회생케 하고, 또 구몽숙의 작난과 요괴의 변화로 윤·정·진 삼문이 어육이 될 것을, 영저저(令姐姐) 정부인의 효열로 능히 보전하니라."

원수 경해(驚駭) 왈,

"장수(張嫂)의 위부지심(爲夫之心)은 괴이치 아니하거니와, 어찌 써 선단(仙丹)의 영약을 얻어 사제의 그쳐진 명을 구하시니까?"

도사 소왈,

"장씨 정성이 기특한 고로 내 회생약을 얻어 준 바라. 수연(雖然)이나 현계의 형제 단명박복(短命薄福)한 사람일진대, 어찌 그 고상(苦狀) 가운데 보전함을 얻으며, 장씨 아무리 초조한들 회생단을 얻으리오마는, 천수(天數)의 정한 바 당당한 귀복이 멀리 뻗쳤으니, 이러므로 비명원사(非命冤死)를 면한 바라. 이미 액(厄)이 진하고 길운(吉運)이 이르러, 바야흐로 영화 제미(齊美)하고 복록이 무궁하리니, 비인(鄙人)658)이 위하여 치하하노라."

　원수 학사의 위질(危疾)이 있던 줄 헤아리고, 상해[659] 그 병근이 경치 않은 바를 숙야(夙夜) 우구(憂懼)하다가, 비로소 알고, 선단의 영약을 얻어 쾌소할 지경에 있음을 만심 행희하여, 한갓 도사를 향하여 칭사할 뿐이더니, 이윽고 도동이 임성각으로 더불어 들어와 성각이 도사께 재배하고, 눈물을 뿌려 왈,

　"제자 한 번 사부 슬하를 떠난 후 남주에 와 삼년을 있으되, 사부 낙청산 하에 도관을 이뤄 계시던 줄 알지 못한 바라. 여러 일월에 존안을 배견(拜見)치 못하오매, 일시 영모하는 하정(下情)을 어찌 고하리까마는, 아무 곳에 유우(留寓)하신 바를 알지 못하와, 배현(拜見)할 길이 없음을 슬퍼 하옵더니, 금일 만행으로 윤원수를 좇아 월출산 풍경을 유완코자 하온 것이, 사부께 배알함을 얻으니 영행함이 석사(夕死)나 무한(無恨)이로소이다."

　도사 성각의 손을 잡고 흔연 왈,

　"네 비록 나를 떠나나 윤원수 같은 대현을 만나, 감히 그 행사를 나토와 본뜨지 못할지언정, 만의 하나를 따르면 거의 허물을 면하고, 입신(立身) 행사(行事)의 만사 숙연하리니, 이번 장사(長沙)를 파함으로써, 혹자 천문의 작상(爵賞)을 받는 일이 있어도, 과갑(科甲)을 응치 않은 전은 죽기로써 사양하여, 이름 없는 벼슬을 받지 말고, 문갑(文甲)[660]은 바라지 못하려니와 무과(武科)에 고등하여 너의 조선(祖先)을 현영(顯榮)하고, 네 몸을 현달(顯達)하면 어찌 효자 현손이 아니리오."

　성각이 머리 조아 배사 왈,

---

658) 비인(鄙人) : 비루한 사람이라는 뜻으로, 남자가 자기를 낮추어 이르는 일인칭 대명사.
659) 상해 : 보통. 항상. 늘.
660) 문갑(文甲) : 문과(文科).

"제자 설사 불초하오나 어찌 사부의 명훈을 간폐(肝肺)에 새기지 않으리까? 삼가 명대로 하리이다. 연이나 제자가 불인하와 사부의 교회하신 은택을 저버리옵고, 허랑한 자취 사해에 방탕(放蕩)하여 일생 전정이 아무라 할 줄 알지 못하더니, 천행으로 윤청문을 만나니, 일안(一眼)에 군자대질(君子大質)과 인걸지풍(人傑之風)을 허심(許心)하여, 천지 우주간에 만천(滿天)한 죄과에 떨어지지 않고, 금일 투생하와 사부의 존안을 뵈옵고 계훈을 받자오니 삼생(三生)의 행(幸)이라. 하 반가움을 형상치 못하리로소이다."

언파에 감루여우(感淚如雨)하니, 도사 역비(亦悲) 왈,

"내 너로써 웅렬장부(雄烈丈夫)라 하였더니, 함루척연(含淚慽然)하는 경색은 근어부인(近於婦人)이로다."

성각이 눈물을 거두고 불초함을 사례하니, 도사 재삼 위로하고 차야를 한가지로 담화할 새, 능히 잠을 이루지 못하고 별한(別恨)이 무궁하더라. 도사 윤원수더러 왈,

"정숙렬의 의협이 고상함은 이르지 말려니와, 남·화의 연분은 천정이니, 싫어도 마지못할지라. 고어(古語)에 천여불취(天與不取)면 반수기앙(反受其殃)[661]이라 하니, 불통히 고집치 말며 숙녀의 의기를 저버리지 말고, 쉬이 돌아가 영자당 태부인의 의려지망(倚閭之望)[662]을 끼치지 말고, 바삐 부인으로 더불어 동행함이 옳으니, 급히 화부에 가 기연(奇緣)을 뇌약(牢約)하고, 임성각은 이곳에 머물러 영엄의 화상 모셔 갈 기구를 차려, 즉시 가게 하라."

---

661) 천여불취(天與不取)면 반수기앙(反受其殃) : 하늘이 주는 것을 받지 않으면 도리어 앙화(殃禍)를 입게 된다.

662) 의려지망(倚閭之望) : 집 나간 자녀가 돌아오기를 초조하게 기다리는 부모의 마음.

원수 대왈,

"명교(明敎) 마땅하시되, 소질이 엄안을 알지 못하던 궁천극통(窮天極痛)으로써, 화상을 현알하오매 실로 물러갈 뜻이 없으니, 이곳에서 수일을 머물러 화상 모셔 갈 위의를 차려 돌아가려 하나이다."

도사 소왈,

"군이 영엄의 화상을 못 보았을 때도 견뎠으니, 화평장을 보고 돌아와 화상을 모셔 돌아가면, 군이 생전에 조석으로 현알하려 하여도 정성을 펴리니, 그 사이 화가를 못 다녀올 리 있으리오. 청컨대 고집지 말라."

원수 역연(亦然)하여 초사(草舍)에 내려와 임성각더러 왈,

"생이 잠깐 화부의 다녀오리니 군은 도로 운봉관의 가, 사졸을 명하여 화상 모셔 갈 위의를 차려 우명일(又明日) 이곳에 대후(待候)하면 생이 바로 이리 와 모셔 가리라."

성각이 수명하거늘, 원수 도사께 하직 왈,

"소질이 화공을 보고 즉시 오리이다."

도사 문득 손을 잡고 왈,

"군을 보매 어찌 떠나고 싶으리오마는, 청운과 백운이 길이 다른지라. 산야비인(山野鄙人)이 원융상장(元戎上將)663)으로 더불어 여러 날 동처(同處)할 바 아니라. 영엄의 화상을 군에게 전하매 이로 좇아 군을 이별하니, 비인의 자취 천하에 아니 미친 곳이 없는지라. 후에 다시 만날 날이 있으리라."

원수 청파에 사색(辭色)이 크게 결울(結鬱)하여 함루(含淚) 대왈,

"소질이 연숙을 뵈오매 각별한 하정(下情)이 사숙(舍叔)의 버금이라. 하물며 가친의 화상을 이뤄 소질로 하여금 모셔 가게 하시고, 옥설마(玉

---

663) 원융상장(元戎上將) : 대원수(大元帥). 전시에 전군을 통솔하던 최고위 장수.

雪馬)를 주시어 칼 아래 급함을 구하시고, 사제 부부의 위질(危疾)을 구하시니, 여러 가지 은혜 크고 중함이 산해(山海)로 비길 바 아니라. 어린 뜻에 회군하기 전 모셔 있다가, 비록 황성으로 올라간 후라도 선생의 계신 곳을 알아, 만리애각(萬里涯角)이라도 일년 일차 배견을 폐치 말고자 하거늘, 선생이 연질(緣姪)의 비루(鄙陋)함을 용납지 않으시어, 스스로 피코자 하시니, 소질의 결울(結鬱)한 심사를 비할 곳이 업도소이다."

도사 탄 왈,

"내 어찌 군을 피하여 몸을 감추리오. 본뜻이 조정 재열(宰列)로 더불어 여러 날 대하여, 산야 비인(鄙人)으로써 과도히 공경하는 바를 불감하여, 심산으로 돌아가고자 하나니, 영엄(令嚴)의 화상을 이뤄둔 지 십칠 년에 내 마음이 한 때도 놓이지 않아, 천하를 주유(周遊)⁶⁶⁴하기에 편치 못함은, 혹자 화상을 상할까 두려워하던 바라. 명일 배를 띠워 남해로 들어가기로, 여러 동류와 맞추었으니 어기지 못함으로, 금일 군을 이별하나니 후일에 다시 보기를 바라노라."

원수 눈물을 뿌려 차후 머물 곳을 물으니, 도사 왈,

"나의 유우(留寓)할 곳은 천하 명산이니, 나도 아무 곳에 있을 줄 기필치 못하니, 군을 부디 볼 일이 있으면 내 스스로 찾으리니, 군은 정처 없는 자취를 심방치 말라."

원수 아연하여, 도사를 말로 돌이키지 못할 줄 알고, 이에 가로되,

"소생이 감히 집에 앉아 선생의 찾으심을 바랄 것이 아니라, 선생이 한 번 몸을 감추시면 다시 거처를 알 길이 없으니, 선생의 자취를 찾아 천하를 주유치 못할지라. 선생은 소질의 구구(區區)한 하정(下情)을 살피시어 귀체를 누실(陋室)에 강굴(降屈)⁶⁶⁵하심을 바라나이다."

---

664) 주유(周遊) : 두루 돌아다니면서 구경하며 놂.

도사 소왈,

"이 또 어렵지 않으니, 혹자 경사(京師) 다히666)를 가는 일이 있으면, 비인의 자취 명공재열(名公宰列)의 집에 왕래가 번거하나, 때를 타 서로 만남이 있을까 하노라."

원수 후회를 다시금 고하고, 날이 늦음으로써 화부로 향할새, 도사의 보내는 마음과 원수의 떠나는 회포 결울함이 상하(上下)치 못하되, 도사 남해로 감이 바빠 마지못하여 서로 이별하니라.

원수 화가로 향한 후, 도사 임성각을 경계하여 재삼 좋이 있음을 당부하고, 행신에 광망한 일이 없음을 이른대, 성각이 순순 수명하고 체읍하여 떠남을 슬퍼하니, 화도사 도리어 위로하고 운봉관으로 가기를 재촉하니, 성각이 마지못하여 하직하매 눈물이 비 같더라.

화도사 원수와 임성각을 보내고, 즉시 명천공 화상 앞에 나아가 일장을 통곡하여 이별하고, 두 동자로 더불어 남해로 향하니, 자취 표홀(飄忽)하여 일엽(一葉) 소선(小船)을 해상에 띄우매, 아무 곳으로 가는 줄 알지 못할러라.

윤원수 서동을 데리고 청려(靑驢)를 빗기667) 몰아 화부에 나아가, 윤생인 체 하고 '윤광' 두 자를 써 명첩을 드리니, 화공이 내당에 있다가 명첩을 보고, 침음양구에 서랑을 청한데, 정숙렬이 화소저 침소에 있다가 화공의 부름을 듣고 즉시 들어가매, 화공이 명첩을 주어 왈,

"내 일찍 윤광이란 사람을 사귄 일이 없더니 오늘날 와 봄을 청하니, 아지못게라! 현서의 친척이냐?"

---

665) 강굴(降屈) : 굽혀서 내어옴. 높은 지위에 있는 이가 낮은 자리로 내려옴.
666) 다히 : ①쪽. 편. 방향. 닿은 곳. 부근. ②'따위', '등'의 뜻을 나타내는 의존명사.
667) 빗기 : 비스듬히. 여기서는 나귀를 비스듬히 타고 감을 이른 말.

소제 몽롱이 대왈,

"소생의 부형 항렬은 다 한 자 이름이어니와, 소생의 항렬은 두 자요, 윤광이란 친척이 없던 것이니, 혹 이름을 고친 자가 있는가 하나이다."

화공 왈,

"제 어떤 사람이관데 적거죄수(謫居罪囚)를 과도히 공경하여 명첩(名帖)을 드리니, 가장 괴이하거니와 이미 보기를 청하니, 현서 날과 한가지로 나가 봄이 어떠하뇨?"

소제 명첩 쓴 글씨를 보매 분명이 그 가군(家君)의 필적이라. 벌써 찾아 왔음을 짐작하되, 화공과 한가지로 가 봄이 참괴(慙愧)하여 대왈,

"악장이 먼저 나가 보사, 제 만일 소생의 친척이로라 하거든, 소서(小壻)를 불러 뵈소서."

화공이 윤생의 성품을 아는 고로 즉시 자가만 나와 윤생을 청할 새, 원수 천천히 걸어 들어와 화공을 향하여 예하고 좌를 정한 후, 화공이 눈을 들어 윤원수를 보고 몸을 일어 그 절을 답하고, 빈주(賓主) 한훤(寒暄)을 펼 것이 없으나, 화공이 윤원수를 황홀이 여기는 눈이 부시어, 자못 정신을 잃는지라. 한갓 그 천일 같은 광채와 명월 같은 옥면을 우러러, 어데 빛나며 어데 고운 줄을 깨닫지 못하고, 어린 듯이 바라보더니, 양구 후 자세히 살피매 높은 기상이 구추상천(九秋霜天) 같고, 숙엄한 위의는 하일(夏日)의 두려움을 가져, 앉으매 태산이 암암(巖巖)하고 서매 천일(天日)이 외외(巍巍)하니, 비록 청포흑건(靑袍黑巾)이 유자(儒者)의 기상이나, 벌써 귀격(貴格) 달상(達相)이 판연하여 천승(千乘)을 기필(期必)할지라. 수앙(秀昻)한 격조와 장렬(壯烈)한 형상이 대장부의 위의와 영준의 기습(氣習)을 겸하고, 다시 군자의 대도를 겸하였으니, 신상에 일만 가지 기특함이 만고에 듣지 못한 바라. 화공이 놀라움을 이기지 못하여, 이에 말을 펴 왈,

"만생이 이곳에 죄적한 지 여러 세월이로되, 시문(柴門)에 개 짖는 일이 없거늘, 귀객은 어디로 이르시며, 전일에 서로 앎이 없던 것이니, 하고(何故)로 노인을 찾으시니까? 불승감격 하이다."

윤원수 공경 대왈,

"소생은 경사 사람으로서 마침 이 곳을 지나던 바라. 합하의 청명 덕화를 높이 듣자온 고로, 당돌이 청알하옴이 황공하오나, 한 번 배현을 위하여 처음으로 명첩을 드린 바러니, 능히 불러 보심을 얻으니 가히 영화롭다 하리로소이다."

성음이 청고하고, 기상이 볼수록 눈 옮기기 아까운지라. 화공이 비록 원적 죄수로 오래 궁향의 처하였으나, 그 안고함이 평생에 그 서랑 광은 밖에 허심하는 사람이 없다가, 금일 윤원수를 보니 기이하며 아름다움을 이기지 못하여, 볼수록 유생(儒生)의 형상 같지 않아, 공후재렬(公侯宰列)이 아니면 만군을 총령(總領)할 원융(元戎)이라. 화공이 크게 의심하여 양구히 숙시하매, 흑건을 비록 섰으나 두상(頭上)에 누른 관자(貫子)668)가 은연이 뵈는지라. 이 반드시 남정 대원수 윤광천임을 깨달아, 이의 피석 왈,

"노인이 눈이 있으나 산악(山岳)을 알지 못하였으니, 명공이 비록 유생의 복색을 하여 계시나 결단코 선비 인물이 아니요, 또 재상(宰相)의 관자를 붙여 계시니, 청컨대 성명을 바로 이르소서."

윤원수 화공의 위인이 청고함을 암탄하더니, 그 말이 이 같음을 보매 자기 성명과 근본을 은닉할 것이 아니요, 화공이 낙양후의 동서(同壻)로 피차 벌써 보암직한지라. 이에 화공을 붙들어 돗669) 위에 오르심을 청

---

668) 관자(貫子) : 망건에 달아 당줄을 꿰는 작은 단추 모양의 고리. 신분에 따라 금(金), 옥(玉), 호박(琥珀), 마노, 대모(玳瑁), 뿔, 뼈 따위의 재료를 사용하였다.

하고, 몸을 굽혀 고 왈,

"소생은 과연 남주 죄적하였던 윤광천이라. 합하께 성명을 어찌 은닉하리까? 이러므로 먼저 윤광 두 자를 써 드려 보내었던 바라. 성은의 융융하심이 대원수를 탁배(擢拜)하시니, 감히 천리 밖에서 상명을 위월치 못하여 대원수 금인(金印)을 받자오나, 불안 민박함을 어찌 다 아뢰리까? 죄적하와 합하 청덕을 익히 듣자왔던 고로, 이의 이르러 부디 뵈옵고자 함으로, 혹자 합하 아니 보실까 하여 유생인 체하도소이다."

화공이 청파에 윤원수인 줄 쾌히 알아, 문득 손을 잡고 왈,

"누인(陋人)이 원수에게 이같이 친절함을 나타냄이 만홀하나, 외람히 영선대인 명천공과 붕배로 대접하심을 받았던 고로, 원수를 보매 감창하고 기특함을 이기지 못하여, 일가친척 같은 마음이 있는지라. 귀체 누처(陋處)에 욕림(辱臨)하여 만생을 찾으니 불승다감(不勝多感)하여라."

윤원수 추연 대왈,

"소생은 천지간 슬픈 인생이라. 가엄의 얼굴도 알지 못함이 흉격에 맺힌 지통이라. 남이 이르지 않으면 엄정(嚴庭)의 친우를 알지 못하는지라. 합하를 우연히 뵈옵고자 이르매 원간 선인(先人)의 친붕(親朋)이시도소이다."

화공이 원수의 기특함을 암암 칭복하여, 윤명천의 후사 빛남을 더욱 아름다이 여겨, 능히 원수의 손을 놓지 못하고 말씀이 종용함에 미처는, 평생 알던 바 같은지라.

화공이 문 왈,

"현계의 귀실(貴室)이 낙양후 진공의 여자냐?"

원수 대왈,

---

669) 돗 : 돗자리.

"그러하니이다."

화공이 탄 왈,

"차신이 누년을 죄적하여, 일가친척과 제우 붕배의 소식도 천양(天壤)670)을 가림 같아서 듣지 못하는지라. 금일 원수를 만남은 몽리(夢裏)에 생각 밖이라. 남토를 진정하여 덕망과 신무대략(神武大略)이 고금에 희한함을 들으매, 그윽이 한 번 상견함을 원하였더니, 누인이 만행(萬幸)으로 원수의 선풍을 대하니, 진실로 이름 아래 사람이 헛되지 않도다. 진형은 무슨 복으로 원수 같은 여서(女壻)를 얻었느뇨?"

원수 불감(不堪) 사사(謝辭) 하고 짐짓 문 왈,

"합하 슬하의 장옥(璋玉)671)이 선선(詵詵)672)하며, 남녀간 성취(成娶)함이 있으니까?"

화공 왈,

"만생은 팔자 하나도 일컬을 것이 없어, 겨우 일녀를 먼저 생하고 일남을 만래(晚來)에 얻은 바로, 나이 아직 십 세도 차지 못하였는지라. 요행 장녀를 성인(成姻)하여 서랑(壻郎)이 속세용인(俗世庸人)이 아니라. 고사명현(高士名賢)의 풍이 가즉하니, 대현의 선행(善行)을 다시 볼지라. 성명은 윤광은이니 원수와 친족이라 하니, 어찌 되느뇨?"

원수 청파에 도사의 말이 아니 맞음이 없음을 경복하고, 숙렬의 행사를 어이없어, 잠소 대왈,

"명공의 서랑이 소생의 친족이거니와, 하 칭찬하시니 아무려나 부르소서. 소생이 저를 못 보았음이 아니라, 금일 합하 말씀으로 좇아 다시 보

---

670) 천양(天壤) : 하늘과 땅.
671) 장옥(璋玉) : '자식'을 달리 이르는 말.
672) 선선(詵詵) : 수가 많은 모양

아, 실로 기리심과 같은가 보리니, 소생이 지인(知人)하는 안총(眼聰)이
없으나, '청천백일(靑天白日)은 노예하천(奴隷下賤)도 역지기명(亦知其
明)'673)이라. 합하의 서랑이 출세 비범하면, 범안(凡眼)인들 모르리까?"

화공이 소왈,

"아서(我壻)가 원수를 잠깐 보고 친당 소식도 들었노라 하던 것이니,
원수 아서의 기특함을 모르시나냐? 다만 소흠사(小欠事)는 그 위인이
원수같이 쾌활치 못하여 심히 수습하며, 일소일언(一笑一言)이 예 밖에
일이 없고, 성정이 너무 고요하여 지기상적(志氣相敵)한 재사(才士)가
하나 둘이 아니로되, 행여도 벗을 사귀는 일이 없어, 주야 내실에 있으
니 이런 일이 남자의 기상이 부족한지라."

이리 이르며, 서동을 명하여 윤생을 나오라 하여, 왈,

"윤원수 이르러 계시니, 이 곳 현서의 친척이라, 모름지기 나와 뵈오라."

정숙렬이 주부인 방에 있더니, 차언을 들으매 실로 낯을 안연이 들고
원수를 대할 뜻이 없으되, 사세(事勢) 이에 미친 후는 적은 염치를 돌아
보지 못할지라.

게을리 신을 끌어 외헌에 나오매, 원수의 양안 정광이 자연 숙렬의 신
상에 찬란히 비추어, 그 사이라도 반가움은 이르도 말고, 자기 부인이
남의 집 서랑이 되었음을 기괴히 여겨, 또한 소년지심(少年之心)이라.
미미히 웃고, 정숙렬이 당의 오로기를 기다려 몸을 움직여 예필 좌정에,
숙렬은 행혀도 눈이 원수 신상의 가지 않아 관을 숙이고, 띠를 돋우어
앞을 볼 뿐이로되, 은연한 수색(羞色)이 백옥 같은 용화에 취홍함을 면
치 못하니, 더욱 절승한 태도를 불가형언(不可形言)이라.

원수 아직 화가에 근본을 알리려 않음으로, 짐짓 가로되,

---

673) 맑은 하늘에 떠 있는 밝은 태양은 노예나 천민들도 또한 그 밝음을 안다.

"저적 춘몽같이 상견하고 즉시 떠나니, 그윽이 결울(結鬱)턴 바라. 그 사이 경사 소식을 들으니, 자의 누명을 신설하여 거울같이 벗음이 되니 어찌 기쁘지 않으리오."

화공은 아무 곡절도 알지 못하고 다만 소저의 말을 곧이들어, 그 누명이란 말이 소저의 이르던 바와 같은 줄로 알아, 웃고 왈,

"현서가 매양 신루(身累) 있음으로 경사에 자취를 그쳤노라 하더니, 이제는 누얼 신설이 분명할진대, 과갑(科甲)을 응하여 천생 아재(天生雅才)를 저버리지 않음이 옳도다."

소제 미급 답에 원수 왈,

"합하(閤下)의 이르시는 바 마땅할 뿐 아니라, 영서(令壻)가 경사를 떠난 지 삼년에 그 친당이 저를 잊지 못하심이, 장차 성질케 되었으되, 누얼을 신설치 못한 전은 경사를 디디지 못하더니, 이제 신백이 쾌하니 인자지도(人子之道)에 일시를 지류(遲留)치 못할지라. 명일이라도 빨리 상경함이 옳으니이다."

화공이 가장 결울하여 말을 못하거늘, 숙렬이 부끄러움을 참고 원수를 향하여 왈,

"청문의 가르치심이 마땅한지라. 오수불초(吾雖不肖)나 친측(親側)을 떠난 지 여러 세월에 심사 어찌 비절치 않으리까마는, 누얼674)이 몸 위에 실녀시므로, 감히 상경할 생의(生意)를 못하였더니, 이제 급히 올라가리로소이다."

원수 동행함을 일컫더니, 화공이 마침 여측(如厠)하라675) 가거늘, 원

---

674) 누얼 : 누얼(陋–). 사실이 아닌 일로 뒤집어쓴 더러운 허물. 얼; 겉에 들어난 흠이나 허물. 탈.
675) 여측(如厠)하다 : 측간(厠間)에 가다.

수 좌우를 살펴 아무도 없음을 보고 소저더러 왈,

"부인의 거동과 화공의 말을 들으매, 사람의 생각지 못할 괴이한 거조가 있는가 싶거니와, 이곳에서 여자인 줄 이름이 가치 않으니, 내 또 한 가지로 화공을 기인 바이거니와, 성은이 여천(如天)하시어, 부인의 거처를 찾아 각 읍이 호송하여 경사까지 올라오게 하라 전교 계시매, 열읍(列邑)이 진동하여 부인의 생사존망을 알려 하나니, 부인도 이 소식을 들어 계시려든, 어이 돌아갈 생각을 않고 화가의 서랑 소임을 길이 하고자 하시느뇨?"

정씨 수괴(羞愧)함을 띠어 가로되,

"첩이 어찌 이곳에 있고자 하리까마는, 누얼을 신설한 소식을 알지 못할 뿐 아니라, 군자의 회군하심을 기다려 일승(一乘) 교자(轎子)를 빌어 상경함을 바라되, 첩이 벌써 화가에는 남자로 칭하였으니, 일시에 여자임을 나타냄이 화공 부부로 하여금 그 딸의 신세를 차악히 여기고, 첩의 행사 괴이함을 통완하리니, 첩이 비록 상경할지라도, 잠깐 화가를 떠나 다른 곳에 옮아 여복을 개착(改着)고자 하나이다."

원수 소왈,

"아직까지는 이목(耳目)을 가려 화가에 신랑 소임을 하였거니와, 아지 못게라! 부인이 길이 화씨로써 아내로 칭하여 백두종시(白頭終時)에 화가를 기임이 되시랴?"

소제 탄 왈,

"첩이 그때에 죽음을 일컫고 남의를 개착하여 급급히 피화코자 하매, 의사 궁극하고 사처(四處)로 돌아 머물 곳이 없어, 천만 부득이 화가 구혼함을 물리치지 못함은, 일자는 첩의 의지를 정하여 아직 머물고자 함이요, 이자는 화씨의 기특한 성화를 들은 고로 타문에 보내기를 아껴, 첩이 마침내 부도에 어긴 사람이 되어, 혹자 누얼을 신설하여도 군자의 내사를 가음알기 불가하니, 어진 여자를 맞아 진제와 한가지로 명공의 중궤(中饋)를 소임케 하고자 함이라. 군자의 화홍관대(和弘寬待)하심으로, 첩의 불사한 거조를 허물치 마시고, 종용이 생각하여 화씨를 신취(新娶)하소서."

원수 잠소 왈,

"생의 본뜻이 일처로 집을 지키고 타인을 다시 생각지 않는 남자를 용렬(庸劣)이 여기던 바로되, 당차지시(當此之時) 하여는 화란이 비상(非常)하고 만사무심하니 재취에 염(念)이 없는지라. 부인과 진씨 있으니 족히 내사를 다스릴 것이요, 십창(十娼)을 유정하였으니 반드시 수절할 인물이라. 그만하여도 생의 가내 고적(孤寂)든 않으리니, 화씨는 부인이 처치하고 날더러 이르지 말라."

숙렬이 이에 다다르는 옥면화협(玉面花頰)에 잠깐 웃는 빛이 요동하여, 대왈,

"첩이 화공 부부의 은혜 입음이 산해 같은지라. 한 일도 그 덕의를 갚지 못하고 화씨의 전정을 어지럽힐진대, 배은망덕함이 극진하니, 첩이 어찌 향복(享福)기를 바라리까? 군자 첩의 원을 좇지 않으시고, 천고절염숙녀(千古絕艷淑女)를 물리치실진대, 첩이 다시 청치 못한들, 남의 일생을 어지럽힌 사람이 되어 스스로 혼자 즐겁기를 바라지 않으리이다."

원수 부인의 웃는 용화를 대하여, 그 일만 염광과 일천 자태 안중에 현황하니, 볼수록 기이함이 벽공신월(碧空新月)과 추수향년(秋水香蓮)이라도 이렇지 못할지라. 원수의 무궁한 은정을 어찌 비할 곳이 있으리오마는, 사람 됨이 구차치 않은지라. 다만 미미히 웃고, 가로되,

"부인이 화씨를 위하여 차마 장사를 떠나지 못할 형세면, 환경키를 내 구태여 우길 것이 아니요, 만일 돌아가고자 할진대 이곳에서 내력을 드러냄이 어렵거든, 낙청산 도관에 가 있으면 생이 거교를 차려 한가지로

상경케 하리라."

부인이 대왈,

"첩이 머물 곳이 없어 화가에 의지하였기로, 무슨 마음으로 차마 떠나지 못할 일이 있으리오."

원수 다시 말을 하고자 하더니, 화공이 들어오매 양인이 말을 그치고 촉을 이어 담화하더니, 야심 후 정씨 일어나 내당으로 들어가되, 원수 머무르지 않고, 화공이 또한 외헌에서 머묾을 청치 못하니, 이는 여서의 성정을 앎이라. 명일 원수 행거(行車) 바쁨을 일컬어 화공을 이별할 새, 화공이 친히 잔을 잡아 십여 배를 연하여 권하고, 추연 왈,

"만생이 누천리 원적죄수(遠謫罪囚)로 환쇄(還刷)할 시절이 없을지라. 원수로 더불어 후회 아득하니 결울(結鬱)한 심회를 이기지 못하리로다."

원수 흠신 사사 왈,

"소생이 처음으로 합하께 배알함을 얻으나, 합하의 사랑하심이 일가 족질 같으시니, 한갓 감사함을 이기지 못할 뿐 아니라, 선인(先人)의 고우(故友)심을 듣자오매, 우러르옵는 정성이 자별하온지라. 여러 날 모셔 하정(下情)을 펴올 것이오되, 회군이 일시 바쁘오니 연고 없이 머물지 못할 뿐 아니라, 조모의 질환이 위독하신 소식이 이르니, 심신이 비황하여 몸이 날아 상경치 못함을 한하옵나니, 합하 마침내 장사 적거의 괴로움을 당치 않으실 것이요, 길운을 만나시면 얼마 하여 환쇄하시리까? 후일 다시 배현함을 바라나이다."

화공이 가장 결울하나, 원수의 찾아 이르러 하루 밤을 지내고 감도 천만 여외(慮外)라. 피차 훌훌함을 띠어 이별하고, 원수 정씨를 향하여 왈,

"군의 행거가 일시 바쁜지라. 모름지기 금일이라도 합하께 하직하고 상경하려니와, 이곳의 노마(路馬)를 가져가지 말고 내게로 온즉, 내 행군 전 인마를 얻어 급히 경사로 가게 하리라."

정씨 대왈,

"비록 이리 이르지 않으시나 내 뜻이 또한 원수의 노량(路糧)과 말을 빌어 가려 하나이다."

원수 점두하고 즉시 나가거늘, 화공이 소저를 데리고 내루에 들어가 주부인을 보고, 윤원수의 기특함을 전하여 칭찬함을 마지않으니, 주부인이 기형(其兄) 낙양후 부인의 여세(女壻)런 줄 알고, 나아와 보지 못함을 애달아 하더라. 정소저 화공과 부인을 향하여 왈,

"소생이 악부모의 은애를 받자와 삼년을 슬하에 하루도 떠난 적이 없사옵다가, 저적 누월 나가 있음으로 악부모 과도히 결연하시니, 소생이 또한 우러르는 정성이 범연한 곳에 비치 못하더니, 이제 누얼을 신설하고 친당의 기다리심이 간절하심을 생각하오니, 자식의 정리(情理)에 차마 물러 있지 못할 것이므로, 마지못하여 돌아가랴 하옵나니, 공명 현달이 명수(命數)에 달렸거니와, 소생이 혹자 청운을 더위잡아 용방(龍榜)에 오르는 일이 있으면, 이곳에 내려와 악부모께 배알하고 실인을 데려가려 하나이다."

화공 부부 청파의 결연 비절함을 이기지 못하나, 화공은 본디 사리 통달한 장부라. 윤생의 돌아가고자 하는 바 인자지도(人子之道)에 당연함을 알고, 만류(挽留)함이 가치 않아, 추연 탄 왈,

"이곳에서 경사가 누천리라. 현서 한 번 가매 올 기약이 쉽지 않고, 아녀는 영당(令堂) 내외 모르시는 자부라. 우리 정리 평생 저를 떠나지 말고자 하며, 또 영당이 식부류(息婦類)에 용납하심을 믿지 못하니, 여아의 평생이 슬픈지라. 현서는 마침내 저버리지 말라."

정소저 화열한 낯빛으로 위로하여, 가로되,

"소생이 악부모의 은의를 감격하옵나니, 천황지로(天荒地老)676) 하여도 영녀를 저버리든 않을 것이니, 영녀의 복록완전지상(福祿完全之相)

이 남의 아래 있지 않으리니, 악부모는 소생으로써 무신지인(無信之人)으로 알지 마소서."

화공이 윤생의 위인을 아는지라. 가는 마음을 어지럽히지 않으려 하여, 소왈,

"현서의 뜻 같을진대 아녀의 일생이 무슨 근심이 있으리오마는, 영당이 모르시므로 근심이 깊은지라. 원컨대 현서는 누천리 장정(長程)에 무사히 득달하여, 때를 타 아녀 취함을 영당(令堂)에 아뢰고, 남적을 탕멸함을 좇아 국가(國家) 경과(慶科)를 정하여 인재를 빠시리니, 그 때 높이 득의하여 재주를 펴고, 궁향의 나 같은 원적죄수(遠謫罪囚)도 잊지 말라."

부인은 누수 여우하여 능히 말을 못하니, 소저 이 경색을 보건대 저를 일분이나 잊으면 배은망덕이 될지라. 화씨를 윤원수에게 천거하여 허락을 얻어 혼례를 이루기 어렵고, 화공의 환쇄(還刷)할 기약이 망연(茫然)하니, 아무리 생각하여도 좋은 계교 없어, 이에 물어 왈,

"악장의 죄루(罪累) 천만 애매한 가운데 사람의 미움을 받으신 연고라. 아지못게이다! 악장 마음에 뉘 해한가 싶으니까?"

화공이 탄 왈,

"이 또 나의 성품이 질악(嫉惡)을 여수(如讐)하는 고로, 망측한 누얼을 실어 장사에 찬적하니, 누구를 한하리오. 하물며 나의 직언(直言)으로 인하여 거세(擧世) 다 나를 미워하니, 뉘 해한 동 모르거니와, 태학사 위현과 전임 형부상서 심방이 나를 원수같이 미워하는 사이라. 날 해함이 차 양인밖에 나지 않을까 하노라."

---

676) 천황지로(天荒地老) : '하늘은 황폐하고 땅은 늙었다'는 뜻으로, '오랜 시간이 흐름'을 나타낸 말.

정씨 대왈,

"소서 경사에 올라가 진심하여 악장 환쇄(還刷)하시기를 도모하리니, 행여 금년이 되지 못할지라도 소서 무신(無信)하여 아주 잊은 줄로 알지 마시고, 그 사이 서찰 왕반이 없으나 연고 있는가 염려치 마소서."

화공이 소왈,

"그대 정성이 간절치 않으리오마는 환쇄는 바라지 못하여도, 다만 유신하여 여아를 잊지 않음만 원하노라."

소저 화공 부부를 재삼 위로하고, 잠깐 몸을 일어 화소저 침당에 가 작별 왈,

"생이 자(子)로 더불어 결발(結髮) 삼년에 여천지무궁(如天地無窮)677) 한 은정이 있으나, 인자(人子) 되어 부모께 고치 못하고 처실을 취함이, 마음에 편치 못한 고로 지금 이성지락(二姓之樂)을 펴지 못하고, 이제 비로소 누얼을 신설하매, 친전에 배현할 마음이 급하여 돌아가나니, 혹자 금년을 어김이 될지라도, 명년은 악장이 환쇄치 못하시면 생이 내려와 자를 데려가리니, 자는 모름지기 악부모를 모셔 길이 무양하라."

화씨 아미를 낮추고 대왈,

"군자는 누천리 장정(長程)에 천금 귀체를 보중하여 무사히 득달하시고, 편히 있는 첩을 염려치 마소서."

정씨 그 말씀이 적고, 위인이 청아(淸雅) 절염(絶艶)함을 사랑하는지라. 손을 잡고 이별을 연연하다가, 재삼 무양함을 당부하고 팔을 들어 예하고, 즉시 주부인 침당에 들어가 하직을 고할 새, 화공과 부인이 노마(奴馬)와 양재(糧資)를 정하여 윤생의 행거를 따라 보내고자 하거늘, 소제 사(辭) 왈,

---

677) 여천지무궁(如天地無窮) : 하늘과 땅과 같이 넓고 끝이 없음.

"소서 윤원수의 곳에 가 인마와 양찬을 얻어 행코자 하는지라. 부질 없이 노마를 차리지 마소서,"

부인 왈,

"윤원수 비록 갖추었으나 우리 마음에 노자(奴子)를 따라 보내지 못하면, 현서(賢婿)가 경사까지 무사히 득달한 소식을 어찌 들으리오."

정씨 여러 가지로 밀막아 왈,

"소생이 존부 노마(奴馬)를 데려간즉, 자연이 묻는 이 많고, 알 이 있어 불고이취지사(不告而娶之事)를 급히 드러내면, 편당치 않을 일이 많으니, 차라리 윤원수의 노마를 빌어 가고자 하나이다."

화공 부부 소저의 말씀이 이 같음을 듣고 다시 노마를 가져가라 않아, 오직 주찬을 베풀어 이별하니, 정씨 평생 일작 불음으로 접구하는 일이 없더니, 화공이 친히 잔을 잡고 간절이 권하니, 소저 마지못하여 일배(一杯)를 거우르고 날이 늦음을 일컬어 하직한데, 화공과 주부인이 별루(別淚) 쌍쌍하여 읍읍(泣泣)함을 마지않으니, 정숙렬이 그 정을 감격하여 다시 두어 말씀으로 위로하고, 걸음을 돌이켜 밖으로 나가니, 화공이 따라 나와 노자와 말을 주어 윤원수 있는 운봉관 까지나 타고 가라 하니, 정씨 사양치 못하여 다시 사례하고, 홍선과 화부 노자 일인을 거느려 말에 올라 빨리 영선강에 다다라, 화부 노마를 돌려보내고, 배를 건너 낙청산 도관에 들어가 도인의 있던 당을 향하여 배례하여 그 은덕을 사사하고, 일간 방사를 가려 홍선과 한가지로 있으나 일필(一匹) 능라(綾羅)를 얻을 길이 없으니, 의복을 고칠 길이 없어 민민(憫憫)한데, 홍선 왈,

"강태수 노야 십여 냥(兩) 금과 세필 능라를 주시거늘, 용수암 니고를 능라 두 필과 금 십 냥을 주고, 일필 능라는 오히려 감추어 두어 남았나이다."

소제 깃거 즉시 능라를 가져오라 한데, 홍선이 품 사이로 좇아 수냥
금과 한 필 능라를 내거늘, 소저 금으로써 자기 나상차(羅裳次)⁶⁷⁸⁾와
홍선의 의상차(衣裳次)⁶⁷⁹⁾를 사오라 하고, 소저 의상을 지을새, 홍선이
시상(市上)에 가 급급히 의상차(衣裳次)를 사 돌아와, 노주 바늘을 날리
며 실을 꿰어 옥수섬지(玉手纖指)를 신속히 놀릴 새, 소저 홀연 탄 왈,

"우리 노주 바늘과 실을 버려 여교(女敎)를 잊은 지 삼년에, 다시 여
자의 도리를 차리고자 하나, 화소저로 하여금 윤의(倫義)를 정치 못한
사람이 되게 하여, 그 전정을 아직 쾌히 못하였는지라. 혹자 뜻 같지 못
한 일이 있으면, 내 화공의 은혜를 저버림이 극진한지라. 어찌 혼자 좋
기를 구하리오. 화씨를 오래 윤문에 이루지 못하면, 내 스스로 인륜(人
倫)에 참예치 않고, 깊이 들어 세상 번화를 모르리라."

홍선이 위로 왈,

"주군의 풍류(風流) 호신(豪身)은 본디 아시는 바라. 어찌 화소저의
기특한 성화를 들으시고 취치 않으시리까? 화소저를 윤문에 이르게 함
은 손바닥 뒤집음 같으리이다."

소저 왈,

"네 말이 옳되, 경사에서 이곳이 누천리(累千里)라. 윤군이 사군찰직
(事君察職)하며 봉친봉사(奉親奉祀)하는 사람으로 신취(新娶)를 위하여
장사에 내려오기를 어찌 기필하리오. 이러므로 나의 근심이 중한지라.
부디 도모하여 화공의 찬적을 풀고자 한들 마음과 같기 쉬우랴?"

노주 이렇듯이 말하며 순식간에 의상을 이루매, 정씨 비로소 운고(雲−)⁶⁸⁰⁾

---

678) 나상차(羅裳次) : 비단옷감. *차(次); 감. 무엇을 만드는 데 필요한 재료.
679) 의상차(衣裳次) : 옷감. 옷을 짓는 데 쓰는 천. 늑의차(衣次).
680) 운고(雲−) : 남자의 구름처럼 아름다운 상투머리. *고: 남자가 상투를 틀 때
　　머리털을 고리처럼 되도록 감아 넘긴 것.

를 풀어 운환(雲鬟)[681]을 꾸미며 남복을 벗고 여복을 바꾸매, 쇄연(灑然)
청고(淸高)하여 명현대유(明賢大儒)의 풍이 바뀌어 천태만염(千態萬艶)
이 미려광윤(美麗光潤)한 부인이 되었는지라. 홍선이 어린 듯이 보고,
스스로 소저의 저 같은 기질로 전후 화란 만남을 애달아 하더라.

　윤원수 화공을 이별하고 청녀(靑驢)를 빨리 몰아 화도사의 초사(草舍)
로 돌아오더니, 날이 어둡고 산로가 험악하여 양 서동이 잘 따르지 못하
는지라. 원수 잠깐 말에 내려 송하(松下)에서 쉬더니, 문득 멀리서 지저
귀는 소리 있거늘, 눈을 들어 보니 한 선비를 결박하여 말에 싣고, 또
교자 하나를 옹위(擁衛)하여 여러 하리 산로(山路)를 에워 싸 가되, 그
교중에 한 여자 머리를 풀어 낯을 가리고 하늘을 우러러 통곡하는지라.
원수 그 결박한 선비 거동을 보니 용모 옥 같고 풍채 화려하더라.

　차(此) 하인야(何人也)오.

---

681) 운환(雲鬟) : 여자의 탐스러운 쪽 찐 머리.

명주보월빙 권지육십구

화설, 윤원수 그 결박한 선비의 거동을 보니, 용모 옥설(玉雪) 같고 풍채 화려하여 심정이 포려(暴戾)치 않음을 짐작할지라. 중심에 괴이하고 자닝함을 이기지 못하여, 혜오되,

"내 장사국 인심을 고쳐 남토를 진정할까 하였더니, 금일 저 거동을 보니 오히려 포한(暴悍)한 풍속을 고치지 못하였는지라. 아무려나 저 선비 결박하여 가는 형상이 참혹하니 자세히 물어 곡절을 알 것이라."

하고, 바삐 걸어 그 곁에 나아가 친히 그 선비 실려 있는 말혁(-革)682)을 잡고, 문 왈,

"태평성대의 원앙한 일은 없으려니와, 군이 무슨 연고로 죄를 지었관데, 잡혀 가는 거동이 대역 죄수 아니면 강상대죄인이라. 나더러 잠깐 곡절을 이름이 해롭지 않으리니 청컨대 은닉치 말라."

기인이 죽어가는 형상 같아서 되차지683) 못하는 소리로 겨우 이르되,

"생은 동주 사람이러니, 피화하여 남해로 들어가려 하다가 또 잡히는 변을 당하니, 이 지원극통(至冤極痛)을 천지 밖에 알 이 업도소이다."

문득 관리 원수를 이윽히 보다가 왈,

---

682) 말혁(-革) : 말안장 양쪽에 장식으로 늘어뜨린 고삐. 늑마혁(馬革).
683) 되차다 : 대차다. 성미가 꿋꿋하며 세차다.

"어떤 소년이 그리 다사하여 지나가는 사람의 화 만난 일을 다 알려 하느뇨? 이 선비 우섭은 고문갑제(高門甲第) 거족(巨族)이러니, 저의 행실을 무상이 가져 궤휼(詭譎) 음난(淫亂)하고, 제 누이 우소저를 제 데리고 살려 함으로, 자사가 자부를 삼으려 하되 죽기로써 혼인을 사양하고, 동주서 이곳이 오천칠백 리(里)거늘, 무지모야(無知暮夜)에 도망하여, 제 누이로 더불어 그 외숙을 찾아 남해로 들어가려 하다가, 우리 뒤를 좇아 심방(尋訪)하기를 등한이 아니 한 연고로, 이에 와 잡았나니, 소년이 부디 물음은 어찐 일이니까?"

그 선비 관리 등의 하는 말을 듣고 귀를 틀어막으며, 눅눅함을 이기지 못하는지라. 원수 관리 등더러 왈,

"너희 이 선비와 교자에 든 소저를 놓고 못 갈쏘냐?"

관리 냉소 왈,

"어찌 때 모르는 소리를 하느뇨? 우리 자사가 이 선비 남매를 잡아들이는 이는 '각각 오백 금씩 주마.' 하여 계시니, 이 선비를 놓고 금은을 잃어 부질없이 수고만 함이 어찌 우습지 않으리오."

이리 이르며 다시 말을 않고 말을 몰아 닫거늘, 원수 중심에 생각하되,

"이 선비의 거동이 결단코 음란불측지인(淫亂不測之人)이 아닐 것이요, 관리의 말을 다 믿을 것이 아니라. 동주 자사가 이 선비를 찾아 들이면, '오백 금씩 주마.'고 한 것이 크게 무상하니, 내 어찌 자닝한 자를 목전에 보고 안연이 지내보아 목숨을 구치 않으리오. 동주 관리를 두드려 없이 하고 선비를 살려내리라."

의사 이에 미처, 또한 말을 않고 급히 달려들어 선비의 결박한 것을 끊으니, 무수한 관리가 일시에 소리하고 원수를 마저 잡아 동주로 갈 뜻이 있는지라. 원수 어이없어 잠자코, 일변 선비를 풀어 놓으며, 일변 달려들어 자기를 해코자 하는 관리를 주먹으로 대골(大骨)을 두드리며, 손

으로 관리 등을 뿌리치니, 감히 가까이 나아오지 못하는지라. 여러 관리 머리를 상하며, 혹 낯이 으깨지고684), 혹 다리도 상하며, 팔도 상하여, 아무 관리도 원수에게 가까이 나아가지 못하여, 분명이 천신이 내려와 우생 남매를 구하는 줄로 알아 두려워함을 마지않더니, 점점 밤이 깊고 산곡 간에 호표 시랑의 파람685) 소리 은은하니, 윤원수 밖에 뉘 아니 공구(恐懼)하리오. 저희 서로 돌아보며 왈,

"빨리 행하였더면 거의 영가점에나 갔을 것을, 그릇 다투다가 우생 남매를 잃고 우리 등이 호환(虎患)을 만나기 쉬우리로다."

하거늘, 원수 비로소 이르대,

"천지신명이 사람의 불의 악사를 모르지 아니하여, 아득한 가운데 벌을 내리심이 명명하니, 여등이 어찌 불인(不仁)의 자사를 도와 현인(賢人)을 해하리오. 내 이미 우생 남매를 구하여 데려가려 하나니, 너희를 이르지 말고 동주 자사가지 온다 하여도 두렵지 아니하나니, 여등이 만일 호환을 면하고 각각 목숨을 살고자 하거든, 내 특별이 한 부작(符籍)686)을 주리니 모름지기 가지고 돌아가라."

관리 등 왈,

"아등이 동주로서 올 때에 말 두 필과 교자(轎子) 일승(一乘)을 자사가 주시며, 만일 우생 남매를 만나거든 결박하여 오라 하여 계시니, 비록 우생 남매는 못 데려갈지라도 말과 교자는 가져가야 자사께 드리고,

---

684) 으깨지다 : 굳은 물건이나 덩이로 된 물건이 잘게 부스러지다.

685) 파람 : ①휘파람. 입술을 좁게 오므리고 혀끝으로 입김을 불어서 맑게 내는 소리. 또는 그런 일. 늑구적(口笛) ②포효(咆哮). 으르렁. 크고 사나운 짐승 따위가 성내어 크고 세차게 울부짖는 소리. 또는 그 모양.

686) 부작(符籍) : 부적(符籍). 잡귀를 쫓고 재앙을 물리치기 위하여 붉은색으로 글씨를 쓰거나 그림을 그려 몸에 지니거나 집에 붙이는 종이.

우생 남매는 못 찾아 그림자도 못 보았음으로써 고하리로소이다."

원수 우생의 탔던 말을 즉시 내어주고, 우소저를 향하여 왈,

"소생이 소저로 더불어 원근간(遠近間)에 친척이 아니로되, 소저 남매의 당하신바 화액을 경참하여 부디 구코자 하나니, 일이 급하매 권도(權道)와 곡례(曲禮)를 행하는지라. 청컨대 교자에 내려 말과 교자를 동주하리들이 가져가게 하소서."

우소저 원수의 기특한 풍류신광과 의기현심을 보고, 규녀의 소소념치(小小廉恥)를 돌아보지 않아, 개연이 교자에 내려 원수를 향하여 재배 칭사하여, 은덕을 감격하여 하니, 성음이 낭랑 쇄연하고, 녹발(綠髮)로 낯을 가린 가운데 미려한 태도 나타나니, 원수 월하(月下)에 그 색모염태(色貌艶態)를 보나, 조금도 유심(有心)[687]한 의사 없어, 동주 하리로 하여금 말과 교자를 가져가게 하고, 소매 가운데 한 장 주필(朱筆)로 쓴 부작(符作)[688]을 내어, 관리를 주어 가로되,

"너희 이것을 가지고 가면 아무리 험한 산곡과 괴이한 요정을 만나도, 두려움이 없으리라."

하니, 동주 관리 모다 원수를 신선으로 알아, 감히 저희 상함을 원망치 않아, 우생 남매를 속절없이 뺏기고, 빈 교자와 두 필 말을 찾아 가지고 부작을 받아, 수관리(首官吏)가 손에 추켜들고 산령(山靈)[689]의 무리를 감히 나오지 못하게 하니, 과연 차야에 영가점을 찾아오느라 십여 리를 험로 산곡을 찾아 나오되, 두어 호표(虎豹)를 만나며 독사(毒蛇)가

---

687) 유심(有心) : 속뜻을 둠.
688) 부작(符作) : 부적(符籍)의 변한 말. *부적(符籍); 잡귀를 쫓고 재앙을 물리치기 위하여 붉은색으로 글씨를 쓰거나 그림을 그려 몸에 지니거나 집에 붙이는 종이.
689) 산령(山靈) : 산신령. 또는 산짐승.

길에 가득하였으나, 다 부작을 보고 두려 각각 저의 굴혈(掘穴)로 들어
가고 사람을 해치 않으니, 동주 관리들이 부작(符作)을 주던 소년이 윤
원수인 줄은 몽리(夢裏)에도 생각지 못하고, 반드시 신선이 내려와 우생
의 남매를 구함인가 하더라.

윤원수 관리들이 다 멀리 간 후, 우생과 소저를 탔던 나귀에 오르라 하
니, 우생은 정신이 혼혼(昏昏)하여 아무런 상을 모르고, 소저는 사양 왈,

"은인이 나귀로써 아등 남매를 태우고 은인은 무엇을 타시려 하시나
니까? 첩의 남매는 걸어 행할 것이니, 청컨대 은인이 청녀를 타소서."

원수 공수 대왈,

"소생의 갈 곳이 머지않으니 잠깐 보행을 못할 리 없으니, 소저는 어
려이 여기지 마소서."

우씨 가장 유유(儒儒)하여 즐기지 아니 하거늘, 원수 소리를 화히 하
여, 가로되,

"소생이 소저께 고할 말씀이 있으니, 능히 청납하시랴?"

우씨 대왈,

"은인의 이르시는 바 마땅하면 어찌 받들지 않으리까?"

원수 왈,

"소생은 남정 대원수 윤광천이러니, 무인(無人) 심야(深夜)에 타문 남
녀로 서로 대함이 예의에 당치 않으니, 소생을 비루히 여기지 않으실진
대, 결약남매(結約男妹) 하여 혐의를 없애고자 하나니 어떠하시뇨?"

우씨 원수의 말을 듣고, 불감청(不敢請)이언정 고소원(固所願也)라,
어찌 사양하리오. 이에 체읍(涕泣) 사례 왈,

"상공의 성의 여차하실진대, 첩이 은혜를 백골에 새길지라. 어찌 사양
하리까?"

원수 문 왈,

"소생의 연(年)이 이구(二九)를 넘지 못하였는지라. 소저의 춘추(春秋) 얼마나 하시뇨?"

우씨 대왈,

"첩은 금년이 십일세로소이다."

원수 왈,

"여차즉(如此卽) 소저 생에게 제매(弟妹) 되시리니, 명일에 천지를 대하여 맹세하리니, 소저로 더불어 금야에 결의남매(結義男妹) 되매, 차후 서로 저버림이 있으면 산중 금수(禽獸)나 다르리까?"

언파에 원수 하늘을 우러러 우소저와 결약남매(結約男妹) 하는 뜻을 고하여 절하고, 우소저 비로소 두발(頭髮)을 걷어 옥면(玉面)을 들어내고, 원수를 향하여 재배하여 제매 되니, 원수 우씨로써 나귀의 오름을 청하여,

"산곡 험로가 발붙이기 어려우니 현매는 고집치 말고 나귀에 오르면, 영형(令兄)은 거동이 위위(危危)하니 청녀(靑驢)를 타지 못하게 되었는지라, 내 스스로 운전(運轉)하리라."

우씨 누차 사양치 못하여 부끄러움을 서리담고[690] 마지못하여 나귀에 오르니, 원수 서동을 당부하여 편한 길로 조심하여 몰라 하고, 자기는 우생을 가벼이 붙들어 소아(小兒)를 안음같이 가로 안고, 화도사의 초실(草室)을 찾아오니, 벌써 도사의 자취 간 곳이 없어 황연이 빈 초사(草舍)라.

원수 훌훌하고 비창한 심사 지접(止接)[691]지 못하나, 야심하고 우생의 형상이 위태함으로 부친 화상에도 배알치 못하고, 자기 낭중(囊中)에

---

690) 서리담다 : '서리다'와 '담다'의 합성어. 차곡차곡 포개어 담다.
691) 지접(止接) : 잠시 몸을 의탁하여 거주함.

서 야명주(夜明珠)를 내어 놓고 우생을 방중에 뉘고, 수족을 주므르며 약을 드리워 쓰니, 우생이 계명(鷄鳴)에 비로소 기운을 수습하여 문 왈, "소생이 은인으로 더불어 일면지분(一面之分)이 없거늘, 무슨 연고로 이렇듯 구활하시며, 대덕을 베푸시니까?"

원수 우생의 손을 주므르며 미처 답지 못하여서, 소제 결약남매 한 사연을 이르고, 이 곳 남정 대원수심을 이르니, 우생이 정신을 정하여 시종(始終)을 자세히 들으매, 이 같은 의기와 현심은 천만고(千萬古)에 없을지라. 각골 감격한 뜻이 돌출하여, 몸이 일어나는 새 없이 원수를 향하여 엎드려, 머리를 두드려 대은을 못내 칭사하니, 원수 깃거 않아 그 과도함을 일컫고, 부명과 거주를 물으니, 이는 전임 참지정사 우흡의 장자요, 태학사 우협의 형이라. 방년이 이십삼 세에 풍골(風骨)이 비속(非俗)하고 위인이 단엄 침정하며, 학식이 광박하되 뜻이 낙낙하여 문달을 구치 않고, 그 부친 송추(松楸)를 의지하여 등주 땅에 머물되, 본디 경사인(京師人)인 고로, 그 아내 정씨는 태사 정유의 필녀(畢女)라.

태학사 우협이 등주에 내려가 우참정의 삼상을 겨우 마치고 경사로 돌아와 정태사 집에 있어 사군찰임(事君察任)하더니, 협의 언론이 과격하여 천의(天意)를 자주 거스름이 과한 고로, 한 번 천노(天怒)를 만나매 운남 적객(謫客)이 되기를 면치 못한지라. 우협이 일찍 양처를 두었으니 조강 조씨는 승상 조진의 여(女)니, 이 곳 원수의 표종매요, 재실 두씨는 향리의 거한 두효렴의 딸이라.

협이 운남의 찬출하기를 당하여 양처를 데려가지 못하니, 조씨는 옥화산 본부의 와 있고 두씨는 등주에 있더니, 자사 원복이 두씨의 이종(姨從)이라. 이따금 우부의 와 두씨를 보더니, 두씨의 자색이 염미(艶美)함으로 원복이 흉심을 요동하고, 두녀 그 가부가 만리에 찬출하여 돌아올 지속(遲速)을 정치 못하니, 홍안을 공송(空送)함을 설워 하다가,

원복의 유의함을 보고 양정(兩情)이 합하여 이미 흉한 정적이 무수하니, 우생이 차마 보지 못하여 소매(小妹) 연아를 데리고 피우를 일컬어 딴 집을 얻어 머물더니, 원자사 일자를 두어 나이 십삼에 문장이며 풍채 표일(飄逸)하니, 자사 인간의 없는 것으로 알아, 택부(擇婦)하기를 비상이 하다가, 우소저의 기특함을 듣고 그 부모 없음을 꺼리나, 차마 타문에 돌려보낼 마음이 없어 구혼하니, 우생이 원복의 흉음한 행실을 아는 바니 어찌 일매(一妹)로써 그 자부를 삼을 리 있으리오.

연유(年幼)함으로 칭탁하여 영절(永絶)하고, 점점 갈수록 제수(弟嫂) 두씨의 음참(淫僭)함을 차마 대치 못하여, 일삭에 한 번도 가보는 일이 없으니, 두씨 우생을 미워함이 원수같이 여겨, 가만히 원복과 의논하고 흉한 말을 퍼뜨려 그 일매(一妹)를 음란하다 하며 거짓 결항(結項)하니, 두씨의 심복 비자가 우생의 없는 죄를 주작(做作)하여 방백아문(方伯衙門)692)에 나아가 고장(告狀)하니, 방백(方伯)693)이 동주 자사로 하여금 일의 허실을 알아 들이라 하니, 원복이 대열하여 우섭을 불의에 잡아다가 엄형 추문하니, 우생이 자가의 누얼은 여사(餘事)요, 자기 관문의 잡혀가 참혹한 형욕(刑辱)을 받으매, 연아는 속절없이 복분(覆盆)694)의 원(寃)을 신설할 조각이 없고, 악인의 해함을 생각하니 절치 분해하여, 심복 가정 수십여 인을 명하여 소저를 데리고 야반의 도주하라 하고, 자기 또한 월옥(越獄)할 의사를 궁극히 생각하여, 수차 형장을 바든 후 야심 후에 옥문을 잠은 쇄약(鎖鑰)을 비틀어 빼고, 겨우 몸을 뛰어 나와 간신이 여의(女衣)를 개착하고 소매의 거처를 심방하니, 연아 소저 거거

---

692) 방백아문(方伯衙門) : 관찰사가 집무하는 관청.
693) 방백(方伯) : =관찰사. *관찰사; 조선 시대에 둔, 각 도의 으뜸 벼슬
694) 복분(覆盆) : 죄를 뒤집어쓰고 밝히지 못하고 있음.

의 사생 결말을 알고 몸을 감추려 하여 낮에 검은 칠을 하고 남복을 개착하여, 등주 수변(水邊)에 있거늘, 남매 서로 기특히 만나 남으로 가는 배를 얻어 타고, 수십여 인 노자를 다 흩어 살라 하고, 일봉 서간을 정씨께 부쳐 남해의 표숙을 찾아 가는 연유를 알게 한 것이, 일이 되지 않아, 원복이 우생을 잃고 분노함을 이기지 못하여, 두루 심방(尋訪)함이 아니 미친 곳이 없을 뿐 아니라, 자사 원복의 흉참한 용심이 우생을 죽이고, 연아 소저로 제 며느리를 삼으며, 두씨로써 재실을 삼아 데리고 살려 하다가, 우생이 다시 월옥 도주하니 염려 비상하여 부디 찾아 죽이려 하는지라.

우가 노복을 다 잡아 저주되[695], 우생의 심복은 다 도망하고 상 없는 노자 등만 있어 주인의 거처는 모르고 형장은 급하니, 황황 초민함을 마지않으나, 우생이 남행하며 정씨께 보내라 하던 서간을 드리니, 원복이 대희하여 떼어 보매 우생이 그 매제를 데리고 남해로 가노라 하였는 고로, 급급히 하리 군관을 엄히 분부하여 우섭과 소저를 따라 잡아 오라 하고, 또 가로되,

"우섭의 남매를 잡아드리는 관리는 오백 금을 주마."

하니, 관리 등이 무리지어 급히 우생을 뒤따르나 만나지 못하였다가, 장사 땅에 이르러 우생이 각각 옷을 바꾸어 소저는 도로 여복을 하고 자기는 다시 남의를 고치다가, 등주 관리에게 잡힌바 되니, 한 번 등주 관문에 나아간즉, 죽음이 반듯하고 살기 만무하니, 우생은 중형지여(重刑之餘)에 병이 깊을 뿐 아니라, 분원 통한함에 가슴이 막혀 고대 죽을 듯하다가, 윤원수의 산고해활지덕(山高海闊之德)으로 살아남을 얻으니, 만심 행열함과 감은각골 함을 어찌 측량하리오.

---

695) 저주다 : 형문(刑問)하다. 신문(訊問)하다.

흉격(胸膈)에 쌓인 소회를 잠깐 열매, 원수 듣는 말마다 원복과 두녀의 무상(無狀) 흉해(凶害)함을 통완(痛惋)하고, 우생이 고문벌열(高門閥閱)의 학리군자(學理君子)로 기괴한 누명을 실어, 흉독한 중형을 지낸 바를 차석하여, 위로함을 마지않더라.

우소저의 천향아질(天香雅質)과 인류에 초월함을 아름다이 여겨, 결약남매(結約男妹) 하매 마침내 골육 동기와 다르지 않더라. 원수 우생더러 왈,

"소제 형으로 더불어 교도를 맺지 못하고 일면부지(一面不知)함이 괴이한지라. 영제(令弟) 학사는 표숙(表叔)의 서랑일 뿐 아니라, 피차 정분이 각별하여 서로 잊지 못하는지라. 원간 영선대인(令先大人)이 사숙과 친우시니, 형이 혹 경사의 올라오면 사숙께 배견(拜見)함이 옳거늘, 어찌 정태사 부중 왕래시(往來時)에도 오가(吾家)를 찾지 않으시더뇨?"

우생 왈,

"소제는 뜻을 결하여 문달(聞達)을 구(求)치 않는 고로, 등주 선인의 묘하에서 시름없이 늙음을 원하고, 사제 입신(立身)하매 선인의 뒤를 이어 일가 족친을 섬기고, 형 등 같은 이로 세의(世誼)696)를 이어 금난(金蘭)697)의 정분이 각별하니, 사제로 하여금 문호를 붙들라 하고, 소제는 낮은 자취를 명공가(名公家)에 출입치 말고자 함이라. 정태사 부중은 반자지의(半子之義)698)로써 그 부귀를 꺼려 자주 왕래치 않음은 일이 괴

---

696) 세의(世誼) : 대대로 사귀어 온 정(情).
697) 금난(金蘭) : 쇠보다 견고하고, 난초보다 향기롭다는 뜻으로, 매우 친밀한 사귐이나 두터운 우정을 비유적으로 이르는 말. ≪역경(易經)≫의 〈계사(繫辭)〉에 나오는 말이다.
698) 반자지의(半子之義) : 사위의 도리. *반자(半子); 아들이나 다름없다는 뜻으로, '사위'를 이르는 말.

려(乖戾)키에 가까우매, 마지못하여 다니던 바라. 이러므로 영숙 추밀 합하께 한 번도 배현치 못함이로소이다.”

원수 우생의 고집을 괴이히 여겨 한가지로 상경하자 하니, 우생 왈,

“은형(恩兄)이 이미 목숨을 살리시고 잔명을 거두어 몸을 편히 하려 하시니, 사지(死地)라도 사양치 못할지라. 어찌 거역하리오.”

원수 소저더러 왈,

“내 벌써 현매로 더불어 결약하매 서로 골육동기와 달리 알 마음이 없느니, 현매는 날을 좇아 한가지로 가기를 사양치 말고, 우리 자정께 뵈옵게 하라.”

우씨 또한 사양치 않더라.

원수 효신(曉晨)에 관소(盥梳)하고 부친 화상에 배례할 새, 누수여우(淚水如雨)하여 각골지통(刻骨之痛)을 참지 못하여, 이 날 효신으로부터 반일이 되도록 체읍하여 능히 그치지 못하더니, 서동이 임성각의 왔음을 아뢰어 화상 모셔 갈 위의를 차림을 고하니, 원수 날호여 소매를 들어 누수를 제어(制御)하고 초실로 내려와 성각을 보니, 성각이 배 왈,

“소생은 아직 화부에서 못 와 계신가 하였더니, 어찌 어느 사이에 와 계시니까?”

원수 왈,

“화부에 다녀오기는 작일(昨日) 야심(夜深) 후 이리 왔으되, 태운선생이 자취를 감추시니 훌훌한 심회 측량없도다.”

성각이 탄 왈,

“사부의 마음이 세상 번화를 부운같이 여겨, 명공이 자연 장상(將相)699) 위의로 선상공(先相公)의 화상을 모셔 가시는 기구(器具) 자못

---

699) 장상(將相) : 장수와 재상을 아울러 이르는 말.

호번할 것이므로, 짐짓 자취를 감추시니 어찌 모르실 길이 있으리까?"

원수 왈,

"내 금일 화상을 모셔 가려 하였더니 여차여차 한 사고 있어, 우소저로 더불어 결약남매 하였으니 경사로 함께 갈지라. 이제 채교(彩轎)를 차리지 않았으니 그대는 도로 운봉관에 가 화교 둘을 대후하여, 하나는 이리 보내고 하나는 십여인으로 하여금 메워, 그대 친히 영선강을 건너 낙천산 도관에 가 정씨의 행거(行車)를 재촉하라."

성각이 원수의 행사는 곳곳이 사람의 급화를 구하여, 적선덕음(積善德陰)이 두터움을 기특히 여기고, 또 정부인의 생존함을 영행하여 가로되,

"각읍이 방방곡곡이 정부인의 거처를 찾음이 날마다 그칠 사이 없으되, 숙렬부인의 존망을 아득히 모르노라 하시더니, 원수는 어찌 수고치 않아 부인의 거처를 아시나니까?"

원수 미소 왈,

"어이 모르리오마는 여자의 행거를 각읍이 괴로이 영송(迎送)하는 거조 있을까, 임행하여 그대더러 일러, 요란이 굴지 말고 고요히 일승화교(一乘華轎)를 얻어, 다른 배행(陪行)이 없으니 군이 인하여 권도로 호행코자 함이라."

성각 왈,

"호행은 소생이 아니라도 원수 천병만마를 거느려 부인의 행거를 호위하시리니, 소생이 어찌 배행이 되리이꼬?"

원수 왈,

"그대 어찌 이런 불가한 말을 하느뇨? 내 비록 용우하나 몸이 팔척 장부 되어 대장 인수를 차고 여자의 화교를 배행하며, 천군 만마 중 여자의 행거(行車)가 섞이면 그 불사(不似)함이[700] 어떠 하리오. 차고(此故)로 그대더러 호행하라 하나니, 선후를 내 행군과 사이 뜨게 하라."

성각이 소이대왈,

"소생도 그럴 줄은 짐작하거니와, 다만 성상의 교지 계신 부인의 행차 미세한 여자의 행거와 다름이 있으니, 어찌 일승 화교로 유생의 실내(室內)701)같이 하리까?"

원수 미소 왈,

"군은 어찌 번화를 그리 취하느뇨? 화교나 덩이나 그대 임의로 하려니와, 다만 소문을 내지 마라, 각 읍이 알게 말며 요란함이 없게 하라."

성각이 수명하고 즉시 운봉관에 돌아와 일승 화교를 차려 보내어 우 소저의 행거를 빛내고, 또 찬란한 구살 덩을 차려 하리 십여인과 저의 거나린 바 사오십 군졸로 더불어 낙천산 도관으로 나아갈 새, 영선강을 건너매 장한 위의 수상(水上)에 덥혔더라.

정숙렬이 홍선으로 더불어 정히 원수의 채교 보내기를 기다리다가, 임 성각이 덩을 가져 이르러 부인의 행거를 재촉할 새, 홍선을 보고 대경 왈,

"가히 천하의 같은 용모도 있도다."

홍선이 문 왈,

"상공이 첩을 어찌 알고 여차 놀라시느뇨?"

성각 왈,

"그대 얼굴을 보니 저적에 우리 윤원수를 구하던 도인의 서동과 일분 호리(一分毫釐)도 다름이 없으니, 남녀의 의복이 다를지언정 얼굴은 다름이 없는지라. 그대 아니 변복하여 도사의 서동이 되었더냐?"

홍선이 소왈,

---

700) 불사(不似)하다 : 꼴이 격에 맞지 않아 아니꼽다.
701) 실내(室內) : 남의 아내를 점잖게 이르는 말.

"상공이 어찌 당치 않은 말씀을 하시나니까? 소비는 우리 부인의 비자로 변복할 일이 없으니, 상공이 그릇 보심이로소이다."

성각이 소왈,

"그대 천신은 속이려니와 나는 간대로 속이지 못하리니, 이제 바로 이르라."

홍선이 임생의 이같이 다 알고 물음을 당하여, 매매히 떼치지 못함은 부인의 기특한 행사를 덮어 두기를 아끼는지라, 날호여 대왈,

"여러 날 길에 상공이 소비와 동행하시면 자연 들으시리이다. 너무 급거히 묻지 마소서."

성각이 필유사고(必有事故)함을 깨달아, 본성이 자기 알고 싶은 일을 능히 참지 못하여, 홍선을 지리히 보채여 곡절을 이르라 하니, 홍선이 숨길 묘리(妙理) 없어, 부인 모르게 가만히 전후 곡절을 이르니, 성각이 그 사부를 만나 윤원수를 구하던 도인의 근본을 물었으면, 정숙렬인 줄 알았을 것이로되, 누년지정(累年之情)을 일분도 펴지 못하매 한만(閑漫)한 설화를 물을 틈을 얻지 못한 고로, 정부인의 기특한 행사를 홍선더러 물음으로 좇아, 금일 처음으로 듣고 탄복 경앙함을 마지않되, 구태여 여러 사졸 중 다시는 일컫지 않더라.

정숙렬이 임성각의 촉행(促行)함을 인하여 도관을 떠나 교중(轎中)의 오르매, 성각이 하리 군졸을 당부하여 덩을 조심하여 모시라 하며, 후행하여 이미 강을 건너매 사람이 자연 서로 물으며 전하여, 윤원수의 부인 정숙렬의 행차임을 아는지라. 말이 자연이 눈 날리 듯하니, 어찌 각읍이 모르리오. 천자의 교지 계사 정부인의 행거를 남토 제읍이 영송케 하여 계시므로, 먼저 장사 태수가 허다한 위의로 정부인의 덩을 맞아 밤을 지낼 새, 가사(家舍)를 가려 금화채색(錦畵彩色)의 포진(鋪陳)이 휘황하고, 연향(宴饗)하는 상을 드리니, 산해지물(山海之物)과 팔진성찬(八珍盛

饌)702)이 갖지 않은 것이 없으되, 부인이 스스로 불안하고 깃거 않아, 외람함을 일컬어 손복(損福)할 거조가 없게 함을 청하니, 장사 태수 시비로 하여금 전어로 고 왈,

"부인이 비록 불안하여 하시나, 예사 재열(宰列)의 부인과 다르시고, 부인의 성덕혜행(聖德慧行)을 천심이 크게 탄복하시는 바이시라."

하니, 정부인이 과도함을 칭사하더라.

명일 조조(早朝)에 이발(離發)하여 영창역으로 향할 새, 태수 위의를 성비(盛備)하여 지경까지 호송하니, 일로에 영광이 비할 데 없더라.

차설, 원수 한 장 서간을 이뤄 하리를 맡겨 정부인께 전하라 하고, 우생을 영창역으로 보낼 새, 우소저더러 왈,

"현매와 실인(室人)이 동행하면 피차 든든하리라."

우소저 원수의 이렇듯 한 은혜를 드리워 관리에게 잡혀가는 환(患)을 면하여, 윤원수 같은 대현군자를 만나 결의남매 하고, 한가지로 상경할 바를 이르니, 감격함이 골수에 사무쳐, 사례 왈,

"소매 거거의 대은으로 호구를 벗어나니, 영행코 즐거움이 이 밖에 없는지라. 정저저와 한가지로 가면 어찌 서의(齟齬)함이 있으리까?"

원수 그 인물의 통달하고 명숙(明肅)함을 크게 사랑하여 친매와 다름이 없으니, 이 또한 하늘이 유의하여 그 남매지의(男妹之義)를 맺게 함이러라.

---

702) 팔진성찬(八珍盛饌) : 팔진지미(八珍之味) 곧 여덟 가지 진귀한 음식을 갖추어 아주 잘 차린 음식상을 이르는 말. *팔진지미; 순모(淳母), 순오(淳熬), 포장(炮牂), 포돈(炮豚), 도진(擣珍), 오(熬), 지(漬), 간료(肝膋)를 이르기도 하고 용간(龍肝), 봉수(鳳髓), 토태(兎胎), 이미(鯉尾), 악적(鶚炙), 웅장(熊掌), 성순(猩脣), 수락(酥酪)을 이르기도 한다.

윤원수 우생을 재촉하여 말에 올리고 소저를 거교에 올리매, 영창역
으로 행하게 할 새, 하리를 분부하여 소저의 행차를 조심하여 모시라 하
니, 하리 등이 수명하여 기구산로(崎嶇山路)에 화교옥륜(華轎玉輪)을 전
차후응(前遮後應)하여 이미 영창역에 다다르니, 맞추지 않은 일이로되
과연 정부인의 행거가 영창역에 이르렀는지라. 하리 등이 원수의 서간
을 드리니, 정부인이 받아보매 대강 하였으되,

"생이 매양 동기의 수소(數小)함을 슬퍼하더니, 다행이 우매를 만나
결의남매 하였나니, 부인은 생의 뜻을 좇아 우매를 사랑하여 원로에 한
가지로 행하라."

하였더라.

정숙렬이 남파(覽罷)에 즉시 우소저를 청하여 서로 볼 새, 우씨 성자
아질(盛者雅質)과 화월염광(花月艶光)이 세대의 절염(絶艶)일 뿐 아니
라, 행동거지(行動擧止)가 법도 있고 예모 숙숙(肅肅)하니, 정소저 아름
다움을 이기지 못하여 서로 담화하매, 정의 가득하여 피차에 동기 같은
지라.

우소저 정부인 같은 용화기질을 처음 보는 고로, 놀라며 기이하여 요
지금모(瑤池金母)703)와 월전소아(月殿小娥)704)인가 의심하더라.

오반(午飯)을 진식(盡食)하고, 정소저 우씨로 더불어 거교에 오르매,
임성각과 우생이 호행할 뿐 아니라, 본읍 태수 지송(祗送)하여 영요(榮
耀)한 광채와 부성한 위의 일로(一路)에 메였으니, 도로 관광자 복복(僕
僕)705) 칭찬치 않을 이 없더라.

---

703) 요지금모(瑤池金母) : 서왕모(西王母). 중국 신화에 나오는 신녀(神女)의 이름.
    불사약을 가진 선녀라고 하며, 음양설에서는 일몰(日沒)의 여신이라고도 한다.
704) 월전소아(月殿小娥) : 달 속에 있다고 하는 전설 속의 선녀 상아(嫦娥).
705) 복복(僕僕) : 귀찮을 만큼 번거로이.

임성각이 매사를 원수의 영대로 준행하여 부인의 행거(行車)를 대군이 바라 보일만큼 사이 뜨게 행하며, 주점에 들어 일찍 쉬고 늦은 후에 행하니, 행로의 차오(差誤)706)함이 없더라.

윤원수 우생 남매를 평안이 주처(住處)하매, 등주 자사 원복의 흉음패려(凶淫悖戾)함과 두녀의 난륜간음(亂倫姦淫)함을 절치 통해하나, 자기 당한 바 소임이 아닌 고로 타일 상경하는 날 천문에 주달하여 음녀 간부를 주(奏)하여 법을 밝히려 하더라.

차시 동주 관리 등이 우생 남매를 잡아 돌아가 자사께 바치고 천금을 손의 쥘 듯이 즐겨 하더니, 불의무망(不意無望)에 신인이 강림(降臨)하여, 우씨 남매를 앗아가고 저의 무리 두골이 터지며 수족이 상하니, 하릴없어 울며 돌아갈 새, 윤원수의 주던 부작을 의지하고 호표 시랑의 해를 면하고 돌아가, 원복을 보고 두 필 말과 교자를 드리고 우가 남매 거처 없음을 고하니, 자사 분노하나 하릴없고 행여 후환이 될까 염려하더라.

이때 원수 이미 벌적능토(伐敵能討)707) 하매 누월을 머물러 인심을 진정하고, 바야흐로 선친의 화상을 모시며, 백년을 동락할 부인을 기봉(奇逢)하여 돌아가는 마음이 어찌 바쁘지 않으며, 북당훤친(北堂萱親)708)의 기다리심이 간절하실 바를 헤아리매 돌아갈 마음이 살 같거늘, 장사 일로(一路)의 향민이 부로휴유(扶老携幼)709)하여 떠나기를 슬퍼 하니, 원수 흔연 무위(撫慰) 왈,

---

706) 차오(差誤) : 틀리거나 잘못됨.
707) 벌적능토(伐敵能討) : 무력으로 적을 쳐 없앰.
708) 북당훤친(北堂萱親) : '어머니'를 달리 이르는 말. '북당(北堂)', '훤당(萱堂)', '훤친(萱親)'은 모두 '어머니'를 달리 이르는 말이다.
709) 부로휴유(扶老携幼) : 노인은 부축하고 어린이는 이끈다는 뜻으로, 여기서는 향민들이 늙은이를 부축하고 어린이를 이끌고 모두 나옴을 이르는 말.

"여등이 비록 하방변지(遐方邊地)710)에 있어 왕화(王化)를 알지 못하나, 충효와 예의를 숭상한즉 교행(敎行)711)하는 잖이요, 너희가 나를 저버리는 마음이 아니리라. 삼가고 조심하여 오늘날 나의 당부하는 것을 심곡에 새기라."

만민이 응성(應聲) 대왈,

"원수의 이르시는 바는 인민이 제 몸의 각각 유익한 바라. 어찌 받들지 않으리까? 다만 원수를 배별함이 부모를 원별하는 심사도곤 더한지라, 긴 날에 이 회포를 어찌 참으리까?"

원수 사면으로 돌아보아 인민을 지극히 위로하고, 날이 늦으매 대대인마를 풀어 행하니, 정기(旌旗) 폐일(蔽日)하고 내외 정제하여 행군 기율(紀律)의 엄숙함이, 주아부(周亞夫)712)의 위풍(威風)을 웃을지라. 원수의 풍류신광(風流身光)과 용화표치(容華標致)713) 태양의 정광을 앗아, 봉안영채(鳳眼靈彩)는 삼군(三軍)714)에 비추고, 위령의 씩씩하기는 회음후(淮陰侯)715)에 지난지라.

천병만마를 거느려 나아가매 엄숙한 가운데 고요하며 법도 가즉하니, 사졸이 추호를 불범하고, 지나는 바에 초목이 상치 않으며 계견(鷄犬)이 놀라지 않고 백성이 안안(晏晏)하여 저자716)를 걷지 않아, 저마다 원수

---

710) 하방변지(遐方邊地) : 서울에서 멀리 떨어진 변방.
711) 교행(敎行) : 성현의 가르침을 몸소 행함. 또는 가르치고 행함.
712) 주아부(周亞夫) : ? - BC143. 중국 전한(前漢) 전기의 무장, 정치가. 오초칠국(吳楚七國)의 난을 평정해 공을 세웠고 승상에 올랐다.
713) 용화표치(容華標致) : 얼굴이 매우 아름다움.
714) 삼군(三軍) : 전군(前軍)·중군(中軍)·후군(後軍)을 함께 이르는 말. 곧 전군(全軍).
715) 회음후(淮陰侯) : 중국 한(漢)나라 개국공신 한신(韓信)의 작위(爵位).
716) 저자 : ①시장(市場)'을 예스럽게 이르는 말. ②시장에서 물건을 파는 가게.

의 대군 지나기를 바람이 부모를 기다림 같은지라.

원수 행하여 상강(湘江)717)에 배를 건너 남영관에 다다라는 부공의 기사(忌祀) 임박함으로 군졸을 잠깐 쉬게 하고, 관중에 들어 증상(蒸嘗)718)을 받들어 영정 앞에 설제(設祭)할 새, 정숙렬이 원수의 행거와 선후를 달리 하여 날마다 사이 뜨게 행하더니, 명천공의 기사(忌祀)가 다다르매 관중(關中)에 한가지로 들어가 참예할새, 정숙렬은 처음으로 존구의 화상을 배알하는지라, 원수의 슬퍼 함을 보매 척연 비상함을 이기지 못하고, 우씨 또한 참예하여 양녀(養女)의 도리를 다하는지라. 원수 설제 통곡하매 흉억(胸臆)에 가득히 쌓인 설움을 능히 억제치 못하여, 한 번 통곡에 기운이 엄홀함을 면치 못하는지라. 흐르는 안수(眼水)는 백포(白布)를 적시고, 효자의 궁천지통(窮天之痛)은 오장(五臟)이 사위는719) 듯, 가변의 망측함이 전혀 야야의 아니 계신 연고임을 헤아려, 생각할수록 고대 죽어 모르고자 하는지라. 드디어 이 날 남영관에서 쉴새, 거의 밝기의 다다라 원수 잠깐 가매(假寐)720)하니, 사몽비몽간(似夢非夢間)에 부친 명천공이 곁에 나아와, 무애하여 가로되,

"내 마침내 명박하여 세상을 버리매 부모에게 불효 비경(非輕)하고 여숙(汝叔)으로 하여금 안항(雁行)의 외로움이 그림자 처량하여 무애(无

---

717) 상강(湘江) : 소상강(瀟湘江). 상강은 중국 광서성(廣西省)에서 발원하여 호남성(湖南省) 동정호(洞庭湖)에서 소수(瀟水)와 만나 소상강을 이룬다. 따라서 소상강은 주로 호남성 동정호 지역을 일컫는 말로, 이 지역은 경치가 아름답고 소상반죽(瀟湘班竹)과 황릉묘(黃陵廟) 등 아황(娥皇) 여영(女英)의 이비전설(二妃傳說)이 전하는 곳으로 유명하다.
718) 증상(蒸嘗) : 증상(蒸嘗)은 제사(祭祀)를 뜻하는 말로, '증(蒸)'은 겨울제사를, '상(嘗)'은 가을제사를 말한다.
719) 사위다 : 불이 사그라져서 재가 되다.
720) 가매(假寐) : 잠자리를 제대로 보지 않고 잠을 잠.

涯)한 비한(悲恨)을 무궁히 끼치고, 너의 형제 아비 얼굴 모르는 사람이 되어 주주야야(晝晝夜夜)에 궁천지통이 되게 하니, 비록 천궁(天宮) 부귀 번화(繁華) 극진하나, 어찌 심사 편하리오. 하물며 가변이 참참하여 시금(時今)에 자정(慈庭)의 패덕이 세상의 모를 이 없으니, 오아의 형제 부끄럽고 슬픈 심사 어찌 오죽하리요마는, 만사 천명이라, 조그만 일도 뜻 같지 못하니, 이 또 가운이 불행하여 허다 변고가 상생(相生)함이니, 현마 어찌 하리오. 오아(吾兒) 이제 액운(厄運)이 진하고 즐거운 시절을 만났고, 금년 하추(夏秋)를 지내면 만사 무흠하여 괴로운 근심이 없으리니, 이제 자정 환후로 초전 우황하나, 수한이 장원하시어 아직 세연(世緣)이 멀어 계시니, 아무리 위독한 질양이라도 마침내 회두하시리니, 모름지기 마음을 널리 하여 슬픈 것을 강인하여, 아비 벌써 세상을 버려 너의 지통이 아무 곳에 미쳤어도 하릴없음을 헤아려, 관억하기를 위주(爲主)하라."

원수 눈을 들어 부안(父顔)을 뵈오매 실로 화상과 다르지 않아 완연한지라. 새로이 통상(痛傷)한 심회를 이기지 못하여 야야를 붙들고, 실성통읍 왈,

"불초자 팔자 궁험하여 세상에 나매, 엄안을 모르는 죄인이 되어, 야야의 자애하시는 덕음(德蔭)을 모르옵고, 자모의 은양을 받잡고, 계부의 은양(恩養)하심을 받자와 무사히 장성함을 얻자오나, 엄정(嚴庭)의 훈교를 모르옵고, 애휼(愛恤)하시는 은애를 얻지 못하오니, 생세의 즐거움을 알지 못하여, 스스로 지하에 모시지 못함을 애달아 하옵더니, 화선생의 은덕으로 야야의 화상을 뵈오나, 한 말씀 자애를 펴지 못하오니, 불초자의 새로운 지통을 어찌 다 아뢰리까? 해아 등의 무상 불초한 연고로 가변(家變)이 남이 알까 두려운지라. 하면목(何面目)으로 입어천일지하(立於天日之下)리까마는, 성주의 대은을 저버리지 못하오며 자위의 참통하

신 정사 가운데, 다시 상명(喪明)의 통(痛)721)을 끼치지 못하여 일루(一
縷)를 끊지 못하옵고, 금일지사(今日之事)를 당하와 망극 참참하온 하정
을 고할 곳이 없삽더니, 천만 뜻 밖에 대인의 이 같으신 교훈을 받자오
니, 엄안을 우러러 반갑사온 정성을 비할 곳이 없삽고, 구천타일(九泉他
日)에 시봉(侍奉)하기를 절박히 바라옵나니, 복원 대인은 소자의 정경을
통촉하시어 쉬이 엄하에 모시게 하옵소서."

명천공이 아자의 이다지도 슬퍼함을 보고, 또한 척연 왈,

"내 아이는 무익한 슬픔을 과히 하여 아비 영백(靈魄)을 불평케 말라.
나의 팔자 궁험하여 효자와 현부의 영효를 받지 못함이니, 현마 어찌 하
리오. 네 모친은 이제 궁곤(窮困)하나 이미 액회 다 진하였으니, 거의
길운을 만날지라. 너의 형제와 정현부 등의 효양(孝養)을 갖추722) 받아
무궁한 세월에 영화를 많이 보리니, 지난 화액(禍厄)이야 일러 무엇하리
오. 여부 세 낱 자녀를 두매 하나도 용우한 아이 없어, 아들은 영준호걸
(英俊豪傑)이 아니면 명성군자(明聖君子)요, 딸은 절효열부(節孝烈婦)
라. 아름다운 이름이 세대에 희한(稀罕)하니, 구천야대(九泉夜臺)의 두
굿기는 마음을 머금어 너의 모친이 태교를 잘 함을 사례코자 하나니, 내
아이는 훤칠한 역량(力量)이라. 무익한 지통(至痛)을 한하여 심사를 상
해오지 말라."

언파에 일진 향풍이 진울(振鬱)하며723) 운간(雲間)으로 오르더니, 또
이르대,

---

721) 상명지통(喪明之痛) : 눈이 멀 정도로 슬프다는 뜻으로, 아들이 죽은 슬픔을 비
　　유적으로 이르는 말. 옛날 중국의 자하(子夏)가 아들을 잃고 슬피 운 끝에 눈
　　이 멀었다는 데서 유래한다.
722) 갖추 : 고루 있는 대로.
723) 진울(振鬱)하다 : 진동(振動)하다. 냄새 따위가 아주 심하게 나는 상태.

"유명(幽明)이 길이 다르니 매양 한가지로 잇지 못하나니, 모름지기 슬픔을 참고 좋이 부귀를 누리며, 무수한 자손을 두어 오문(吾門)을 창대함과, 너희 일흔 아들 십삼 세를 찬 후에 자연 찾을 도리 있으리니, 염려치 말라."

언파의 채운(彩雲)을 멍에하여 표연이 승천(昇天)하시는지라. 원수 바삐 부친의 가시는 곳을 향하여 재배하고, 통읍하다가 내처 울며 느끼매, 임성각이 곁에서 깨오는지라. 눈을 떠 보니 홍일이 찬란하여 동창에 해 비추었거늘, 기운을 수습하여 일어나 앉으니, 부친의 어음(語音)이 이변(耳邊)에 쟁연(錚然)하고724) 기이한 풍채 안중에 삼삼하니, 새로이 슬픔이 여할(如割)한지라. 성각이 호언으로 위로하고, 윤원수 명일에 군장사졸을 영(領)하여 남영관을 떠나 상경할새, 임성각이 우생으로 더불어 정・우 양소저를 호행하여 윤원수의 대군과 사이 뜨게 상경하니라.

화설, 만세 황야 옥사를 쾌결(快決)하시어 악당을 소탕하시고, 도처에 은명을 내리오시매, 새로이 장사왕의 불궤지사(不軌之事)를 통해하시거늘, 장사(長沙) 주문(奏聞)이 오른 가운데, 원수 손확이 패군함을 들으시매, 옥체 용상의 숙침이 불안하시어, 비록 윤광천을 찾아 대원수를 삼아 도적을 탕멸하라 하여 계시나, 광천이 십칠 소년으로 이두(李杜)725)를 묘시하는 문장재화(文章才華)가 당세에 독보할지언정, 그 윤가 조선(祖先)이 다 도학명현(道學名賢)이요, 원족에도 장좌지재(將座之材) 없는지라. 혹자 군려지사(軍旅之事)에 소여(疎如)함이 있을까 우려함을 마지아니하시더니, 문득 장사로 좇아 첩음이 연하여 천문에 올라 윤광천

---

724) 쟁연(錚然)하다 : 쇠붙이가 부딪쳐 울리는 것같이 소리가 날카롭다.
725) 이두(李杜) : 이백(李白)과 두보(杜甫)를 함께 이르는 말.

이 한 낱 군사를 거느린 일이 없이 손확이 죽이려 함으로 피하였다가,
신기한 재주와 너른 덕화로써 피란하는 백성을 모아 군사를 삼고, 지혜
로 장사진(長沙陣) 장수(將帥)의 마음을 격동하여 흉적을 주멸하고, 천
고(千古) 요음발부(妖淫潑婦) 대역지녀(大逆之女) 교아를 촌참(寸斬)하
였음을 들으시매, 천심이 만분 환열하시어, 금평후의 윤광천 앞이 밝은
줄을 칭찬하시고, 윤원수기 상장의 복색과 어수(御手)에 쥐고 계시던 금
선(錦扇)과 옥선초(玉扇貂)를 보내시고, 장사를 진정하고 바삐 돌아옴을
재촉하시며, 원수의 지혜와 모략을 무궁히 일컬으시고, 덕화와 재예를
기특히 여기사 교지(敎旨) 가운데 대공을 재삼 이르시고, 충의를 칭찬하
시어 국가의 주석지신(柱石之身)임을 흔열하시며, 교아의 간음 흉역을
통완하시어 비록 유금오의 탓이 아니나, 딸을 잘못 낳아 무상히 가르친
죄로 은주에 찬배(竄配)하라 하시니, 병부상서 용두각 태학사 표기장군
평북공 정천흥이 유금오를 구해(救解)하여 왈,

"요순지재(堯舜之子)726) 불초(不肖)하니, 흉녀의 간음대악(姦淫大惡)
이 유모의 죄 아니라. 유금오 딸을 죽은가 슬퍼 신매(臣妹)의 살인악행
이 적실함으로 알았삽나니, 어찌 애매한 유금오에게 연좌(連坐) 있으리
까? 유녀의 죄상이 천지에 관영(貫盈)하오나 유모의 위인이 용우(庸愚)
할지언정, 기녀의 간음 대악은 실로 모름인가 하나이다."

상이 웃으시고 가라사대,

"경의 화홍한 도량이 유경의 무죄함을 밝히 알아 이렇듯 구하니, 짐이
어찌 좇지 않으리오."

하시고 이에 유금오의 벼슬을 삭(削)하여 문외로 내치라 하시니, 만조

---

726) 요순지재(堯舜之子) : 요임금의 아들 단주(丹朱)와 순임금의 아들 상균(商均)을
말함. 둘 다 못나고 어리석어 왕위를 물려받지 못했다.

(滿朝)가 마땅하심을 일컬어 성덕을 열복하더라.

상이 윤원수의 돌아옴을 기다리시며, 소사(少師)727)의 더디 옴을 궁금히 여기더니, 양주 갔던 전유사관(傳諭使官) 임찬이 중로에서 표를 올려, 윤희천이 중병지여에 수약기패(瘦弱肌敗)하여 일일행역(一日行役)이 십리에 넘지 못함을 아뢰었으니, 상이 그 병이 위악(危惡)던 바를 염려하시어, 태의 오정으로 하여금 온갖 약류를 가져 윤학사의 오는 길로 마조 내려가, 그 중병여증(重病餘症)을 알아 각별 치료하라 하시니, 오정이 수명하여 바삐 내려가니라.

화설, 윤원수의 돌아오는 선문(先聞)이 황성의 이르니, 상이 크게 기뻐하시어 그 오는 날, 만조를 거느려 난가(鸞駕)를 휘동하시어 남교(南郊) 십리 밖에 나와 원수를 맞으실 새, 금수차일(錦繡遮日)은 반공(半空)의 임리(淋漓)728)하고 촉단장막(蜀緞帳幕)729)은 남교를 둘러 어막(御幕)을 높이 배설하여, 황상이 높이 전좌하신 후, 문무 양관이 작차(爵次)로 시위(侍衛)하고, 선조구신(先朝舊臣)이 다 진하(進賀)에 참예하여, 국가의 대경(大慶)을 하례하니, 상이 팔채용미(八彩龍眉)에 영영(盈盈)한 희기(喜氣)를 띠시고, 용안에 화열한 빛을 요동하시어 윤원수의 오는 길을 바라시며, 일시를 바삐 여기시더니, 이윽고 금괴제명(金鼓齊鳴)730)하며 윤원수의 대군이 나아오니, 상이 바삐 부르사 가까이 인견하실 새, 윤원수 화기를 띠여 봉안정광(鳳眼精光)은 어막 좌우에 찬란히

---

727) 소사(少師) : =태자소사(太子少師).
728) 임리(淋漓) : 사람의 몸이나 글씨, 그림 따위에 힘이 넘치는 모양.
729) 촉단장막(蜀緞帳幕) : 촉나라에서 짠 비단으로 둘러친 막(幕).
730) 금괴제명(金鼓齊鳴) : 징과 북이 일제히 울림. *금고(金鼓); 고려·조선 시대에, 군중(軍中)에서 호령하는 데 사용하던 징과 북.

비추어, 양미문명(兩眉文明)731)은 강산의 수출한 기운을 타 났고, 화협
주순(華頰朱脣)은 고운 빛이 무르녹아, 연분(鉛粉)732)을 베푼 미인의 자
태를 웃는지라. 팔척경륜(八尺徑輪)733)의 가득한 풍채 금당(金塘)734)에
일만 양류(楊柳) 휘날리며, 춘원(春園)의 일백화신(一百花信)이 다투어
발(發)함 같으니, 장부(丈夫)의 위의(威儀)요, 일월(日月)의 얼굴이라.

상이 윤원수의 배례함을 당하여 반기시는 빛이 용안에 넘치사, 어수
(御手)로 원수의 손을 잡으시고 팔을 어루만져, 군신의 엄한 것을 버리
시고 부자의 친함을 겸하시어, 그 흉한 조모의 해함을 인하여 불효 누명
을 실어 삼년 춘추(春秋)를 남주에 적거(謫居)함과, 아시로부터 사람의
견디지 못할 경계를 갖추 지냄을 추연하시어, 이에 탄하시어 왈,

"자고로 군자의 명이 박하거니와, 경의 형제같이 간고(艱苦) 액경(厄
境)을 겪으니 또 어디 있으리오. 경을 남주에 찬배함이, 정천흥의 주사
(奏辭) 유리한 고로, 경의 정사를 살핌이러니, 흉인의 용심이 갈수록 극
악 간교하여, 자객을 보내어 죽임을 꾀하되 경등의 대명(大命)이 하늘에
달렸고, 국가의 충량지신(忠良之臣)을 일치 않을 때라. 경등이 자객의
해를 벗어나고, 짐이 불명하여 구몽숙 요인의 말을 듣고, 손확 같은 부
재무부(不才武夫)로 대원수를 탁배(擢拜)하고, 경으로 참모사를 삼아 불
의지인(不義之人)의 수하장(手下將)이 되는 욕을 당케 하니, 손확이 몽
숙의 꾀옴을 들어 경을 죽이려 하던 바 비록 지난 일이나, 어찌 놀랍지
않으리오. 손확은 삼만 정병과 십원 명장을 거느려 장사진(長沙陣)에 힘

---

731) 양미문명(兩眉文明) : 두 눈썹이 윤곽이 뚜렷하고 광채가 나, 뛰어나게 아름다움.
732) 연분(鉛粉) : 분(粉). 얼굴빛을 곱게 하기 위하여 얼굴에 바르는 화장품의 하나.
733) 팔척경륜(八尺徑輪) : 팔척이나 되는 키와 그 몸둘레를 함께 이르는 말. 경륜
　　　(徑輪)은 사물의 지름과 둘레를 함께 이르는 말.
734) 금당(金塘) : 연꽃이나 버드나무 등을 심어 아름답게 가꾼 연못.

힘이 사로잡힌바 되고, 한 싸움에 군사를 다 죽여 대국 위엄을 잃었거
늘, 경은 한 군사도 거나린 바 없이 쾌히 손확의 해함을 벗어나, 덕화를
널리 베풀어 지혜로 장사진 인심을 격동하여, 일전에 흉적을 탕멸하고
수삼일지내(數三日之內)의 남토를 평정하여, 장사 백성으로 다시 태평
일월을 보게 하니, 공이 크고 덕이 높음은 한조(漢朝) 제갈(諸葛)735)에
지난지라. 짐이 손확의 패군함을 들은 후로부터 침좌간(寢坐間)에 근심
이 놓이지 않더니, 경의 지략으로 남토를 진정하고 흉적을 탕멸한 첩보
를 보니, 흉금이 상쾌하나 짐이 일을 잘 못하여 처음에 경으로써 대원수
를 삼지 못함이, 어찌 애달지 않으리오. 실로 경을 대하매 짐의 밝지 못
함이 참괴(慙愧)하도다."

원수 부복 청교(聽敎)에 일어나 재배 사은 왈,

"신이 불초무상(不肖無狀)하여, 집에 듦에 늙은 할미를 불효로 섬겨,
죄명이 강상(綱常)을 범하여, 한 번 칼 아래 엎드리기를 면치 못할 것이
거늘, 성주(聖主)의 호생지덕(好生之德)으로 남주에 찬배하심을 당하여,
일명을 부지(扶持)하옵다가, 금춘에 쾌히 은사를 내리오사 정배를 푸시
고, 참모사로 탁용하시니, 어찌 손확의 수하장(手下將)이 되기를 꺼려
국지중사(國之重事)를 범홀(泛忽)이 하리까마는, 신의 위인이 용우하고
성정이 과격하온 고로, 손확의 뜻을 얻지 못하니, 신을 내어 베고자 함
이 상장(上將)의 예사(例事)라. 어찌 손확의 죄를 삼으리까? 신의 도리
는 순(順)히 죽음이 마땅하옵거늘, 장령을 위월(違越)하여 군법을 난상

---

735) 제갈(諸葛) : 제갈량(諸葛亮). 181~234. 중국 삼국 시대 촉한의 정치가. 자(字)
    는 공명(孔明). 시호는 충무(忠武). 뛰어난 군사 전략가로, 유비를 도와 오(吳)
    나라와 연합하여 조조(曹操)의 위(魏)나라 군사를 대파하고 파촉(巴蜀)을 얻어
    촉한을 세웠다. 유비가 죽은 후에 무향후(武鄕侯)로서 남방의 만족(蠻族)을 정
    벌하고, 위나라 사마의와 대전 중에 병사하였다

(亂傷)하여 도주하니, 그 죄 더욱 삼족의 미칠 바오니, 비록 폐하의 홍
복을 힘입사와 척촌(尺寸)의 공을 이룸이 있사오나, 지은 죄과를 헤아리
옵건대 어찌 공으로써 죄를 속하리까? 폐하의 일월지덕(日月之德)과 생
성지은(生成之恩)을 소신 같은 미한 몸의 죄를 일컫지 않으시고, 소소한
공로를 포장(襃獎)하시어, 어가 친히 교외의 맞으시는 은권(恩眷)이 있
사오니, 신이 불승전율(戰慄)하와 엷은 복이 미한 몸에 손할까 하옵나
니, 성은을 어이 다 갚사오리까. 신이 하물며 예사 사람과 같지 못하와
불효 죄악이 한심할 뿐 아니오라, 요악한 간비의 무복(誣服)을 인하여
할미와 아자미 망극한 죄과를 무릅써, 조손과 숙질의 애락(哀樂)이 내도
치 않을 듯하온지라. 혹자 폐해 인신의 조손 숙질 간 미세지사를 다 아
른 체하시어, 일분이나 할미와 아자미에게 죄벌(罪罰)이 돌아가올진대,
신의 형제 다 천문의 논죄하심을 기다려 부월지하(斧鉞之下)의 죽기를
바라나이다."

　언주파(言奏罷)의 가변을 슬퍼 하고, 조모와 숙모의 아무리 되었음을
알지 못하여, 봉안(鳳眼)의 청루(淸淚) 백년용화(白蓮容華)를 적시는지
라. 지효(至孝)의 선읍(善泣)함이 제순(帝舜)의 일류(一類)요. 그 거동이
위·유 양인의 죄를 다스린즉, 결단하여 세상의 서지 않을 형상이라. 천
안이 감동하시어 저 같은 효의로써 위·유 양인을 감화치 못함을 애달
라 하실수록 위·유 양인을 악착히 여기심은 더하신지라. 오직 원수의
심사를 위로코자 하실 뿐 아니라, 위씨는 사세 마지 못하여 호대(浩大)
한 죄과를 물시(勿視)코자 하여 계신 고로, 이에 위로하시어 가라사대,
　"군신(君臣)은 부자(父子)와 일체(一體)736)라. 경이 남주에 정배한 지
삼년에 금일 돌아오는 행거(行車) 쾌하여 장사의 흉적을 탕멸하고, 입공

---

736) 일체(一體) : 서로 다르지 않고 같다.

승전(立功勝戰)하여 개가(凱歌)로 반사(班師)하니 이만한 즐거움이 없고, 짐이 부득이 경을 남주로 찬배하였으나 홀연함이 좌수(左手)를 잃음 같더니, 이제 군신이 예 같음을 얻으니 영행함을 이기지 못하는 바라. 어찌 급하지 않은 말을 하여 이같이 슬퍼 하느뇨? 짐이 만기(萬機)를 총찰(總察)하매, 천하 인민의 현부를 밝히 살펴 상벌을 행함이 반점(半點) 사사(私私)를 두지 말고자 하되, 경의 가변에 다다라는 능히 위·유 양녀의 죄를 법대로 다스리지 못하여, 경의 숙질 형제의 심사를 돌아보아 위녀는 더욱 안연 무사히 집의 잇게 하였나니, 경은 무익히 슬퍼 말고 이후나 다시 독수(毒手)의 해를 만나지 말라. 경이 비록 시녀의 초사(招辭)가 허탄(虛誕)한 줄로 아나, 위·유 양녀의 죄상을 여러 곳이 들어737) 다 능히 감추지 못하며 기이지 못할 것이니, 차사는 긴 날의 종용이 알 것이요, 손확이 경을 죽이려 하던 바 통완 분해함이 극하나, 짐이 금일 내로 죄를 다스리지 않음은 경으로 더불어 군신이 반기는 정을 펴고자 함이라. 경이 이제 장령(將令)을 위월(違越)하며 군법을 난상(亂傷)하였노라, 일컬어 허물을 지은 듯이 하나, 급위지시(急危之時)와 액화(厄禍)에 다다라는 권도(權道)와 곡례(曲禮) 없지 못할 것이니, 경이 만일 권변(權變)738)이 없어 손확의 해를 받았을진대, 흉봉을 소탕하고 대국 위엄을 빛낼 길이 있으며, 오늘날 입공반사(立功班師) 어디로 좇아 나리오. 짐이 경을 구하여 간 도사의 성명을 알아 들이라 하였더니, 지금 그 법호와 성명을 주하는 일이 없으니, 경은 밝히 알았으리니 그 뉘뇨?"

인하여 옥배(玉杯)의 향온을 친히 권하시어 십여 배에 이르되 그치지 않으시니, 원수 황공하여 순순이 쌍수로 받자와 거우르다가, 여러 잔이

---

737) 듣다 : 사람이나 동물이 소리를 감각 기관을 통해 알아차리다.
738) 권변(權變) : 때와 형편에 따라 둘러대어 일을 처리하는 수단.

된 후는 지존지지(至尊之地)의 취색(醉色)이 황공 미안함을 일컬어 사양
하니, 상이 비로소 그치시고, 도사의 성명을 고하라 하시니, 원수 정숙
렬의 행사를 고함이 가치 않아, 다만 주 왈,

"태운도사 화천이라 하는 도인은 신부(臣父)의 동치고귀(童穉故
舊)[739]로라 하고, 신을 위급지시(危急之時)의 구하되, 원간 그 도인의
자취 사해(四海)의 부평초(浮萍草)와 추풍의 낙엽 같아서, 신을 비록 구
하나 한번 몸을 감초면 간 바를 알지 못하리러이다."

상이 차탄하시어, 그런 인물을 조정에 불러 쓰지 못함을 애달아 하시
더라.

상이 부원수 장운을 가까이 부르사, 손확의 패군하던 바에 능히 장사
진(長沙陣)에 잡힘을 면하고 또 살아남을 일컬으시며, 옥배의 어온을 반
사(頒賜)하시니, 장운이 불감사은(不堪謝恩)하고, 인하여 손확이 윤원수
를 죽이려 함과 윤원수 참모로 있을 제 헌계하는 모책(謀策)을 쓰지 않
아 패군함을 주하고, 원수의 신출귀몰(神出鬼沒)한 재주와 남다른 지략
이 흉적의 병강세장(兵强勢壯)함을 두려워하지 않아, 누만적당(累萬敵
黨)을 수백잔병(數百殘兵)으로써 당하되 쾌히 이긴 바를 주(奏)하고, 유
화성에서 전망한 장졸의 해골을 좋은 산에 묻고 크게 설제(設祭)함을 다
고하여, 어진 덕과 너른 양(量)이 귀신과 사람이 다 감동함을 일컬은데,
상이 더욱 아름다이 여기사 국가의 태공망(太公望)[740] 같은 주석지신
(柱石之臣)이 있음을 희동안색(喜動顏色)하시어, 우문왈(又問曰),

"님성각이란 장사가 윤광천을 도와 공을 이루다 하거늘, 짐이 지휘사

---

739) 동치고귀(童穉故舊) : 어린 시절의 친구.

740) 태공망(太公望) : 중국 주(周)나라 초기의 정치가 여상(呂尙)의 다른 이름. 여
   (呂)는 그에게 봉해진 영지(領地)이며, 상(尙)은 그의 이름이다. 강태공(姜太
   公). 여망(呂望) 등의 다른 이름으로도 불린다.

를 삼으라 하였더니 이에 있느냐?"

장운이 대주(對奏) 왈,

"님성각이 입신(立身)치 못함을 일컬어 천문의 상작을 사양할 뜻이 있으되, 윤광천으로 더불어 일시 떠남을 어려이 여기므로 경사까지 돌아오되, 정숙렬의 거교(車轎)를 호행(護行)함으로 뒤에 떨어져 오나이다."

상이 명일 임성각을 조알(朝謁)케 하라 하시고, 군신이 즐김을 다하실새, 차시 극열(極熱)이로되 구태여 사람을 찌는 듯한 훈열(薰熱)은 없는 고로, 어막의 서기 은은하여 홍운(紅雲)이 사집(四集)한데, 균천광악(鈞天廣樂)741)이 천지를 흔들고, 팔진성찬(八珍盛饌)은 상마다 가득하며, 아름다운 술은 해수(海水)의 무진(無盡)함이 있고, 음식은 태산같이 쌓였으니, 진정 만승(萬乘)의 즐기는 날이며, 태평기상을 볼지라.

황친국척과 만조문무 만세를 불러 국가대경(國家大慶)을 하례하고, 장사왕의 수급(首級)을 궤에 넣어 와 성하(城下) 길거리에 달매, 상이 그 죄는 만사무석(萬死無惜)임을 아르시나, 제실지친(帝室之親)으로써 형제 양인이 다 형체를 온전히 마치지 못하여 머리와 몸이 각각 났음을 추연하시고, 황친의 무리와 제왕 공자 다 송구한 뜻이 있더라.

윤원수 눈을 들어 잠깐 살피매 금평후 부자와 하공 부재며 표숙 등과 일가 문중(門中)의 재직자(在職者)는 다 성가(聖駕)를 모셨으니, 반가운 정이 가득하나 지척천안(咫尺天顔)에 사정을 펼 길이 없어 오직 눈으로 정을 보내더라.

원수 황야를 모셔 날이 늦도록 즐기니 지극한 충의(忠義)로써 군상을 우러름이 부형(父兄)을 바라는 사정(私情)으로 다르지 않던 바로, 삼년을 찬출(竄黜)하여 용루봉궐(龍樓鳳闕)에 아득히 조알을 폐하니, 매양

---

741) 균천광악(鈞天廣樂) : 하늘에 닿을 정도로 큰 음악소리.

천안을 영모함이 사친지효(思親之孝)로 다르지 않다가, 오늘날 승전입
공하여 개가(凱歌)로 돌아와 성주의 반기시는 용안을 앙견(仰見)하고,
만조녈후(滿朝列侯) 군공(君公)과 친척 붕배 등, 두루 면목이 익은 자들
이 좌우 반항(班行)에 가득하여 한가지로 희열함을 마지않으니, 비록 재
주와 덕을 나토지 않으나 어찌 기쁜 의사 적으리오마는, 조모와 숙모의
환후 위중함을 들었는 고로, 자기 몸이 환경하나 즉시 배알치 못함을 착
급하여, 우황(憂惶)한 심사가 측량없는지라. 이에 주왈,

"폐해 미신(微臣)을 교외에 맞으심도, 신의 불안 황공함이 아무리 할
바를 알지 못하옵거늘, 주악 연희로 이같이 환낙하시니 신이 또한 어찌
기쁘지 않으리까마는, 그윽이 생각건대 신이 연소미천지인(年少微賤之
人)으로 불효패자(不孝悖子)를 면치 못하였삽나니, 망측한 죄과를 할미
와 아자미에게 돌려보내고, 신은 한 조각 허물이 없는 듯이 성주의 대은
을 깃거하며 영광을 즐겨 함이, 신명의 벌함을 당할까 두려워할 뿐 아니
오라, 진중에 전망(戰亡)한 장졸의 수를 헤아린즉 그 수 누만이라. 한갓
손확이 용병을 잘 못하여 아까운 장졸이 많이 죽었을 뿐 아니라, 국가가
불행하여 인명이 무죄히 상하니, 어찌 추연치 않으리까? 성상의 덕택으
로써 전망한 장졸의 작직을 품증(品增)742)하시고 처자를 고휼(顧恤)하
시며, 미천한 군사로 전망(戰亡)한 자는 원통이 죽었음을 자닝히 여기
사, 유사(有司)로 하여금 설제(設祭)하여 그 영백(靈魄)을 위로하심이
마땅할까 하나이다."

상이 원수의 현언(賢言)을 들으시고 더욱 감동하시어, 일컬어 가라사대,
"경의 덕화가 이 같으니 전망한 사졸과 살았는 장졸이 다 한가지로 감
은골수(感恩骨髓)할지라. 짐이 또한 전망사졸의 아깝게 마침을 슬퍼하

---

742) 품증(品增) : 관직의 품계(品階)를 올려 줌.

노라."

　원수 다시 날이 늦음을 주하여 환궁하심을 간하니, 상이 마지못하여 환궁하실 새, 원수로 하여금 제군을 거느려, 백설청총만리운(白雪靑驄萬里雲)743)을 타고 선대(先隊)에 행케 하니, 척탕(滌蕩)한 풍류와 쇄락한 용모에 취색이 편만(遍滿)하니, 홍련(紅蓮)이 남풍에 웃는 듯, 엄숙한 위의와 씩씩한 호령은 한신(韓信) 주아부(周亞夫)를 압두할지라. 안광(眼光)은 삼군을 비추고 덕화는 사졸에 덥혔으니, 장사군졸(將士軍卒)이 오늘날 황성의 개가승전곡(凱歌勝戰曲)으로 즐거이 돌아와, 성주의 대은이 융융하심을 저마다 환열하는지라. 원수의 뒤를 따르는 군병 장졸과 도창검극(刀槍劍戟)이며 기치절월(旗幟節鉞)이 대로에 메었으니, 상이 뒤에 행하시며 바라보시고 기쁨을 이기지 못하시더라.

---

743) 백설청총만리운(白雪靑驄萬里雲) : 말 이름. 갈기와 꼬리가 푸르스름한 백마 (白馬)인 청총마(靑驄馬)의 일종.

명주보월빙 권지칠십

어시에 만세 황야 후진(後陣)에 행하시며, 윤원수의 행군함을 바라보시고 기쁨을 이기지 못하시니, 노상(路上)의 누런 티끌이 일색을 가리고 태평가 풍류 소리 구천(九天)에 사무치니, 진실로 남아의 사업이요, 대장부의 위풍이라. 도성 만민이 부로휴유(扶老携幼)하여, 원수의 행군하는 위의를 구경하며 저마다 칭찬 갈채하여 홀홀(惚惚)이 넋을 잃고, 명천공의 후사(後嗣) 이같이 빛남을 흠앙 경복치 않을 이 없어, 새로이 위·유 양인의 흉심을 꾸짖어,

"저 같은 손아(孫兒)와 질자(姪子)를 못 견디도록 보채여 온 가지로 죽이기를 도모하고, 정숙렬 같은 손부(孫婦)를 참해(慘害)함이 절절이 극악 흉완한지라, 어찌 천벌이 없으리오."

하며, 황친공경가(皇親公卿家) 부인들도 다투어 집을 잡아, 천고(千古) 희한(稀罕)한 장관을 아니 기특히 여길 이 없는지라. 나이 많은 부인네는 윤원수 같은 아들과 정병부 같은 사위를 두미 세상의 희한한 북경(福慶)이라 하여, 새로이 윤의렬의 성효절행(誠孝節行)을 일컬어, 명천공의 자녀 하나도 범연한 이 없음을 아니 부러워할 이 없더라.

행해여 궐문에 다다라 거가(車駕)가 환궁하신 후, 원수 주왈,

"신이 또한 물러가 늙은 할미를 반기오리니 파조(罷朝)하심을 청하나

이다.”

상이 가라사대,

“금일이 벌써 저물었고 군신이 반기는 정을 다 펴지 못하였음으로, 경의 대공을 의논치 못하니, 명일 다시 모이게 하라.”

원수 사은이퇴(謝恩而退)하여 궐문 밖을 나매, 삼위 표숙과 정·하·진 제공의 부자며 일가종족(一家宗族)의 재직자(在職者)가 일시에 모여 반기는 정이 황홀하니, 원수 또한 반가오미 적지 않되, 집에 돌아감이 급하여 겨우 삼위 표숙과 금후를 향하여 존후를 묻잡고, 표숙께 자위(慈闈) 평부를 대강 안 후, 정·진 제공과 일가 제인을 향하여, 왈,

“금일 황성을 디며 열위(列位) 제존공(諸尊公)의 성체 안강하시며, 신관이 평석(平昔) 같으심을 뵈오매, 우러러 환열한 하정을 비할 곳이 없삽고, 소생이 성주의 천지 같으신 대덕으로, 허다한 죄과를 벗어나 미천한 몸이 일조(一朝)에 영귀함을 깃거 하오나, 소생의 정사는 그렇지 않아 노년 조모와 편모의 슬하 적막함을 생각하오니, 인자지심(人子之心)에 배견(拜見)이 일시 급하온지라. 종용이 모셔 하회(下回)744)를 펴지 못하옵나니, 이제는 경사에 있을지라, 자연 하정(下情)을 펴올 날이 없지 않으리이다.”

제공이 급하여 하는 거동을 보고 일시에 머물게 하지 못하되, 금후 여아의 소식 앎이 급한지라, 빨리 원비(猿臂)745)를 늘여 원수의 손을 잡고, 소왈,

“사원은 친당에 등배(登拜)할 뜻이 급하여 타사(他事)를 생각지 못하

---

744) 하회(下回) : 다음 차례.
745) 원비(猿臂) : 원숭이의 팔이라는 뜻으로, 길고 힘이 있어 활쏘기에 좋은 팔을 이르는 말.

며, 날 같은 빙악은 조금도 보고자 않거니와, 나의 급히 알고자 하는 바는 소녀(小女)의 생존함을 얻어 한가지로 상경한가 싶되, 거교(車轎)를 문외(門外)에서 보지 못하니 굼거움746)을 이기지 못하리로다."

원수 흔연 사사 왈,

"소생이 비록 불인(不人)이나 악장을 우러르옵는 하정이 어찌 범연하리까? 설사 악장이 소생을 부정(不正)한 유(類)로 치시어도, 소생이 금일을 당하여 노년 조모를 배견하올 정리 시급하온지라, 어찌 완완(緩緩)하리까? 영녀는 살아 금일 돌아오옵나니, 행거를 임성각이 호위하며 사오십 리(里)를 띄워 행하니, 거의 문에 이르렀으리이다."

금후 희동안색 하여 병부 등 삼자를 명하여, 왈,

"너희 다시 문외의 나가 누의 행거를 맞아 오라."

북공이 수명하여 양제(兩弟)를 데리고 급히 문외로 나가고, 윤원수는 급히 옥누항으로 가거늘, 제인이

"그 곳에 이르나 황연히 빈 터라. 부공 사당이나 봉배(奉拜)할 따름이지, 그 조모께 뵈기는 점점 더디리로다."

하며 웃되, 원수 제인의 그런 말을 차려 듣지 않고, 급급히 옥누항의 이르니, 삼년지내(三年之內)에 고루장각(高樓莊閣)이 변하여 빈 터만 황연하니, 먼저 대문에 이르매 장원(牆垣)이 퇴락하고 문짝이 없더니, 점점 들어가매 전일 천문만호(千門萬戶)747)의 엄엄숙숙 하던 가사(家舍)가 다 무너져, 한 조각 재목도 남은 것이 없어 외당 백화헌이 홀로 있고, 내당의 해춘루가 남았으니, 그 외에는 총잡(叢雜)한 초목과 외인의 왕래하는 자취 낭자(狼藉)하여 해춘각 기와를 걷어가며, 청사의 주렴을

---

746) 굼겁다 : 궁금하다. 무엇이 알고 싶어 마음이 몹시 답답하고 안타깝다.
747) 천문만호(千門萬戶) : 대가(大家)의 많은 문호를 이르는 말.

다 걷어 없앴는지라.

원수 조모께 바삐 뵈오려 들어온 바, 한 사람도 없어, 완연이 난신적자(亂臣賊者)의 적몰(籍沒)한 가사 같으니, 장부의 철석심장(鐵石心腸)과 영웅의 충천지기(衝天之氣)로도 차악(嗟愕) 비절(悲絶)함을 견디지 못하더니, 문득 여로남복(女奴男僕)이 무리지어 들어와 배현하고, 일시에 체읍하거늘, 원수 바삐 태부인 계신 곳과 환후 경중(輕重)을 물으니, 비자 등이 강정(江亭)으로서 이리 왔는지라. 위·유의 환후 고극(苦劇)함을 고하고, 지금 강정에 계심을 아뢰니, 원수 듣는 말마다 통상(痛傷)함을 이기지 못하여, 급히 강정으로 가고자 하되, 또한 사당(祠堂)에 배알을 않지 못하여 급히 사묘(祠廟)에 올라가니, 원래 경악공 사묘와 운혜공 목주는 태사 윤공이 모셔 가 아직 권도로 봉사(奉祀)하고, 그 밖의 목주는 예대로 봉안하였으나, 삼년을 영영히 제향을 끊어 사당 문도 열지 않았는 고로, 상탁에 티끌이 가득하고, 금로(金爐) 촉대(燭臺)를 다 없이 하며, 사묘 안에 벌인 것이 없고 용문채화석(龍紋彩畫席)과 난봉지의(鸞鳳之儀)는 다 걷어 없이 하였고, 대여섯 잎 흰 초석을 겨우 폈는지라. 원수 이 경상을 당하여 더욱 망극 비절함을 이기지 못하여, 차례로 배알하다가 부공 사우에 다다르는 실성통읍(失性慟泣)하여, 체루(涕淚) 비절(悲絶) 왈,

"불초자 광천이 몸이 종장(宗長)의 중함을 가졌으되, 조선 향사를 무고히 폐하여 삼년을 천리 타향에 죄적(罪謫)하매, 그 사이 아주 제향을 폐하고, 사묘(祠廟)를 이다지도 폐하온 죄는 전혀 불초의 무상한 죄로소이다. 천지신명의 앙화를 당할 뿐 아니라, 조선(祖先)의 죄인이니 청컨대, 조종신령(祖宗神靈)748)과 대인영백(大人靈魄)749)은 불초자의 죄를

---

748) 조종신령(祖宗神靈) : 시조가 되는 조상의 신령.

명명지중(明明之中)에 다스리소서."

　언필에 실성운절(失性殞絶)하여 정신을 수습지 못하니, 흐르는 안수 (眼水)는 오월 비 같고, 층첩한 슬픔과 가득한 회포에 가슴이 막혀 오래 도록 인사를 차리지 못하고, 통상함을 마지않으니, 윤씨 종족 제인이 원 수의 뒤를 좇아 이에 이르렀더니, 사당에 들어가 오래 나오지 않음을 보 고, 일시의 나아가 원수를 붙들어 위로하여, 무익지비(無益之悲)를 과히 말라 하며, 윤이부(吏部)며 태사(太師)가 위력으로 원수를 이끌어 사당 밖으로 나오매, 원수 제족을 대하여 떠났던 회포를 이르지 못하고, 날이 저물었음을 착급하여 총총이 강정으로 갈 새, 사졸을 명하여, '각각 집 으로 가라.' 하고, 급히 강정에 이르니, 차시 위·유 양흉이 만신 창질 은 날로 더하여, 흐르는 농즙은 자리의 괨을 면치 못하고, 피육간(皮肉 間)의 쑤시는 버러지는 골절을 침노하니, 사지(四肢) 백골(白骨)이 아니 아픈 곳이 없고, 악취는 스스로 비위를 정치 못하는 바에, 태흉은 앞이 어두어 사람을 몰라보고, 유녀는 귀먹어 아무리 소리를 높이 하여도 알 아듣지 못하는지라. 수간 방사에 두 병인이 마주 앉아, 일신골절(一身骨 節)이 아니 썩는 곳이 없어, 괴이한 버러지조차 못 견디게 할 뿐 아니 라, 구미(口味)는 예보다도 더한 듯하여, 아니 생각나는 것이 없고, 허 핍(虛乏)하기는 이상하여, 고상(苦狀)이 측량없으니, 태흉은 오히려 자 기 몸이 지극히 아프고 형세 궁극하매 말째 비복까지 비소(誹笑)함이 측 량없기로, 추밀의 돌아오는 바를 기다림은 이르지도 말고, 점점 양손을 생각하며, 조부인의 효순화열(孝順和悅)함과 정·하 등의 온유 나직하 던750) 바를 헤아려, 너무 이심히 보채여 집에 하나도 머물지 못함을 애

---

749) 대인영백(大人靈魄) : 아버지의 넋.
750) 나직하다 : 소리가 꽤 낮다.

달프고 뉘우쳐, 일분이나 자기 그름을 깨닫는 듯하되, 유녀는 함독(含毒)이 날로 더하여, 자기 친생 여아 현아 소저까지 물어뜯고 싶은 마음이 있어, 하가(河家)에서 와 한 번도 자기 병을 묻는 일이 없음을 통완하여 하고, 경아의 팔자 좋지 못하여 석가 누옥 중 죄인이 되매, 천일을 볼 기약이 없음을 주야 참절(慘切)하여 참지 못하더니, 시녀 등이 각각 들은 말로 전하되,

"우리 태우 노야는 손원수의 수하장(手下將)이 되어 계시다가, 손원수가 여차여차 죽이려 함으로 몸을 피하여 화를 받지 않으시고, 장사의 피란하는 백성을 모아 약간 군사로 장사의 수만 대병을 짓치며, 장사왕을 베며, 왕후란 것이 석년의 태우 노야 삼취로 돌아왔던 유씨러니, 노야 검하에 촌참(寸斬)하다 하매, 유녀 명문여자(名門女子)로 배부난륜(背夫亂倫)함도 사죄거늘, 또 반역을 도모하여 죽다 하니, 유녀의 죄악은 남산죽(南山竹)751)을 베어도 속(贖)지 못하리로다."

이처럼 이르며, 원수의 쉬이 돌아올 바를 일컬어 즐겨 하니, 태흥은 말을 알아들음으로 제 시녀를 불러 왈,

"원수 언제 돌아온다 하더뇨?"

제 시녀 짐짓 유씨 애를 사르게 하고자 함으로 소리를 높혀, 원수의 승첩(勝捷) 반사(班師)하여 쉬이 옴과, 장사왕 부부 벤 곡절을 들은 대로 고하니, 태흥은 잠깐 태우를 기다리는 의사 있어 깃거 하나, 유녀는 듣는 말마다 심간(心肝)이 터지며 흉격(胸膈)이 뛰놀아, 경각(頃刻)에 자기 몸이 없어져 이런 말을 듣지 말고자 하는지라. 증화(憎火)와 흉독

---

751) 남산죽(南山竹) : '남산에 있는 대나무'라는 뜻으로, 본문에서의 의미는 남산에 있는 대나무를 다 베어 죽간(竹簡)을 만들어 써도 다 기록할 수 없을 만큼 죄가 많다는 의미. '경죽난서(罄竹難書)'에서 온말.

을 풀 곳이 없어 스스로 몸을 치며 이를 가라, 농즙(膿汁)은 더욱 흐르니, 무서운 거동을 차마 보지 못할지라.

제시녀(諸侍女) 등이 미움을 이기지 못하여 하나, 학사 쉬이 돌아올 것이므로, 유녀를 전같이 불공(不恭)치 못하여, 앞에서 시비의 도리를 차리는 듯하여 조밥과 맛 사나운 찬선을 많이 주어 그 복중을 채우게 하되, 태흥과 유녀 나무라고 내어 쫓아 보냄이 없어 순순이 그릇을 부시더니752), 일일은 제 시비 환환낙낙(歡歡樂樂)하여 원수의 반사함을 이르고, 일시에 성내로 들어오니, 유씨 듣는 말마다 분함을 이기지 못하더니, 날이 어두워 밤이 깊은 후 원수 강정에 이르러 밖에서 왔음을 고하고, 버거 들어와 조모와 숙모께 배알할 새, 바삐 눈을 들어 조모와 숙모를 보매 인형(人形)이 되지 않아, 무서운 귀신의 모양이요, 만신에 흉참한 창질이 자옥하고, 더러운 농즙이 자리에 가득하여, 이목구비(耳目口鼻) 다 그릇 되어 아무리 보아도 전 얼굴이 없고, 더럽고 추악함이 비위 좋은 사람도 차마 바로 보지 못할러라.

원수 연망(連忙)이 슬전(膝前)에 배알하고 조모를 붙들어 실성 비읍 왈,

"불초 손 등이 슬하를 떠난 지 거의 삼년이라. 존당을 영모하는 하정(下情)이 장위(腸胃) 이울753)기를 면치 못하오나, 그 사이 왕모와 숙모의 환후 여차하실 줄은 생각지 못하였더니, 장사에서 간비의 초사를 듣자온 후, 비로소 환후 중하신 줄 듣잡고 돌아오느라 하온 것이, 도뢰 요원하여 이제야 환경하고, 어탑(御榻)에 봉배(奉拜)하고 존당에 뵈오나, 질환이 이러하시니 경황함을 이기지 못하리로소이다."

태흥은 얼굴을 모르고 소리를 알아듣는지라, 구태여 마음이 반가우미

752) 부시다 : 그릇 따위를 씻어 깨끗하게 하다.
753) 이울다. ①꽃이나 잎이 시들다. ②점점 쇠약하여지다. ③빛이 스러지다.

아니로되, 자가 일신의 악질이 유달라 고상(苦狀)이 무비(無比)한 고로, 역시 붙들고 일장을 통곡하고, 유녀는 겨우 얼굴은 알아볼 만하나, 귀먹어 말을 못 알아듣는지라. 촉하에 원수의 얼굴을 보건대, 쇄락함이 추천명월(秋天明月)이 벽공(碧空)에 걸렸는 듯, 늠름한 거동이 언건웅장(偃蹇雄壯)하여 팔척경륜(八尺徑輪)754)에 가득한 풍모와 재상(宰相)의 관면(冠冕)이 더욱 그 신상의 위의를 도왔는지라. 귀인골격(貴人骨格)이 새로우니, 차인은 하늘이 죽일 밖에 인력으로 할 바 아닌지라.

유녀 밉고 분하되 창처가 더욱 아려755), 애다는 한이 가슴에 막혀 경각에 칼로 지르고 싶음을 참으매, 목 위에 힘줄은 벌떡이고 만신의 버러지는 용약하여 혈육을 빨아대는 듯, 더욱 정신이 아득하여 한 소리를 크게 지르고 거꾸러지니, 원수 조모의 통곡함을 보고 심혼이 비황(悲遑)하여 조모를 붙들어 위로하고, 일변 낭중의 약을 내어 차에 갈아 유씨 입에 떠 넣으며, 비록 피육간(皮肉間)에 있는 버러지를 다 잡아 없애지 못하나, 겉으로 난 버러지를 손으로 움켜756) 없애고, 시녀를 명하여 다른 방사 두어 칸을 쇄소하라 하고, 조모와 숙모의 창질이 이다지도 함을 당하여, 황황(惶惶) 경참(驚慘)함을 견디지 못하니, 속절없이 흐르는 눈물이 옷을 적시고, 전전(全全)757)하여 자기 등이 불효 대죄를 지음 같아서 슬퍼할지언정, 위·유 양흉의 과악을 생각하여 원한이 있지 않으니, 진정 대효 군자라.

이윽한 후 유녀 숨을 내쉬며 정신을 차리고, 태흥이 겨우 인사를 차려

---

754) 팔척경륜(八尺徑輪) : 팔척의 키와 몸피. *경륜(徑輪); 지름과 둘레를 아울러 이르는 말.
755) 아리다 : 상처나 살갗 따위가 찌르는 듯이 아프다.
756) 움키다 : 움켜잡다. 손가락을 우그리어 물건 따위를 놓치지 않도록 힘 있게 잡다.
757) 전전(全全) : 모두 다. 온전히.

통곡을 그치고, 다만 죽지 못함을 한하며, 폐맹지인(廢盲之人)이 되어 일신에 창처(瘡處)를 앓고 보지 못함을 통탄하는지라. 원수 조모와 숙모가 참혹한 병인(病人)이 되었음을 크게 슬퍼하나, 심사를 굳게 잡아 조모를 위로하고, 시녀를 재촉하여 다른 방사를 쇄소한 후, 조모의 입은 바 옷에 농즙이 젖었음을 보고 다른 옷을 입으시게 하려 하나, 여벌 의상이 없으니, 급히 혜충을 불러 행리(行李)758) 중에 자기 옷을 들여오라 하고, 또 약궤를 열어 바삐 창처에 유익한 약을 가려놓고, 시녀를 당부하여 물로 씻게 하니, 제 시녀 못 미칠 듯, 즉시 데워 온데, 원수 조모의 면목과 수족을 다 씻겨 더러운 버러지를 떨어버리고, 또 만신에 약을 바른 후, 자기의 저른 옷을 입혀 왈,

"명일 다른 옷을 입으시리니 소손의 저른 옷을 금야만 입으소서."

태흉이 창처를 시원히 씻고 약을 바르며 옷을 바꾸어 입으니, 몸이 가벼워 적이 상쾌하나, 원수의 이 같은 성효를 측량치 못하여, 도리어 놀라고 의심하니, 본디 그 심사 영오(穎悟)하고 소통(疏通)치 못할 뿐 아니라, 원수 형제는 황부인 소생이니 자기를 향하여 정성이 결단코 부족할 줄로 알며, 자기 또 원수 형제에게 사람이 차마 못 견딜 악사(惡事)를 많이 하였으니 원망할 줄로 안 바요, 사나운 사람이 원간 어진 사람의 행사를 채 알지 못하여, 교정(矯情)759)만 여기되, 자기 형세 지극히 위고(危苦)하던 고로, 원수의 오기를 많이 기다리던지라. 금야에 돌아와 자기 씻어보지 못한 창구(瘡軀)760)를 목욕 감고 악즙(惡汁)을 씻으니, 환행(歡幸)한 가운데 두려운 의사 일어나, 혹자 자기를 뉘어 놓고, 원수

---

758) 행리(行李) : 여행 중에 쓰기 위한 물품을 넣은 자루나 상자.
759) 교정(矯情) : 진심을 속이고 거짓으로 꾸밈.
760) 창구(瘡口) : 부스럼이나 종기가 터져서 생긴 구멍.

어떻게 해하려는 건 아닌가 하여, 우미(愚迷)한 소견에 생각하되,

"내 아직 형세 지극 미약하여 모야간(暮夜間)761)에 쓰리처762) 죽이려 하여도 어렵지 않으리니, 광천은 만사 능려(凌厲)하여 남다른 위인이라. 나를 이같이 씻겨 약을 바르고 마른 옷을 입혀 정성된 체하고, 가만한 가운데 해할 마음이 있을 것이니, 차라리 전일 그릇함을 슬피 일컬어 뉘우치는 뜻을 뵈고, 타일 내 아들이 오고 유현부 혹자 찬배(竄配)가 풀리는 날이 오면, 다시 기모비계(奇謀秘計)로 이놈들을 해하는 것이 옳으니, 이때 광천을 대하여 잠깐 비는 것이 무엇이 어려우리오. 광아의 성품이 소활한지라. 실로 그리 여길 것이니, 제 힘힘이763) 내 계교의 속음이 되리라."

하고, 원수에게 빌기를 정하매, 자기 깐764)에는 육출기계(六出奇計)765)하던 진유자(陳孺子)766)의 기모비계(奇謀秘計)나 생각한 듯이 깃거, 이에 원수를 붙들고 백두(白頭)를 흔들며 눈물이 주줄하여767) 왈,

"노망한 할미 전일 불의패덕을 이르려 하매 혜 닳을 것이므로, 아예 일컫지 아니하나, 현효한 내 손아는 할미 행사를 족가(足枷)768)치 말

---

761) 모야간(暮夜間) : 어두운 밤사이.
762) 쓰리다 : 쓸어 모으다. 한데 뭉뚱그리다.
763) 힘힘이 : 속절없이, 부질없이, 어찌할 도리 없이.
764) 깐 : 일의 형편 따위를 속으로 헤아려 보는 생각이나 가늠.
765) 육출기계(六出奇計) : 신기한 꾀를 여섯 번이나 냄. 진유자의 기계(奇計)에서 유래한 말.
766) 진유자(陳孺子) : 진평(陳平). ? - BC178. 중국 한(漢)나라 때 정치가. 한 고조 유방(劉邦)를 도와 여섯 번이나 기발한 꾀를 내, 천하를 평정케 함.
767) 주줄하다 : 줄줄 흐르다.
768) 족가(足枷)하다 : 족가(足枷)하다. 도망치지 못하도록 발에 족가(足枷; 차꼬)나 족쇄(足鎖; 쇠사슬) 따위를 채우다. 아랑곳하다. 참견하다. 다그치다. 탓하다. 따지다.

고, 차후나 조손(祖孫)과 숙질(叔姪)이 정의상합(情誼相合)함을 바라나니, 손아는 남 다른 성효라. 나의 석일 허물을 새로이 개과(改過)함을 거의 알아, 마침내 할미로 대접고자 뜻이 있어 더러운 창처를 친히 씻어주니, 감격하고 귀중치 않으리오. 이때를 당하여 바야흐로 뉘우치며 백자천손(百子千孫)이 있어도 귀중함이 손아에 더하지 않으리니, 손아가 한결같이 조손지의(祖孫之義) 완전할진대, 살아서 당당이 은혜를 갚고 죽어 결초보은(結草報恩) 하리라."

원수 조모의 말씀을 들으매, '사광(師曠)의 총명(聰明)'[769]으로 어찌 그 심정을 모르리오. 자기를 믿지 않고 흉악한 의심을 내어, 계교로 일컬음을 차악상심(嗟愕傷心)하여 해연망극(駭然罔極)함이 전일 악악(諤諤)하던 수죄지언(數罪之言)과 장책을 나오던 바에 백배 더하니, 연망(連忙)이 조모의 손을 받들고, 관영(冠纓)을 해탈(解脫)하여 머리를 상하(床下)에 두드려, 혈읍유체(血泣流涕) 왈,

"불초손(不肖孫)이 비록 만고무비(萬古無比)한 흉패(凶悖)함이 있으나, 대모께 다다라는 진실로 원을 품고 조손지정(祖孫之情)을 상(傷)할 마음이 꿈결에도 없사오니, 야천(夜天)이 조림(照臨)하고 신명이 재방(在傍)하온지라. 불초손이 일분이나 대모께 불순한 마음을 두오면 당당이 천벌을 받을지라. 바라건대 왕모는 조금도 이런 마음을 두지 마소서."

태흥이 마음에 불열하나, 거짓 전일을 일컬어 자가의 마음이 회과천선(悔過遷善)하고 어질어졌음을 이르니, 원수 더욱 한심하나 자기 말씀을 아직 곧이들을 리 없을 줄 알아, 다만 성효를 극진히 하여 조모의 감화하시기만 바라고, 즉시 조모를 붙들어 다른 방사로 옮게 하며, 유씨의

---

769) 사광(師曠)의 총명(聰明) : 사광(師曠)의 총명함. 중국 춘추(春秋) 때 사광이란 사람이 소리를 잘 분변하여 길흉을 점쳤다는 고사에서 유래한 말.

창처 씻음을 또 청하고, 자기 입은 옷을 벗어, '금야만 잠깐 입으소서.'
하니, 유녀는 태흉의 불통(不通)함과 다른 고로, 원수의 이 같음을 조금
도 의심치 않되, 본디 투현질능(妬賢嫉能)이 남달라, 사람의 잘 되어 감
을 미워하는지라. 자기는 한낱 아들을 두지 못하고 전후에 허다 심력을
허비하여 온갖 계교를 행한 바, 천고에 없는 매명(罵名)을 취하고 원수
형제는 일시 액경을 지내나, 이제 영화부귀 세대의 희한하니, 한 일도
자기 계교와 같지 못함을 돌돌770) 분완하여 뜯어 먹고자 하나, 천만 강
인하여 다만 원수의 구호하는 대로 창처를 씻고 옷을 갈아 입으매, 원수
또 붙들어 정결한 방으로 옮게 하고, 시녀 열씩 앞에서 사후케 할 새 계
충이 유미(有味)한 진미(珍味)와 향기로운 과품(菓品)을 행중에 받아 왔
는 고로, 원수 석반을 받지 않음을 알고 다 드리매, 원수 혹자 조모와
숙모 진(進)하실까 하여 반은 숙모께 보내고, 반은 태모 앞에 놓아, 아
득히 몰라봄으로 여러 가지 고량진미(膏粱珍味)를 다 자기 손으로 뜯어
태모의 입에 넣을 새, 태흉이 그 맛이 기특함을 황홀하여 미처 넣을 사
이 없이 삼키며, 눈을 감고 눈썹을 모아 온 가지로 하는 거동이 흉괴하
고, 아득한 심정을 잡지 못하는 거동이라.

　원수 그 조모의 양목이 어두움을 더욱 초조하여 맥후를 살피며, 눈가
죽을 들고 안정(眼精)을 보니, 풍사(風邪)771)에 상하여 요얼(妖孽)의 해
를 받은 연고로, 목자(目子) 아득하여 사람을 보지 못하나, 아주 먼 눈
이 아니라. 각별이 치료를 잘 한즉 혹자 사람을 알아볼까 영행하여, 즉
시 주필부작(朱筆符籍)을 침당(寢堂) 좌우에 붙이고 묻자오되,

　"태복과 군석 양 흉노(匈奴) 무고사(巫蠱事)를 행하여 대모와 숙모 이

---

770) 돌돌하다 : 애달아하다. 안타까워하다.
771) 풍사(風邪) : 바람이 병의 원인으로 작용한 것을 이르는 말.

같사오나, 요정(妖精)의 기운을 제어키 어렵지 아니하오니, 자연 질환이 별증은 없으려니와, 양노(兩奴)의 흉사를 헤아린즉 만사(萬死)라도 그 죄를 속기 어려운지라. 태복은 이미 처참한 줄 알았거니와, 군석은 어디 갔나이까? 소손이 저를 찾아 만 조각에 썰어 그 죄를 속(贖)하려 하나이다."

태부인이 이를 웅숭그려 묻고 왈,

"냥 흉노의 죄를 어찌 다 이르리오. 옥누항 집을 다 헐어 없애니, 그를 민망하여 두어 번 일러 백화헌이나 남기라 하매, 나를 미워 저주를 행함이라. 노모와 유씨 양노의 해를 만나 이 병을 얻으매, 오히려 몰랐더니, 제 시녀 이르거늘 비로소 알았노라."

원수 좋은 말씀으로 조모를 위로하고, 모든 악사를 세월·비영 양비에게 미루고, 또 성상이 의심치 않으시어 조모께는 한 조각 죄벌이 없음을 고하니, 태흉이 대희 왈,

"이럴진대 만행(萬幸)이거니와, 수 일찍 유씨의 행사를 항복하는 일이 적더니, 혹자 돌아와 불평한 사단(事端)이 있을까 염려하노라."

원수 대왈,

"이는 조모의 임의로 하실지니, 계부 불평하실지라도 대모 비자 등의 사나움을 일컬으시고, 백사에 숙모의 행하신바가 대모의 지휘임을 이르시면, 계부 요란이 굴지 않으시리이다."

태흉이 청파의 환열하여 추밀이 돌아오거든 원수의 가르친 대로 하려 하더라. 문득 계명의 모든 시비 즐겨 왈,

"우리 숙렬부인이 돌아오신다."

하거늘, 원수 작일에 정숙렬이 강정으로 돌아오지 않음을 보고, 반드시 정병부 등이 데리고 취운산으로 감을 알아 심리의 미온(未穩)하더니, 행거가 문에 다다랐음을 듣고 비로소 날이 어두어 미처 오지 못한 줄 깨닫고, 황성을 육칠십리는 사이 두어 자하산이란 곳에 윤씨 종족 십여 인

이 머무르는 고로, 상경하는 길에 하룻밤을 머물고 부친 화상을 재종제 태학사 윤기천과 병부시랑 윤계천으로 모셔오라 하고, 윤태사 집 산수정에 봉안하고 오니, 이는 마음이 스스로 영신(靈神)하여 집이 아무리 되었음을 모르므로 추후 모셔 오려 함이러니, 옥누항이 백화헌 밖은 남지 않았으니 아무리 할 줄 몰라 민울하더라.

정숙렬이 처음 장사에서 떠날 때 원수와 선후를 달리하여, 날마다 사이 뜨게 행하되, 매양 임성각과 우생이 앞을 당하여 먼저 행할 적이 많더니, 황릉묘(黃陵廟)772)의 다다라 숙렬이 제전을 갖추어 이비(二妃) 묘전의 분향 배례하여, 전일 몽중에 현성하시던 바를 잊지 않고, 우소저 역시 황릉묘의 배알하여 고적(古跡)을 구경하며 자연이 원수의 행거를 미치지 못하여, 여러 십 리(里)를 사이 띄어 옴이 되었는 고로, 날이 어두운 후 남교(南郊)에 다다르니, 정병부 삼곤계 바야흐로 의막을 잡아 머무르며 소매의 행거를 기다리더니, 횃불이 조요하고 허다 하리 추종이 옹위하여 장한 위의 남교를 덮어 옴을 보고, 반기고 기쁨을 이기지 못하여 북공과 예부 하리를 분부하여 주인의 내당을 서릇어라 하고, 숙렬을 붙들어 들라 하니, 정부인이 제형의 성음을 듣고 반기되, 위태부인 환후 중함을 들은 고로, 일시를 머물지 못하여 홍선으로 전어 왈,

"소매 거거를 반기고자 마음이 급하나, 날이 어두오니 급히 입성하려 하는 고로 거거의 의막(依幕)의 들지 못하나이다."

북공이 그 말이 옳음을 아나, 매제를 반길 마음이 급하여 모든 하리로 소저의 덩을 위력으로 붙들어 들여 의막에 든데, 북공이,

"날이 벌써 밤들었으니 날개 있어도 옥누항을 가지 못하리라."

---

772) 황릉묘(黃陵廟) : 중국 순(舜)임금의 두 왕비 아황(娥皇)과 여영(女英)을 제사하는 사당(祠堂). 호남성(湖南省) 소상강(瀟湘江) 가에 있다.

하니, 정부인이 하릴없어 덩에 내려 홍선을 명하여 우소저를 모시라 하니, 홍선이 수명하여 우소저 화교를 붙들어 바로 당의 이르니, 정태우 형제 원수 신취함이 있는가 하되, 물음이 급하여, 다만 남매 반기는 정을 펼 새, 반가오미 황홀하여 남매 사인이 서로 바라보고 아무 말을 할 줄 모르더니, 북공이 먼저 매제의 생존하여 돌아옴을 칭하고, 존당 부모의 안강하심을 전하니, 소저 조모와 부모의 안녕하심을 듣고 환열함을 이기지 못하나, 위태부인 환후를 우황(憂惶)하여 시방 가지 못함을 한하니, 북공이 탄 왈,

"하늘이 그윽한 가운데 벌을 나리오사 만신에 창질을 얻되, 이상한 악질(惡疾)이라, 무수한 버러지 일신을 쑤시니, 목숨이 비록 살았으나 완연이 한 귀신같아서, 보기 어렵다 하니, 그런 아니꼬운 일이 어디에 있으리오."

숙렬이 차악(嗟愕) 경심(驚心)하여 자연 성안(星眼)에 주루(珠淚) 흐름을 면치 못하니, 정태우 분연이 위·유 양녀의 전전 과악을 일컬으며, 하소저 구병하라 갔다가 그 칼에 찔려 하마 죽을 번함을 이르고, 머리를 흔들어 왈,

"위씨의 흉악하기는 이르지도 말고, 유녀의 간독(奸毒)은 만고에 무쌍한 포악이라. 저저 만일 저 곳에 발을 디디시다가는 참화를 받아 위태하시리이다."

북공 왈,

"대인이 우리 형제를 당부하여 현매를 취운산으로 데려 오라 하여 계시니, 어찌 흉인의 곳에 나아가리오."

부인이 탄식 왈,

"소매 불초하나 오히려 인심이라. 어찌 친전(親前)에 봉배(奉拜)할 마음이 급하지 않으리까마는, 불행하여 몸이 여자 되매 한 일 쾌활한 것이

없어, 거취를 다 남의 손에 매인 바 되어, 범사를 임의로 못함은 이르지
말고, 구가 존당과 숙당이 실체(失體)하실수록 소매 도리에 구호치 않고
친정으로 돌아감이 크게 옳지 않으니, 비록 대인 명령이 계셔도 차사에
다다라는 소매 능히 봉행치 못하리로소이다."

이리 이르며 태우를 돌아보아 왈,

"옥당 한원의 청현을 자임하매, 반드시 경악의 출입하여 면절정쟁(面
折廷爭)[773]하는 명신(明臣)이 되어 행실을 삼가고 언사를 가다듬어, 전
일같이 무식 과격치 않음직 하거늘, 어찌 이제조차 말씀을 나는 대로 하
여 남의 집 부녀 욕하기를 능사로 하느뇨?"

태우 웃고 사례 왈,

"소제 천성이 그른 것을 꾸미지 못하여 말을 시작하면, 사람에게 미움
받을 증조 많도소이다 커니와, 거세(擧世) 남녀노소가 위·유 양흉의 악
착 흉험함을 듣는 이야, 뉘 통해치 않으리까?"

북공이 매제의 말이 절절이 옳음을 깨달아, 다시 취운산으로 가기를
이르지 못하고, 또 소저를 호행하여 온 사람과 화교 가운데 엇던 사람이
들었는가 물으니, 임성각과 우섭이 호행함을 이르고, 원수 우소저를 결
약남매 하여 데려온 곡절을 이른대, 북공이 원수의 의기를 일컫고, 우섭
이 삼종저부(三從姐夫) 되는 고로 즉시 매제를 우소저 있는 방으로 보내
고, 우생과 임성각을 청하여 서로 볼 새, 우생의 도학 현행은 전일 익히
들었던 바나, 임성각의 호준 발월함은 소문도 듣지 못하였던지라, 처음
으로 대하매, 우생과 성각은 북공의 한없는 풍신용화(風神容華)와 위덕
재예(威德才藝)를 항복하여, 윤원수로써 천고의 짝이 없을 줄로 알았다
가 북공을 보건대, 태산 밖에 또 태산이 있고, 바다 밖에 또 하해 있음

---

773) 면절정쟁(面折廷爭) : 임금의 면전에서 허물을 기탄없이 직간하고 쟁론함.

을 깨달아, 진정 원수와 대두할 영웅군자임을 중심에 항복하더라.

북공의 곤계 우생을 대접하며 성각을 후대하여 밤이 진하는 줄 모르고 한담하다가, 효계창명(曉鷄唱鳴)하매, 정숙렬이 거거 등에게 옥누항으로 돌아갈 위의를 차림을 청하니, 북공이 이에 거교를 차려 우소저로 더불어 함께 강정으로 갈 새, 우생이 윤부 형세를 알지 못하고 가장 기탄할 뿐 아니라, 경사의 친척이 가득하여 일매로써 의지하매, 아무대도 구간(苟艱)치 아니 할 것이므로, 태우로 하여금 정부인께 말씀을 전하여 소매를 바로 윤부로 데려가미 자기 도리의 불가함을 고하니, 정숙렬이 원수의 마음을 아는지라 어찌 우씨를 떨어뜨리고 가리오. 바로 데려가도 허물되는 일이 없음으로 회답하여, 태우를 내어 보내고 우씨의 손을 이끌어 화교의 들기를 재촉하니, 우씨 또한 원수의 구활대은을 입고, 정숙렬 같은 여중성자(女中聖者)를 만나 실로 떠나고자 마음이 없으므로, 정부인의 이르는 대로 쾌히 화교(華轎)의 들새, 우생이 하릴없어 다시 막지 못하고, 북공이 매제의 덩 뒤에 서서 웃고 왈,

"윤부에서 옥누항에 있지 않아 강정에 나왔거니와, 몸을 조심하여 흉인의 독수를 받지 말라."

숙렬이 묵연 부답이러라.

북공의 삼곤계 원수를 군전에서 얼핏 보고, 어가를 모셔 금궐에 들으신 후로 각각 분분이 헤어져, 자기 등은 매제를 맞으려 급급히 문외로 나옴으로, 한 말도 정을 펴지 못하여, 일시에 강정에 이르니, 원수 처음은 부인의 행거 뿐으로 알아 밖에 나오지 않고, 다만 노복 등을 명하여 부인 덩과 우소저 화교를 받들어 내정(內庭)으로 들이라 하더니, 북공 등이 외헌에 열좌하여 원수의 나옴을 재촉하니, 원수 시녀 등을 명하여 우소저 들 방을 쇄소하여, 아직 존당에 배알치 말고, 바로 딴 처소의 머물게 하고, 밖에 나와 북공의 삼곤계를 볼 새, 원수의 미우(眉宇) 수집

(愁集)하고 근심하는 사색이 면모의 나타나니, 북공이 먼저 그 손을 잡고 입공 반사하는 행사 남달리 쾌하고 기특함을 치하(致賀)하고, 근심하는 연고를 물으니, 원수 추연불락(惆然不樂) 왈,

"소제 국가 홍복(洪福)을 힘입어 흉적을 탕멸하나, 삼년을 떠났다가 돌아오매 존당 숙당의 질환이 위중하시어, 여러 가지 증세 하 괴악(怪惡)하시니, 어찌 정리에 우황 초민함을 이를 것이 있으리오."

정언간의 학사를 좇아갔던 노자 혜준이 당하의 배알하니, 원수 반가오미 넘쳐, 문 왈,

"네 상공이 어디 있관데 네 혼자 올라오냐?"

혜준이 부복 대왈,

"노야 초춘(初春)으로부터 숙환이 날로 더하시어 침식(寢食)이 감하시더니, 중춘(仲春)에 이르러는 만분 위악하시더니, 겨우 회소지경(回蘇之境)을 당한 후 사명이 내리시매 즉시 이발(離發)하시나, 대병지여(大病之餘)에 근력이 실낱같으시어, 하루 십여 리를 행하시더니, 또 태의 내려와 약을 그칠 날이 없으매 기운이 잠깐 나으시어, 사오일 째 수삼십 리씩 행하여, 작일 어둡게야 서교(西郊)에 다다라 계시나, 태부인의 환후와 유부인 환후 경중을 모르시어, 근력이 능히 작일(昨日) 내로 옥누항을 들어가실 길이 없어, 소복으로 환후 소식을 알아 오라 하시거늘, 소복이 밤 든 후 옥누항에 들어간 즉, 행각도 없는 황량한 빈 터요, 문하에 하리 가득이 모여 즐기거늘, 곡절을 물으니, 노야 입공 반사하심을 이르오니, 앉아 새와 남문 열기를 기다려 나왔나이다."

원수 반기는 정이 황홀하여 이르되,

"존당 숙당 환후는 중하시나 우리 돌아왔으니 의치(醫治)를 힘써 차성을 바랄 것이니, 네 상공더러 사은 후 바로 강정으로 나옴을 고하라."

지필을 가져 두어 줄을 써 존당(尊堂) 숙당(叔堂) 환후를 대강 베풀고,

혜준을 계충으로 더불어 함께 보내어 오기를 기다리고, 북공 형제로 두어 말씀하더니, 태부인이 원수를 부르니 원수 일어나 들어가며, 왈,

"소제 존당 환후로 우황하여 형 등으로 종용이 말씀을 못하나니, 후일 서로 봄을 바라나이다."

북공 형제 불열하나 원수의 거동이 황황함을 보고, 더 앉아 말하기를 청치 못하여 돌아갈 새, 임성각은 집이 없는 고로 강정 외루(外樓)에 머물고, 우생은 정태사 부중으로 가대, 누이를 다른 곳에 옮김을 청치 못하여 은인의 처치를 볼 따름이라.

정숙렬이 우씨로 더불어 강정 내헌(內軒)에 들어오매, 모든 시녀 우러러 반김을 측량치 못하고, 우소저의 있을 방을 수소(修掃)하여 있음을 청하니, 정소저 홍선을 명하여 우소저를 모셔있으라 하고, 위·유 양부인께 자기 즉시 배현코자 하나, 너무 급하여 잠깐 지정이더니, 문득 겻방에서 그릇을 산산이 바으며, 원수 부부와 학사 부부를 물어먹지 못하여 한하는 소리가, 완연이 유녀의 소리요, 유녀의 성음이라.

숙렬이 해포[774]만에 그 소리를 또 들으니 새로이 놀랍고 흉히 여기되, 안색을 불변하고 머리를 숙여 못 듣는 듯하더니, 태부인이 숙렬의 왔음을 듣고, 원수를 불러 혀차 왈,

"비록 보고자 하나 망울이 부연하니[775] 무엇을 알아보리오."

원수 척연 대왈,

"정씨 이제 배알하오려니와, 대모 앞을 보지 못하시고 이렇듯 슬퍼하시니, 소손의 심사 더욱 오죽하리까? 순일(旬日)을 그음 하여 가까이 앉은 사람이나 보시게 의치를 착실히 하리이다."

---

774) 해포 : 한 해가 조금 넘는 동안. 늑세여(歲餘)
775) 부옇다 : 연기나 안개가 낀 것처럼 선명하지 못하고 조금 허옇다.

태흥(太兇)이 전일같이 원수를 질타할 일이 없어, 다만 그 효성을 의려(疑慮)하고, 자기 또한 어진 빛을 작위(作爲)하여 원수의 정성으로 받듦을 당코자 하나, 유녀 딴 방에 있으니 아무 말도 물어 보며 의논할 길이 없으니, '유씨의 주의(主意)는 어떤고?' 하여 능히 정치 못하더라.

정숙렬이 위태께 배현하고 환후를 묻자오니, 옥성(玉聲) 봉음(鳳吟)이 화평하여 천지의 화기를 이루는지라. 태흥이 귀는 밝으매 그 소리를 들으나, 원수 부부의 얼굴을 볼 길이 없으니, 답답한 것이 아니라 자기 앞이 어두움을 생각고, 제 섧기로 실성통곡하니, 원수와 정씨 절민하여 이성화기(怡聲和氣)로 위로하고, 원수 또 학사의 금일 돌아오는 바를 고하니, 태흥이 반기는 정이 있는 것이 아니로되, 원수의 형제 모이면 자기를 극진히 봉양할 것이므로, 노흥이 이상하여 아직 원수 형제를 사랑하는 정이 있는 듯하고, 유녀의 말을 들어가며 다시 해할 꾀를 생각하려 하더라.

정숙렬이 이어 유녀에게 배알하니, 유녀 한 번 눈을 들어 숙렬을 보매 악악한 심술에 미운 마음이 극하매, 참혹한 욕설이 해연 망측하여, 원수와 정씨를 꾸짖으매 선상서와 조부인을 들놓아, 금후 진부인을 다 역축견융(逆畜犬戎)[776]이라 하여 참욕(慘辱)이 부지기수(不知其數)로되, 숙렬이 안모 자약하고 거지 화평하여 지독한 욕설을 듣지 못하는 듯하니, 유씨 홀로 중얼거리기 무류(無聊)하여 도리어 욕을 그치고, 분하고 애달음이 극하여, 새로이 창처를 고통하여 화열(火熱)이 대발(大發)하니, 자주 엄홀(奄忽)하는지라.

---

776) 역축견융(逆畜犬戎) : 역적이자 오랑캐라는 뜻으로 사람답지 못한 짓을 하는 사람을 욕하여 이르는 말. 견융(犬戎); 중국 고대에, 섬서성(陝西省)에 살던 서융(西戎)의 일족.

원수 숙모의 거동이 개과키 어려움을 보니 절민 초황하여, 유열(愉悅)한 말씀과 완순(婉順)한 사색(辭色)으로 숙모의 함독(含毒)을 감화키만 바라더라.

이때 윤학사 원로(遠路)에 겨우 득달하여 서교(西郊)에 이르대, 날이 어둡고 근력이 미치지 못하여 옥누항을 채 들어가지 못하고, 혜준을 먼저 보내어 소식을 알아 오라 하고, 밤이 새도록 잠을 이루지 못하여, 날이 밝은 후 죽음(粥飮) 두어 술777)을 마시고, 정히 성내로 들어가고자 하되, 정신이 아득하고 몸이 잇붐을778) 형상치 못하여, 잠깐 베개에 지었더니779) 혜준과 계충이 들어와 문득 원수의 서간을 드리거늘, 학사 반가운 정이 가득하여 바삐 받아 보니, 놀라온 설화, 곧 양모(養母)를 찬배(竄配) 마련함을 비로소 알매, 만심(滿心)이 차악하여 고대 땅을 파고 들고 싶은지라. 어찌 일분이나 살아 가변을 듣고 싶으리오. 하염없이 맑은 누수 산산(潸潸)하여 백옥용화(白玉容華)를 적시는지라.

이윽히 체읍하여 말을 못하더니, 날호여 필연(筆硯)을 나와 화전(華箋)을 펴고 소표(疏表)를 지을 새, 찬란한 필획은 창룡이 서리고, 가음연780) 문장은 만리장천(萬里長天)의 그음 없음 같아서, 출천대효(出天大孝)는 제순(帝舜)781) 증삼(曾參)782)을 따르고, 숙숙한 예모는 공맹(孔

---

777) 술 : 수저. 밥 따위의 음식물을 숟가락으로 떠 그 분량을 세는 단위.

778) 잇부다 : 수고롭다. 고단하다. 피곤하다.

779) 지다 : 무엇을 등 뒤쪽에 두어 몸을 의지하다.

780) 가음열다 : 부유(富裕)하다.

781) 제순(帝舜) : 순임금. 중국 고대 성군(聖君)의 한사람으로 효자(孝子)로 추앙받는 인물.

782) 증삼(曾參) : 중국 노나라의 유학자. 자는 자여(子輿). 공자의 덕행과 사상을 조술(祖述)하여 공자의 손자인 자사(子思)에게 전하였다. 후세 사람이 높여 증자(曾子)라고 일컬었으며, 저서에 ≪증자≫, ≪효경≫ 이 있다.

孟)의 후를 이을지라.

쓰기를 마치매, 한공자 희린을 불러 왈,

"미화항에 혜준의 모 진파의 집이 광활하여 빈 곳이 많고 혜준의 모(母) 충근하니, 다른 자식이 없고 혜준 뿐이요, 문정(門庭)이 고요하니, 그대 아직 영자당(令慈堂)을 모셔 미화항에 가 있으면, 내 집에 돌아가 종용이 그대 가사(家舍)를 이뤄 한가지로 지냄이 어떠하뇨?"

한공자 배사 수명하거늘, 학사 혜준을 명하여,

"한공자 일행을 모셔 미화항에 이르러 잠깐 머무시게 하라."

하니, 혜준이 즉시 곽부인 거교와 한공자를 모셔 제 집에 이르니, 진파가 일자(一子)를 오래 이별하였다가 만나매 반가오미 극하고, 학사의 명이 곽부인 모자를 별당의 모시고 조석 공양을 극진히 하라 함으로, 방사를 서릇어 곽부인 모자를 안둔하고, 누대 목묘(木廟)를 모셔 조석상식(朝夕上食)783)을 받드는 도리 극진하더라.

학사 한공자를 혜준의 집으로 보내고, 장소저를 먼저 강정으로 보내고, 자기는 빨리 궐하의 나아가 금천문(金川門) 밖에 대죄하고, 표문을 중서생(中書省)에 들였더니, 이 날 만세 황야 문화전의 크게 조회를 여시고, 문무천관(文武千官)의 조하(朝賀)를 받으신 후, 윤광천의 공로를 크게 포장하시어 상작(賞爵)을 의논하실새, 군정사(軍政使) 치부(置簿)를 올리라 하시고, 윤원수 조회 불참함을 괴이히 여기사 명패(命牌)를 내려 급히 조현함을 재촉하시며, 임성각을 한가지로 들어오라 하시니, 윤원수 강정에서 패명(牌命)을 응하여 즉시 들어오지 않고, 늙은 할미의 병이 만분 위악(危惡)함을 주하고, 조현(朝見)치 못함을 청죄하며, 임성각이 상교를 받들어 궐하에 다다랐음을 주하되, 상작(賞爵)을 구치 않는

---

783) 조석상식(朝夕上食) : 상중(喪中)에 아침저녁으로 올리는 제사.

고로, 조현지시에 복색을 아무리 할 줄 모르는지라.

상이 윤허하심이 없어 윤원수 패부진(牌不進)784)을 가장 서운이 여기사, 다시 중사를 보내어 조현함을 이르시고, 임성각은 관작이 없으나 이미 지휘사를 하였고 군전에 배알하는 도리 평복(平服)으로 못하리라 하시니, 성각이 등과 전 조알할 리(理) 없으되, 윤원수의 충효재덕(忠孝才德)을 고하고, 정숙렬이 구하던 설화를 다 아뢰어 군자숙녀의 아름다운 행적을 민멸치 않으려 하는지라. 관복을 사양치 않고 즉시 어탑하(御榻下)의 배복하니, 신장이 구척이오 낯이 여문785) 대춧빛 같고, 연함호두(燕頷虎頭)786)에 일요원비(逸腰猿臂)787)라. 푸른 눈썹은 천창(天窓)788)을 떨치고 긴 눈이 설빈(雪鬢)789)에 닿았으며, 넉사주순(-四朱脣)790)의 두렷한 얼굴이 광대(廣大)하여 당당한 장좌(將座)의 그릇이라. 호기출류(豪氣出類)하고 영무(英武) 당당하여 천고 걸사(傑士)요, 일세무쌍(一世無雙)이라.

천안이 한 번 보시매 국가의 염파(廉頗)791) 번쾌(樊噲)792) 같은 장수

---

784) 패부진(牌不進) : 임금의 부름을 알리는 패 쪽을 받고도 병이나 사고로 나아가지 못하던 일.
785) 여물다 : ①과실이나 곡식 따위가 알이 들어 딴딴하게 잘 익다. ②빛이나 자연현상이 짙어지거나 왕성해져서 제 특성을 다 드러내다.
786) 연함호두(燕頷虎頭) : 제비 비슷한 턱과 범 비슷한 머리라는 뜻으로, 먼 나라에서 봉후(封侯)가 될 상(相)을 이르는 말.
787) 일요원비(逸腰猿臂) : 늘씬한 허리와 긴 팔.
788) 천창(天窓) : '눈'을 달리 표현한 말.
789) 설빈(雪鬢) : 눈처럼 하얀 귀밑털.
790) 넉사주순(-四朱脣) : '넉 사(四)' 자(字) 모양으로 다문 붉은 입술.
791) 염파(廉頗) : 중국 춘추전국시대 조나라의 명장. 제나라를 정벌하고 양진(陽晋) 땅을 빼앗아 조나라의 위세를 떨쳤다.
792) 번쾌(樊噲) : 중국 한나라 고조 때의 공신(?~B.C.189). 기원전 206년에 홍문(鴻門)의 회합에서 위급한 처지에 놓였던 유방을 구하여 후에 유방이 왕위에

있을 바를 크게 깃그사 흔연이 돈유(敦諭)하시고, 장사 전진의 공로는 이르지 말고, 의기 현심으로 원수의 기특함을 알아 몽숙의 청을 들었으되 윤원수를 해치 않고, 의기상합하여 한가지로 따름을 칭찬하시니, 성각이 재배 사은 왈,

"미신은 초모(草茅)793)의 천박한 백성이라. 마침 헛된 용무(勇武)의 이름을 얻어, 구몽숙이 신을 이백 금을 주고 윤광천을 죽여 달라 하오니, 은보에 욕심을 요동함이 아니로되, 행실이 비박(卑薄)하여 혼야의 칼을 들고 분주하여, 사람을 해코자 의사 궁흉극악(窮凶極惡)하였삽더니, 신이 윤광천의 위인을 채 알고자 하여, 칼을 번득여 그 자는 곳에 들어가니, 광천이 약불동념(若不動念) 하고, 신의 행사 괴이함을 사리로 개유하고, 그 밤으로부터 신을 조금도 의심치 않고 상하(床下)에서 자기를 이르고, 인하여 삼년을 주야로 떠나지 않으니, 신의 경박 무식한 인사로도 광천 같은 대현의 책선(責善)을 듣자오니, 자연 정도에 돌아가 서로 떠나지 않음을 맹세하여, 윤광천이 손원수를 종군하는 바에 따라 갔삽더니, 손확이 광천을 무함(誣陷)하여 참하기를 재촉하니, 신이 창황 망극하옵더니, 문득 여차여차 한 도인이 윤원수의 급난(急難)을 구하여, 영선강을 건너 낙청산의 들어가 피화하되, 신이 그 근본을 알지 못하고 광천이 구태여 신더러 이르지 않으니, 신은 천신이 강림(降臨)하여 구함인가 하였삽더니, 원수 장사를 진정하고 돌아오는 길에 광천의 부인 정씨 낙청산 도관에 있으니, 신더러 호행하라 하옵거늘, 신이 거교를 차려 가온즉, 원수를 구하던 도인의 서동이 변하여 정숙렬의 서동이 되었삽

오르자 장군이 되었다.
793) 초모(草茅) : =모초(茅草). '띠'를 이르는 말로, 띠 풀이 무성한 초야(草野)를 비유적으로 나타낸 말.

는지라. 신이 의혹하와 비자더러 곡절을 물으니, 과연 정씨 여자의 뛰어
난 재주 있어 천문 지리와 만사를 능통하는 고로, 윤광천의 주성을 보아
액화(厄禍) 있음을 알고, 소소 부끄러움을 돌아보지 않고, 도인의 복색
으로 원수를 구하여 대액을 벗어나 국가에 대공을 세움이 되었사오니,
그 근본을 이를진대 정씨의 광천 구하오미, 한갓 사사(私私) 열절(烈節)
뿐 아니오라, 국가(國家) 대행(大幸)이니, 신이 흠복하오대, 광천이 마
침내 신이 모르는 줄로 아나이다. 또 정씨 백사(百事)가 다 인류에 특이
하여, 서경 포정사 남순의 여(女)를 여차여차 살려내오며, 장사 정배 죄
인 화모의 여를 취(娶)하되, 여화위남(女化爲男)하여 광천의 성명을 빌
어, 절염 숙녀로써 길운(吉運)을 만나 가부에게 천거하려 하니, 어찌 기
특치 않으리까? 신은 광천의 뒤를 좇아 그 지휘를 들어 적은 공을 이룸
이 있사오나, 본디 무명필부(無名匹夫)라 어찌 천문(天門)의 작상(爵賞)을
바라리까? 십년을 그음하여 무과(武科)를 응하온 후 조항(朝行)에 나아오
리니, 이때는 상작을 주서도 신은 죽을지언정 순수치 못하리로소이다."

인하여 윤광천의 의기 현심으로 우섭의 남매를 구하여, 결약동기(結
約同氣) 하여 데려오되, 남녀 동행의 혐의를 없이 한 바를 일일이 주(奏)
하니, 상이 윤원수 부부의 처신 백사, 타류(他類)의 내도함을 기특히 여
기시고, 성각이 불의를 멀리 하고 정도의 나아감을 기특히 여기사, 만조
를 대하여 그 행사의 기특함을 일컬으시니, 만조가 일시의 주하여 천고
의 기이함을 대하더니, 문득 양주 갔던 전유사관(傳諭使官) 임찬이 윤학
사를 데려왔음을 고하고, 조초 윤학사의 소장(疏狀)이 천문에 오르니,
상이 윤학사의 왔음을 크게 반기사 그 소장을 어람하실새, 대개 양모(養
母)의 찬적을 경해(驚駭)하여, 만언소장(萬言疏狀)에 첩첩히 베푼 설화
가 다 양모를 위할 뿐 아니라, 자기 불효를 일컬어, 군상(君上)이 죽음
을 주실지라도 양모로써 찬적 죄수를 삼고는 홀로 즐거움을 받아, 청현

화직(淸顯華職)794)에 나아가지 않을 바를 주(奏)하여, 성효의 출천함과
사어(辭語)의 격절(激切)함이 사람으로 하여금 탄복(歎服) 기경(起敬)할
지라.

상이 남파(覽罷)에 그 소장을 내려 만조 문무로 하여금 다 한가지로
보게 하시고, 탄지칭선(嘆之稱善)하시어 왈,

"윤희천이 유녀 악인을 위하여 효성이 이 같으니, 만일 희천의 마음이
편하기를 주(主)할진대 유녀의 죄를 물시(勿視)할 것이로되, 유녀의 죄
악이 천지의 관영(貫盈)하여 그 머리를 어깨 위에 보전치 못할 것을, 희
천의 성효를 돌아보아 양주 찬적을 명하였더니, 희천이 오히려 유녀의
죄중벌경(罪重罰輕) 함을 깨닫지 못함이 아니로되, 죽기를 결하여 조항
간(朝行間)의 나지 않으려 하니, 어찌 불행치 않으리오."

만조가 윤학사의 소장을 돌려보며 그 대효를 감탄하여, 일시의 주하되,

"유녀의 죄악이 호대(浩大)하오나 국가 대사 아니요, 불과 사가(私家)
모자숙질간(母子叔姪間)의 어지러운 일이라. 유녀를 처치하오미 그 장
부 윤수에게 달렸으니, 폐해 이미 윤수 숙질의 정리를 살피사 위녀의 무
궁한 죄악 행사를 물시하여 계시니, 유녀의 과악인들 물시(勿施)치 못하
시리까?"

상이 가라사대,

"경 등의 주사 마땅하나 유녀의 죄를 마저 사한즉, 천하 간교(奸巧)
극악(極惡)과 투한(妬悍) 요녀(妖女)를 징계치 못할까 하노라."

하시고, 이에 중사를 명하여 윤학사를 바삐 조현하라 하시니, 윤학사
회계(回啓)795) 왈,

---

794) 청현화직(淸顯華職) : 청직(淸職)과 현직(顯職)의 영화로운 직위.
795) 회계(回啓) : 임금의 물음에 대하여 신하들이 심의하여 대답하던 일.

"어미는 천지거늘 신이 어미 해한 죄인이라. 모자 한가지로 죄의 나아감을 주하옵나니, 바라건대 성상은 소신을 죽여 후세 불효한 패자(悖子)를 징계하소서."

상이 그 뜻이 굳음을 아시고 다시 엄지(嚴旨)를 나리오사 왈,

"유녀의 과악이 천지에 관영하니 어찌 그 몸을 능지(陵遲)[796]하여 죄를 다스리지 않으리오마는, 경의 안면을 고렴하여 양주에 정배하였거늘, 경이 짐의 뜻을 모르고 조항의 나아오기를 종시(終始) 사양할진대, 짐이 당당이 유녀를 죽여 법을 정히 하리라."

하시니, 학사 회주 왈,

"고어의 왈, 성군은 이효(以孝)로 치천하(治天下)하시고, 덕으로 만민을 다스리사 예의를 권장하신다 하오니, 소신이 비록 우용불초지인(愚庸不肖之人)으로 극악패자(極惡悖子)오나, 성상이 사람의 어미를 죽여 위엄을 세우렸노라 하시니, 이에 다다라는 그윽이 폐하의 정사(政事)하심을 한심(寒心) 차악(嗟愕)하옵나니, 어느 겨를에 가변을 슬퍼하리까? 모자 간 죄과 한가지오니 신이 구태여 어미를 애매타 하는 것이 아니오라, 어미 죄의 나아가매 기자가 일체로 벌을 받고, 어미 편할진대 자식이 무사하오리니, 화복고락(禍福苦樂)이 모자간 한 시절의 내도할 것이 아니오니, 이러므로 신이 죽기를 바라옵나니, 한 번 목숨을 끊으면 두 번 죽는 일이 없삽는지라. 천문의 결사(決事)를 기다려 부월(斧鉞)에 주(奏)하기를 바라나이다."

중사 돌아와 이대로 회주(回奏)하니, 상이 그 마음을 어려이 여기사 오래 말씀을 않으시니, 태사 정유와 각로 진흠 등이 출반 주 왈,

---

796) 능지(陵遲) : 대역죄를 범한 자에게 과하던 극형. 죄인을 죽인 뒤 시신의 머리, 몸, 팔, 다리를 토막 처서 각지에 돌려 보이는 형벌. =능지처참(陵遲處斬).

"구충신(求忠臣)인대 필구어효자지문(必求於孝子之門)797)이라 하오니, 윤희천의 성효는 증삼(曾參) 후 한 사람이라. 유녀의 죄과 비록 호대하오나 희천을 쓰고자 하시거든, 유녀의 죄를 물시(勿施)하시어 희천으로 성은을 감화케 하소서."

상이 그러히 여기시대 오히려 결치 못하시더니, 승상 조진과 평북공 정천흥이 정유와 진흠의 주사 가장 온당(穩當)함을 아뢰니, 상이 마지못하시어 이에 유녀의 무궁한 과악을 다 물시하여, 양주 찬배를 푸시고 윤희천으로 모자지의(母子之義)를 완전케 하라 하시고, 하교(下敎) 왈,

"짐이 경의 소원을 좇았나니, 경은 모름지기 조알하여 짐의 생각는 정을 위로하라."

하시니, 학사 교지를 받잡고 양모의 적행(謫行)이 없음을 만심 환행(歡幸)하나, 그윽이 생각건대 그 양모의 과악이 실로 물시키 어려운 일이 많거늘, 성상이 자기의 황황한 정사를 살피사 정배(定配)를 그치시고, 바삐 자기 출사(出仕) 조현(朝見)함을 재촉하시니, 마지못해 하신 일인 줄 깨닫고 더욱 황공하고 불안하여, 다시 일봉 소를 올려 어미 찬배를 풀어주심을 사은하고,

"모자의 죄를 특은으로 사하심을 입사오나, 어미 허물이 천문구중(天門九重)798)에 사무쳤으니, 하면목(何面目)으로 입어세(立於世)하오며, 차마 조현치 못하오니 복원 성주는 신 같은 불초 패자를 죽여 후세의 불효를 징계하소서."

상이 윤학사의 표문을 보시고 그 효의 성심을 감탄하실 뿐 아니라, 위

---

797) 구충신(求忠臣)인대 필구어효자지문(必求於孝子之門) : 충신을 구하려면 반드시 효자의 가문에서 구하라는 말.
798) 천문구중(天門九重) : 대궐문의 안. *구중(九重);겹겹이 문으로 막은 깊은 궁궐이라는 뜻으로, 임금이 있는 대궐 안을 이르는 말.≒구중궁궐.

인이 구차치 않음을 아시고, 즉시 비답(批答)을 나리오사 은근 위유하시는 은지(恩旨), 인신으로 하여금 감격하는 눈물이 내림을 면치 못할 것이요, 양한림이 상교를 전하니, 진실로 가변을 부끄러워하고 조항 간에 나지 말고자 하나, 인신지도(人臣之道)로써 고집히 사양치 못하고, 성은을 만홀함 같아서, 부득이 문화전의 들어가 조알할 새, 그 풍신 용화 병여(病餘)의 더욱 씩씩하고 고요 단엄하여, 양미(兩眉)는 강산(江山)의 문명(文明)이 영영(盈盈)하고, 봉안정채(鳳眼精彩)는 전상 전하를 밝히거늘, 고운 얼굴은 백련화(白蓮花) 남풍에 웃으며, 청신한 풍채는 세류(細柳) 휘날리는 듯, 팔척신장(八尺身長)에 앙장(昂壯)한 골격이 기이한 격조(格調)라. 진상국(陳相國)의 여옥지풍(如玉之風)을 낮게 여기고, 이백(李白)의 호풍(好風)을 웃을지라. 빈빈(彬彬)한 예모는 공맹(孔孟)의 여풍이요, 숙숙한 덕화는 이윤(伊尹)799) 주공(周公)800)으로 흡사하니, 황상이 학사의 조알함을 당하여 천안이 반가움을 이기지 못하시어, 어수로써 학사의 손을 잡으시고 탄하시어 왈,

"경의 출천대효로써 '민천(旻天)의 울음'801)을 당하여 사람의 견디지 못할 바를 갖추 지냄은, 비록 오랜 일이나 놀라옴을 이기지 못하나니, 적소 삼년에 원억한 누명을 실음도 경의 조모와 양모의 사나움만 아니

---

799) 이윤(伊尹) : 중국 은나라의 전설상의 인물. 이름난 재상으로 탕왕을 도와 하나라의 걸왕을 멸망시키고 선정을 베풀었다.

800) 주공(周公) : 중국 주나라의 정치가. 문왕의 아들로 성은 희(姬). 이름은 단(旦). 형인 무왕을 도와 은나라를 멸하였고 어린 조카 성왕(成王)을 섭정하여 주나라의 기초를 튼튼히 하였다. 예악 제도(禮樂制度)를 정비하였으며, ≪주례(周禮)≫를 지었다고 알려져 있다.

801) '민천(旻天)의 울음' : 순(舜)임금이 밭에 나가 부모의 사랑을 얻지 못하는 자신을 원망하며, 또 한편으로는 부모를 사모하여 하늘을 향해 큰 소리로 목 놓아 울었던 고사(故事)를 말함. 『맹자』'만장장구상(萬章章句上)'에 나온다. 민천(旻天)은 어진 하늘

라, 또한 경 등의 액회(厄會) 비상한 연고라. 이러므로 경등의 성효를 감동하여 위·유 이녀의 죄과를 다 물시하였나니, 경은 금일로부터 행공찰임(行公察任)하여 짐의 총우함을 저버리지 말라."

하시고, 드디어 어온(御醞)을 반사(頒賜)하시고, 그 얼굴이 수척함을 갖추 염려하시니, 천은이 만조에 희한하더라.

상이 그 기부(肌膚) 연약함을 과려(過慮)하시어, 의약을 착실히 하여 병근(病根)을 없이 하라 하시니, 호성(浩盛)한 은영이 만조에 빛나고, 융융한 총권(寵眷)이 일세를 기울이더라.

학사 성은을 황공 감은하여 고두(叩頭) 사은(謝恩)하고, 인하여 사정을 진주(陳奏)하여 몸의 병이 괴이하오니 수삼월 말미를 청하여, 질양(疾恙)이 쾌소한 후 찰임함을 아뢰니, 상이 그 신색이 수고(瘦枯)함을 염려하시어 쾌허하시니, 윤학사 일마다 감축하여 눈물을 드리워 재배사은하고, 잠깐 전하의 모셨더니, 좌우반항(左右班行)의 친척제족(親戚諸族)과 인친붕우(姻親朋友) 등이 가득하나, 지척천안(咫尺天顔)에 반기는 정을 펴지 못하여, 서로 눈을 보내어 마음을 비추더라.

이 때 원수 패부진(牌不進) 후, 잠깐 옥화산의 나아가 모부인께 뵈옵고자 하더니, 중사 또 이르러 상교를 전하니, 원수 심리(心裏)의 혜오대,

"내 금일 조알(朝謁)의 불참함은 숙모의 정배(定配) 사단(事端)이 불안하여, 사제(舍弟) 천의(天意)를 돌이킨 후 들어가고자 하였더니, 또 중사(中使) 이르니, 어찌 고집하여 성의를 받들지 않으리오."

하고 이에 관복을 입고 궐정으로 향할새, 정숙렬더러 왈,

"조모와 숙모의 입으실 옷을 금일 내로 갈아입으시게 하라."

하고, 총총이 입궐하여 용전(龍殿)의 배알하니, 상이 일찍 조알치 않음을 물으시고 학사의 상경함을 깃거 하시니, 원수 잠깐 눈을 들어 학사를 보매 반가움과 슬픔이 요동할 뿐 아니라, 그 형용이 환탈하고 기부

수척하여 심히 염려로와 뵈는지라. 놀랍고 자닝함을 이기지 못하여 자연 미우에 수색(愁色)이 영영(盈盈)하고, 안광(眼光)에 반가운 정이 비추어 학사의 신상에 쏘이는지라. 학사 또한 심사 한가지로되 용탑 하(龍榻下)에 시위(侍衛)하여 감히 사정을 펴지 못할 것이므로, 한없는 정을 억제하니, 형제 양인의 출류(出類)한 신채와 쇄락한 용화가 진정 난형난제(難兄難弟)[802]라. 차(此) 양인이 조항간(朝行間)에 나매, 정죽청이 아니면 일세에 무적이니, 명천공 윤상서의 후사가 빛남을 알지라. 상이 애경하심이 만조의 위요, 인인(人人)이 흠복(欽服) 갈채(喝采)하더라.

황상이 윤원수의 남토 평정한 공로(功勞)를 의논하시어 상작(賞爵)을 더하시니, 성천자(聖天子)의 공신 포장하시는 도리 지극하시더라.

---

802) 난형난제(難兄難弟) : 누구를 형이라 하고 누구를 아우라 하기 어렵다는 뜻으로, 두 사물이 비슷하여 낫고 못함을 정하기 어려움을 이르는 말.

최길용

문학박사
전북대학교 겸임교수
전북대학교 인문학연구소 전임연구원

● 논 문
〈연작형고소설연구〉외 50여편

● 저 서
『조선조연작소설연구』등 13종

현대어본 명주보월빙 7

초판 인쇄 2014년 4월 20일
초판 발행 2014년 4월 30일

역   주| 최길용
펴 낸 이| 하운근
펴 낸 곳| 學古房

주   소| 서울시 은평구 대조동 213-5 우편번호 122-843
전   화| (02)353-9907 편집부(02)353-9908
팩   스| (02)386-8308
홈페이지| http://hakgobang.co.kr/
전자우편| hakgobang@naver.com, hakgobang@chol.com
등록번호| 제311-1994-000001호

ISBN   978-89-6071-390-1 94810
        978-89-6071-383-3 (세트)

값 : 17,000원

이 도서의 국립중앙도서관 출판시도서목록(CIP)은 서지정보유통지원시스템 홈페이지
(http://seoji.nl.go.kr)와 국가자료공동목록시스템(http://www.nl.go.kr/kolisnet)에서 이용하실 수
있습니다.(CIP제어번호: CIP2014014238)

■ 파본은 교환해 드립니다.